CRÉER DES PAGES WEB

POUR

LES NULS

CRÉER DES PAGES WEB

POUR LES NULS

Bud Smith, Arthur Bebak

Créer des pages Web pour les Nuls
Publié par
IDG Books Worldwide, Inc.
Une société de International Data Group
919E. Hillsdale Blvd., Suite 400
Forster City, CA 94404

Pour les Nuls est une marque déposée de International Data Group
For Dummies est une marque déposée de International Data Group
Collection dirigée par Jean-Pierre Cano
Traduction : Michel Dreyfus

Edition française publiée en accord avec IDG Books Worldwide, Inc.
© 2001 par Éditions First Interactive
33, avenue de la République
75011 Paris - France
Tél. 01 40 21 46 46
Fax 01 40 21 46 20
Minitel : 3615 AC3* F1RST
E-mail : firstinfo@efirst.com
Web : www.efirst.com
ISBN : 2-84427-245-2
Dépôt légal : 1er trimestre 2001

Sommaire

Préface

. . . .

*S*i vous avez ce livre entre les mains, il est probable que vous vous rangez dans une des catégories suivantes :

Le webophile. Vous êtes convaincu que créer un site Web peut vous aider à vous faire des amis, à acquérir de l'influence, à découvrir le véritable amour, à améliorer vos affaires et à ôter cette vilaine tache de graisse sur votre plus belle cravate. Peut-être même avez-vous déjà fait quelques tentatives en vue d'écrire vos propres pages Web, mais vous continuez de penser que HTML signifie "horrible truc, mauvais langage". En ce moment, vous êtes assis devant votre PC, espérant que cette préface ne va pas être trop longue et que vous allez vite pouvoir passer aux choses sérieuses.

Le surfeur. Vous avez feuilleté ce livre d'un doigt négligent dans votre librairie habituelle. Peut-être quelqu'un vous en a-t-il fait cadeau ? Ou bien vous l'avez payé de vos propres deniers, bien que vous soyez convaincu que ce n'est pas lui qui va vous aider à perdre vos kilos superflus et à bâtir un site Web. Quand vous étiez au lycée, la mention qui revenait le plus souvent sur votre carnet de notes était "Se complaît dans l'indécision". Alors, créer des pages Web vous semble peut-être amusant, mais vous n'êtes pas du tout sûr de vous en tirer à votre honneur.

Le webophobe. Vous vous sentez plutôt perdu sur les autoroutes de l'information. Vous avez peut-être l'habitude d'utiliser un ordinateur et peut-être même avez-vous déjà surfé sur le Web, mais la seule pensée de construire votre propre site Web vous donne d'incoercibles frissons. Oui, bien sûr, certains de vos amis ont déjà leur propre site, mais vous, vous n'êtes pas diplômé en informatique ou en physique nucléaire. Et, de toute façon, qu'est-ce que vous pourriez bien publier sur le Web que d'autres que vous auraient envie de lire ?

Alors, à laquelle de ces trois catégories ce livre convient-il le mieux ? Aux trois !

Quel que soit votre niveau de compétence en informatique, devenir un auteur Web vous apportera quelque chose. Ceux qui ont lu mon livre *Bare Bones Guide to HTML* — qui est un guide du langage utilisé sur le Web — demandent souvent pour quelle raison ils devraient s'investir et transpirer dans la

création d'un site Web. Pourquoi perdre son temps à tenter de comprendre un langage informatique abscons dans le seul but de diffuser un machin clignotant sur l'Internet ?

Tout simplement parce qu'avec *ça* vous pouvez faire des tas de choses – et qu'en plus c'est amusant !

Le Web est à la fois le plus sophistiqué, le plus ouvert et le plus facile à utiliser de tous les médias. Ce livre va vous en donner la preuve. J'y ajouterai quelques raisons supplémentaires d'en être convaincu.

Le Web, c'est l'estrade à partir de laquelle vous allez pouvoir dire ou montrer ce que vous voudrez aux millions de gens qui peuvent accéder à l'Internet. Vous allez pouvoir y parler de vous-même ou de ce que vous faites, que ce soit une courte histoire ou quelques trucs rigolos. Vous pourrez y montrer la photo de votre chien ou le dernier produit vendu par votre entreprise (disponible en promotion pendant un temps limité pour la modique somme de 99,95 francs plus port et emballage). Vous pourrez y exhiber votre dernier chef-d'œuvre pictural ou sculptural. La seule limite à ce que vous allez pouvoir y montrer, c'est votre imagination.

Le Web est un ensemble sans fin de connexions qui s'entrecroisent, une *communauté*, au véritable sens du terme. Avec ses quelque cent millions d'internautes, c'est même la plus large communauté du monde. A la différence de nombre d'entre elles, elle ne connaît pas de limites géographiques, raciales, politiques ou autres.

Bref, le Web contribue à rapprocher les peuples. En créant votre propre site Web, vous pouvez devenir partie prenante de ce processus. Quel que soit le sujet qui vous intéresse, si vous savez l'exposer dans de bonnes pages Web et que vous vous entendez à faire connaître leur existence, des tas de gens ayant les mêmes goûts que vous vont venir les visiter. Peut-être que dans votre ville vous êtes le seul à militer contre la colorisation abusive des vieux films et que 99,9 % de la population de l'Internet sont d'un avis contraire. Normalement, dans la vie de tous les jours, cela devrait vous ranger dans la catégorie des éternels perdants. Mais 0,01 % de la population de l'Internet, cela représente des dizaines de milliers de gens qui vont adorer vos pages Web. Pas besoin de demander la permission à quiconque, pas besoin d'acquérir une spécialisation quelconque et pas besoin de mendier un improbable budget pour répandre votre message aux quatre coins de la Terre[1]. Tout ce qu'il vous faut, c'est quelques notions sur le fonctionnement du Web et sur la façon de concevoir les pages Web.

---

1. Si tant est que le globe terrestre — qui n'est autre qu'une vulgaire sphère — puisse avoir des coins !

En dépit de la monstrueuse croissance qu'il a connue ces dernières années, il reste encore assez de place sur le Web pour de nouvelles pages. Personne n'a tout à fait les mêmes intérêts, les mêmes idées et les mêmes talents que vous, aussi personne n'est capable de créer les mêmes pages que vous. Au fur et à mesure que vous allez pénétrer dans le monde de la publication Web, vous allez constater qu'à vos côtés, des milliers et des milliers de gens découvrent l'art et la manière de créer des pages Web, et qu'ils sont presque toujours très contents de partager leur savoir sur ce sujet. Le plus important, dans cette affaire, c'est de vous jeter à l'eau.

Alors, bonne chance et amusez-vous bien !

Kevin Werbach

(Kevin Werbach est le rédacteur en chef de Release 1.0, *une lettre d'informations pour les dirigeants qui explore les technologies en voie d'émergence et la convergence des techniques de l'informatique et de la communication. Il occupait précédemment les fonctions de conseiller pour les nouvelles technologies à la FCC. Il est l'auteur de* Bare Bones Guide to HTML, *un site Web très populaire et une véritable mine d'or pour les auteurs Web.)*

Introduction

On a du mal à croire qu'il y a déjà trente ans qu'est apparu l'ordinateur personnel. La montée en puissance de ce qui est devenu un phénomène technologique et social, sans doute le plus important du nouveau millénaire, est irrésistible, marquant parfois quelques hésitations, mais continuant sans que rien ne semble pouvoir l'arrêter. Depuis l'Apple de Job et Wozniak jusqu'au Windows 2000 de Bill Gates, rien n'a jamais été plus important, rien n'a jamais modifié si profondément l'existence humaine.

Mais les gens passent leur temps à causer – c'est même là l'essentiel de leurs activités. A ses débuts, l'ordinateur personnel était impuissant à les aider dans cette (importante) occupation. Cependant, avec l'arrivée des modems puis des réseaux, et enfin leur association dans l'Internet, les ordinateurs personnels sont devenus des outils ouvrant une porte sur un nouveau mode de communication. La partie la plus visible, tout en images et dont la croissance est la plus rapide de l'Internet, c'est le World Wide Web : la toile d'araignée mondiale. Ce qui importe, ici, ce n'est plus de calculer mais de communiquer. Les ordinateurs ont conservé leur importance, mais la plupart ne servent qu'à faciliter le communication entre les gens.

Le moyen de communication qui soulève le plus d'enthousiasme est le Web, dans lequel ce sont des *pages* qui véhiculent les informations. L'homme de la rue a montré une imagination et une énergie stupéfiantes dans la création et la publication de pages Web. De leur côté, les businessmen de tout poil ont vite compris quel intérêt ils avaient à être présents sur la Toile. Tout cela explique cette ruée sur le Web, et souvent c'est la même personne qui va étaler sa vie privée dans sa page Web personnelle et vanter les mérites de son entreprise dans la présentation qu'elle a réalisée au cours de son activité professionnelle.

Alors, vous voulez, vous aussi, en être ? Mais un doute vous retient : "Est-ce que ça n'est pas trop difficile, trop cher et trop compliqué ?" vous demandez-vous. Pas vraiment. Plus le Web prend de l'extension et plus il devient facile d'y être présent. Et nous allons voir dans ce livre quels sont les meilleurs moyens qui existent pour y parvenir.

Parlons de ce livre

Il a *environ* 360 pages.

Sérieusement, qu'allez-vous trouver ici ? A peu près toutes les façons simples de publier sur le Web auxquelles nous puissions penser. Avec, en plus, tout ce que vous devez savoir pour aller au-delà d'une simple page et créer de véritables sites Web personnels ou professionnels.

Quelques hypothèses absurdes

Bien que ce livre recèle de véritables trésors, personne ne va le lire en entier d'un bout à l'autre, excepté notre malheureux éditeur[1]. Tout simplement parce que nous traitons de tous les sujets concernant la page Web, à tous les niveaux, que ce soit avec l'aide de services en ligne ou de fournisseurs d'accès grand public, que vous utilisiez un Mac, que vous soyez inféodé à Windows ou que le pingouin de Linux soit votre fétiche. Personne n'a réellement besoin de savoir tout ça !

Alors, de quoi avez-vous *réellement* besoin ? Nous supposerons que vous avez déjà utilisé le Web et que vous voulez créer une page Web. Et aussi que vous ne vous y êtes jamais risqué ou tout au moins que c'est suffisamment nouveau pour vous. Pour profiter des informations que vous allez trouver ici, vous devez posséder un ordinateur personnel tournant de préférence sous Windows (éventuellement sous MacOs ou Linux). Vous devez aussi avoir accès au Web, directement ou par l'intermédiaire d'un *FAI* (fournisseur d'accès à l'Internet), ce que les Américains appellent un *ISP* (*Internet service provider*). Vous devez avoir installé un navigateur (*browser*, en anglais) tel que Netscape Navigator ou Internet Explorer. Si vous travaillez dans une entreprise ou une université, ce sera peut-être sous UNIX avec une connexion directe à l'Internet. Dans ce cas, une grande partie de ce que vous allez trouver ici vous sera utile, mais vous ne pourrez pas accéder à certains outils de création de page que nous décrirons au moment opportun.

Si vous n'avez pas accès au Web depuis votre ordinateur personnel, vous trouverez à l'Annexe B une liste très partielle de quelques-uns des nombreux fournisseurs d'accès en France auxquels vous pourrez vous adresser pour combler cette lacune. Une expérience préalable de l'usage du Web est nécessaire : c'est ce qu'on appelle couramment *surfer*. Autrement dit, si vous avez la volonté de vous plonger dans le Web, ce livre est exactement ce qu'il vous faut, que vous vouliez créer votre première page Web ou que vous souhaitiez enrichir celle ou celles dont vous êtes déjà l'auteur.

1. Et le pauvre traducteur... *(N.d.T.)*

Les copies d'écran que vous trouverez dans ce livre ont toutes été faites sous Windows 98, mais, dans presque tous les cas, les instructions que vous y trouverez conviennent aussi bien à Windows qu'au Mac.

Parcourez ce livre et allez droit à l'information dont vous avez besoin. Vous pourrez toujours revenir en arrière plus tard et approfondir des notions qui ne vous avaient pas semblé importantes de prime abord. Si vous voulez voir ce qu'a réalisé l'un des auteurs de ce livre, pointez votre navigateur sur sa page d'accueil à l'URL :

```
http://www.netsurf.com/cwpfd
```

Quelques conventions

Pour faciliter la lecture de ce livre, nous avons établi quelques conventions simples :

- Ce que vous, lecteur, devez taper, est imprimé **en gras**.

- Les nouveaux termes sont imprimés *en italique*.

- Nous allons rencontrer de nombreuses *balises* (des commandes de mise en forme, si vous préférez) qui seront imprimées avec une `police de caractères à pas fixe`.

- Les URL (*Uniform Resource Locator* ou adresses de ressources unifiées) seront imprimées comme ci-dessous. Par exemple, l'URL de First Interactive, l'éditeur français de ce livre, est :

```
http://www.efirst.com
```

- Le Web est changeant. Certaines des URL listées dans ce livre peuvent avoir changé, disparu ou être devenues inaccessibles.

- Les sélections de rubriques de menus sur lesquelles vous devrez cliquer seront représentées ainsi : Fichier/Ouvrir. Ce qui signifie : cliquez sur le menu Fichier puis, dans la liste des rubriques qui se déroule, sur l'entrée Fichier.

- Certaines informations d'ensemble concernant un sujet particulier sont affichées dans des listes à puces comme celle que vous lisez actuellement.

- Pour les instructions que vous devez suivre scrupuleusement dans l'ordre indiqué, nous avons utilisé des listes numérotées. Nous avons intentionnellement choisi d'être brefs afin que ces instructions soient, autant que faire se peut, valables sur les PC et sur les Mac. En voici un exemple :

1. **Lancez votre navigateur.**

2. **Pointez-le sur le site Web :**

```
http://www.freestuff.com
```

Note : ce n'est pas un véritable site, juste un exemple.

3. **Cliquez sur le lien qui correspond au type d'ordinateur que vous utilisez : Mac, PC, Linux ou UNIX.**

Dans les chapitres de la cinquième partie qui concernent des outils Web spécifiques, nous détaillerons des étapes générales pour réaliser les tâches telles que le formatage d'un mot ou d'une phrase. Nous indiquerons comment créer un exemple particulier illustré par une ou plusieurs figures. Vous aurez ainsi l'occasion d'apprendre des procédures générales et de les mettre en pratique.

Demandez le programme

Ce livre a été écrit selon un plan rigoureux et précis. Mais le Web n'est-il pas en constante évolution avec des sites qui apparaissent et disparaissent constamment ? Alors, comment peut-on prétendre marier rigueur et évolution ? Eh bien, pour tout vous dire, nous avons assoupli suffisamment notre rigueur pour qu'elle puisse se plier à ce caractère mouvant du Web. Voici, en gros, ce que vous allez trouver.

Première partie : Initiation à la publication Web

Ceux à qui la notion de plan plaît particulièrement se trouveront à l'aise dans cette partie. Ils y découvriront les idées et les mots clés qui sont d'usage courant sur le Web. Ils y apprendront comment planifier un site Web et ce qu'est HTML, le langage utilisé dans chaque page Web.

Deuxième partie : Une page d'accueil en une journée

Dans cette deuxième partie, vous allez avoir la surprise de constater combien il est facile de passer de l'idée de page Web à sa réalisation. En quelques heures, vous aurez créé la vôtre, directement sur le Web. Enfin... presque. Car si créer sa page en étant en ligne (c'est-à-dire connecté) est facile pour un Américain pour qui, presque toujours, les communications locales sont gratuites, il est très loin d'en être de même en France où le compteur de France Télécom ne s'arrête jamais de tourner. Sauf, bien entendu, si vous êtes un de ces rares privilégiés à bénéficier d'une connexion permanente à l'Internet par l'ADSL ou par le câble qui vous apporte vos chaînes de télévision à domicile.

En général, comme nous le verrons, on prépare sa page tranquillement en dehors de toute connexion, et on ne se raccorde à l'Internet qu'au tout dernier moment, pour transférer les fichiers qu'on vient de créer sur le site du prestataire de diffusion qu'on a choisi. Celui-ci sera le plus souvent le fournisseur d'accès auprès duquel vous avez souscrit un abonnement, mais vous pouvez aussi choisir l'un des *hébergeurs de pages* qui vous offrent gratuitement de la place sur leurs disques durs comme GeoCities, Tripod, MultiMania, Chez...

Et peu de temps après, vous pourrez déjà donner l'adresse de votre page Web à vos amis et connaissances pour qu'ils aillent l'admirer de chez eux.

Troisième partie : Des sites meilleurs, plus rapides et plus forts

La plupart des entreprises veulent aujourd'hui avoir une présence sur le Web, mais comment créer un site qui soit à la fois attractif et riche d'informations sans y consacrer trop de temps et d'argent ? Dans cette partie, vous apprendrez comment y parvenir rapidement et sans douleur. Vous pourrez ensuite ajouter des images et du multimédia à vos pages et passer ainsi à la vitesse supérieure par quelques additions judicieuses à ces pages.

Quatrième partie : Des sites qui font chaud au coeur

On commence par une simple page et on se retrouve bientôt devant un véritable site Web. De nos jours, la plupart des entreprises veulent avoir une présence sur le Web. Mais comment faire pour que leur site soit attractif et riche d'informations sans pour autant y passer trop de temps ? Dans cette partie, nous allons vous expliquer combien il est facile de réaliser et de publier votre site Web vite et bien.

Cinquième partie : Les outils de publication sur le Web

Si vous avez l'intention de créer un site Web de plusieurs pages, et voulez bénéficier des possibilités les plus créatives du Web sans avoir trop à vous frotter à HTML, vous serez content d'apprendre qu'il existe des outils logiciels pour cela. Cette cinquième partie vous présente la crème de notre récolte des meilleurs outils pour l'édition Web.

Sixième partie : Les dix commandements

Ici, vous allez trouver tout et son contraire : à la fois ce qu'il faut faire et ce qu'il *ne faut pas* faire.

Septième partie : Les Annexes

Outre un glossaire qui vous permettra de découvrir le véritable sens de mots ou d'expressions à l'aspect rébarbatif, vous trouverez une liste de quelques-uns des fournisseurs d'accès à l'Internet en France et une vue d'ensemble des balises HTML. Une liste d'adresses et de logiciels utiles pour l'auteur Web terminera le livre.

Pictogrammes utilisés dans ce livre

Vous invite à mémoriser une information qui vous sera particulièrement utile pour votre page Web.

 Vous signale des informations qu'il est intéressant mais pas indispensable de connaître. Vous pouvez les sauter, quitte à y revenir plus tard (ou jamais).

 Sert à marquer des informations qui ne rentrent pas exactement dans une description ou une suite d'étapes, mais qui vous aideront à construire de bonnes pages Web.

 Vous signale que telle ou telle action peut demander un certain temps pour se réaliser.

 Attention, danger ! Si vous n'y prenez garde, vous risquez de rencontrer des problèmes.

Première partie
Initiation à la publication sur le Web

Dans cette partie...

Vous allez découvrir les principes généraux du Web et de la publication sur le Web. Cette partie vous aidera aussi à établir le plan de votre première page Web afin qu'elle soit une réussite.

Chapitre 1
Les bases de la publication sur le Web

De nos jours, tout le monde a peu ou prou entendu prononcer les mots "Internet" et "Web". Mais pour devenir un auteur Web, vous devez en savoir davantage qu'un simple utilisateur et comprendre les idées et les faits qu'il y a derrière ces mots. Dans ce chapitre, nous allons vous faire découvrir ces nouveaux territoires dans lesquels vous souhaitez pénétrer. Vous pourriez devenir un auteur Web sans connaître ces notions mais en faisant ce petit effort, vous parviendrez plus vite à maîtriser cette technique et à réaliser des pages plus belles et plus attractives.

Si vous bouillez d'impatience, allez tout de suite à la section "Sept étapes vers la gloire", vers la fin de ce chapitre.

Et l'Internet créa le Web...

Beaucoup de gens pensent que le Web a détrôné son créateur, l'Internet, et l'a relégué dans l'ombre. Mais, quoi que vous en pensiez, l'Internet et toujours là, bel et bien vivant. Et pour comprendre le Web, vous devez posséder quelques connaissances de base sur l'Internet.

Que diable est-ce donc que l'Internet ?

L'Internet est un gigantesque réseau d'ordinateurs qui interconnecte d'autres réseaux d'ordinateurs. De plus en plus de machines dans le monde y sont reliées. Représentez-vous l'Internet comme une pieuvre géante possédant des millions de tentacules. Chaque tentacule est agrippé à une autre pieuvre, plus petite : les autres réseaux. Et ces petites pieuvres sont, à leur tour, agrippées à d'autres pieuvres plus petites : d'autres réseaux encore. Car chaque université, chaque entreprise possède elle-même plusieurs niveaux d'interconnexions locales.

Les réseaux hébergent différentes sortes de services, le plus populaire d'entre eux étant sans doute le *courrier électronique (e-mail)*. Il y a encore quelques années, vous ne pouviez envoyer un message électronique à quelqu'un que si vous-même et votre destinataire étiez sur le même réseau privé. Mais grâce à l'Internet, vous pouvez maintenant envoyer un message à n'importe qui, quel que soit le réseau auquel il est raccordé, pourvu que ce réseau soit lui-même raccordé à l'Internet.

Outre le courrier électronique, il existe d'autres services courants comme FTP ou Gopher[1]. *FTP* signifie *File Transfer Protocol* (protocole de transfert de fichiers) ; c'est une méthode pour transférer des fichiers d'un ordinateur à l'autre. Vous aurez l'occasion de l'utiliser plusieurs fois dans ce livre. *Gopher* est un autre service de l'Internet, précurseur du Web, qui permet de faire des recherches parmi les trésors de l'Internet sans toutefois posséder les capacités graphiques du Web. Ici, nous ne l'utiliserons pas.

Pour accéder aux différentes ressources proposées par différents types de services, on doit utiliser une forme particulière d'adressage appelée *URL* (*Uniform Resource Locator* ou adresse de ressource unifiée). C'est ce type d'adresse que vous tapez lorsque vous voulez accéder à une page Web. Par exemple, `http://www.netsurf.com/` est l'URL du site Web Netsurfer Communication d'Arthur. Une URL se compose des trois parties illustrées par la Figure 1.1 :

- *Nom du protocole* de communication utilisé : http (*HyperText Transfer Protocol*, le protocole utilisé sur le Web), ftp, news, etc.

- *Nom de domaine*, c'est le nom du serveur sur lequel se trouve le fichier auquel on souhaite accéder.

- *Chemin d'accès*, c'est le nom du fichier qui vous intéresse.

---

1.   A l'aube du XXIe siècle — qui comme chacun devrait le savoir ne commencera que le 1er janvier 2001 —, n'en déplaise à nos deux auteurs, Gopher est déjà bien oublié et FTP en passe de l'être, relégués tous deux à l'arrière-plan par l'omniprésent Web *(N.d.T.)*

Figure 1.1 :
De quoi se
compose
une URL.

◄— Protocole —►   ◄— Nom de domaine —►   ◄— Chemin d'accès —►
http://   www.server.fr   toto/monfichier.html

Que diable est-ce donc que le Web ?

Le World Wide Web (couramment appelé *Web*) est le plus récent des services
offerts par l'Internet. Il associe texte, images et multimédia et crée des liens entre
les fichiers pour organiser une gigantesque toile d'araignée d'informations.

Comment dépeindre le Web ? Imaginez qu'un exemplaire unique de chacune
des revues éditées dans le monde soit posé sur le plancher d'un gigantesque
entrepôt. Imaginez que des ficelles relient chaque information de chaque
revue aux informations de même nature des autres revues. Il en résulterait
une gigantesque toile d'araignée faite de texte et d'images qui ressemblerait
beaucoup à ce qu'est réellement le Web. Celui qui pourrait se déplacer
tranquillement sur cette toile — c'est-à-dire sur le Web — acquerrait beaucoup de puissance. Celui qui pourrait en outre ajouter ses propres informations à celles qui s'y trouvent déjà gagnerait encore en puissance.

Le Web a plusieurs aspects uniques qui lui confèrent sa popularité. Chaque
document du Web — chaque *page Web* — est construit à partir d'un fichier
texte comme l'est un message électronique. Mais le Web est plus souple, car
vous pouvez y ajouter des images ou des fichiers multimédias en créant des
liens vers ces fichiers à partir de la page Web constituée de texte. Vous
pouvez aussi établir des liens entre plusieurs pages Web.

Le Web est le service le plus populaire de l'Internet, et celui qui prend de plus
en plus d'importance. Pourquoi ? Parce que c'est un système construit sur
l'image, facile à utiliser, et qu'on y trouve à peu près tout ce qu'on peut
souhaiter. Et pourquoi y trouve-t-on tant de choses ? Tout simplement parce
qu'il est étonnamment facile de publier sur le Web.

Comment aller sur le Web ?

Dans ce livre, on parle beaucoup du Web, mais sans dire comment s'y connecter. Et même si, pour vous, c'est déjà fait sur votre lieu de travail, peut-être souhaitez-vous qu'il en soit de même à votre domicile ? Comment devez-vous vous y prendre ?

La façon la plus rapide et la plus efficace de réaliser ce souhait, c'est de recourir à l'un des *fournisseurs d'accès* dont vous trouverez une liste (très) abrégée à l'Annexe B. Vous devrez, en outre, utiliser un logiciel particulier, largement et gratuitement distribué, appelé *navigateur*. Parmi les plus importants aux Etats-Unis, on peut citer AOL et CompuServe (maintenant racheté par AOL) qui sont aussi installés en France. Mais notre pays n'est pas en reste et — pour nous limiter à quelques-uns de ceux présents dans l'Hexagone — on trouve aussi Club-Internet, Easynet, Free, Infonie, Wanadoo, World On Line, etc. Tous proposent une assistance client en ligne sur la qualité de laquelle l'unanimité est loin de se faire.

Je relie, donc je suis

Ce qu'il y a de plus merveilleux sur le Web, ce sont les *liens* : vous cliquez sur un point particulier d'une page Web et vous voyez apparaître une image, vous entendez une musique, vous voyez s'afficher une autre page. Par exemple, à partir d'une page parlant des Nations unies, vous pourriez contempler des images de chacun des drapeaux des nations membres, entendre leurs représentants vous dire "hello" dans leur propre langue, ou aller chercher d'autres informations sur des sujets voisins comme d'autres organisations internationales ou des nouvelles du monde entier.

Comment donc se réalisent ces opérations qui semblent tenir de la magie ? Une page Web est conservée sur un ordinateur particulier appelé *serveur Web* (à ne pas confondre avec un *surfeur Web* qui est le nom qu'on donne aux visiteurs qui se promènent de page Web en page Web). Un *serveur Web* est un ordinateur connecté à l'Internet et capable de répondre aux requêtes qui lui sont adressées à l'aide d'un langage spécialisé : un *protocole*, appelé ici HTTP.

Lorsque vous utilisez le Web, votre machine se comporte comme un *client Web*, et télécharge des informations à partir du Web. Lorsque vous accédez à une page Web, votre machine envoie une requête sur l'Internet à destination d'un fichier Web spécifié par une URL. Votre machine se connecte alors à la machine qui renferme ce fichier. (C'est pourquoi, chaque fois que vous demandez un autre fichier sur le Web, même la plus petite image, il est nécessaire d'établir une *connexion particulière*.) Le Web trouve le fichier et le télécharge par l'Internet vers votre machine. Votre navigateur Web (le programme que vous utilisez pour visualiser les documents du Web) affiche alors le contenu de ce fichier. Ce cycle de requêtes et de réceptions, illustré par la Figure 1.2, se répète chaque fois que vous surfez sur le Web.

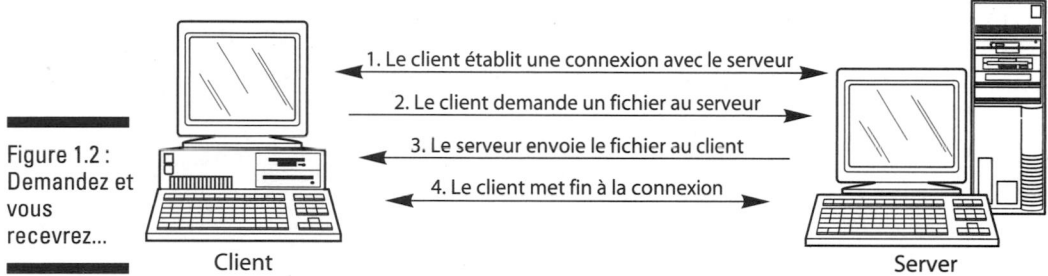

Figure 1.2 :
Demandez et
vous
recevrez...

1. Le client établit une connexion avec le serveur
2. Le client demande un fichier au serveur
3. Le serveur envoie le fichier au client
4. Le client met fin à la connexion

Client

Server

Accédez à plusieurs sites Web et observez le processus de téléchargement du texte et des images sur chacun de ces sites. Chaque fichier est téléchargé séparément des autres et vous pouvez voir apparaître tour à tour chacune des images ou des fichiers multimédias.

Devenez un des acteurs du Web

En tant qu'utilisateur du Web, vous faites partie des spectateurs d'une pièce constamment changeante. Lorsque vous aurez publié votre première page Web, vous deviendrez un des acteurs. Pour bien jouer votre rôle, vous devez faire connaissance avec les autres acteurs de la pièce.

Apprenez à connaître les rôles de chacun

GIF, JPEG, site Web, oh là là !

Le Web est quelque chose de si nouveau que tout le monde n'est pas vraiment tout à fait d'accord sur la façon de le définir. Aussi, dans la liste ci-dessous, nous allons tenter de clarifier le sens d'un certain nombre de termes que vous devez connaître pour publier sur le Web. En lisant ces définitions, vous comprendrez mieux comment fonctionne le Web. Bien qu'il n'y ait pas consensus sur la façon de parler du Web, les définitions qui suivent sont généralement considérées comme acceptables :

- **Page Web.** Document constitué par du texte contenant des pointeurs vers des fichiers d'images, des fichiers multimédias et d'autres pages Web. Certains de ces fichiers sont affichés immédiatement ; d'autres le sont lorsque le visiteur clique à cet effet sur un lien.

- **Page d'accueil.** C'est une page Web particulière qui est la première sur laquelle arrivent les visiteurs. C'est le point d'entrée dans le *site Web*.

- **Site Web.** Page d'accueil suivie éventuellement d'autres pages auxquelles on peut accéder à partir de la page d'accueil. On dit aussi *présentation Web*.

- **Navigateur.** C'est un programme comme Netscape Navigator ou Internet Explorer de Microsoft, qui sert à afficher les documents du Web. (On les appelle *browser* en anglais.)

- **Moteur de recherche.** Le Web est si populaire que parvenir à découvrir les informations que vous recherchez parmi les millions de pages qui s'y trouvent est un sacré problème. Les moteurs de recherche sont des services particuliers du Web qui vous aident à trouver ce que vous recherchez. Ceux que préfèrent les auteurs sont Yahoo!, qui est organisé comme une arborescence de sites Web, et AltaVista, qui propose des facilités de recherche allant des plus simples aux plus élaborées pour le texte comme pour l'image. (Révélation : un de nous deux aime tellement AltaVista qu'il y travaille.) Leurs adresses respectives sont :

```
http://www.yahoo.com
http://www.altavista.com
```

Tous deux ont une antenne française qui est :

```
http://www.yahoo.fr
http://www.altavista.fr
```

- **Image en ligne.** Une image qui fait partie d'une page Web (les Anglo-Saxons aiment bien l'expression *image online*, mais en France on dit plus couramment *image* tout court).

- **Image téléchargeable.** C'est une image qui s'affiche lorsque l'utilisateur clique sur un lien (nous y reviendrons dans la section suivante). La Figure 1.3 montre l'image affichée par la page d'accueil du site Web du *Journal du Net*. Vous pourrez noter que texte et image y voisinent.

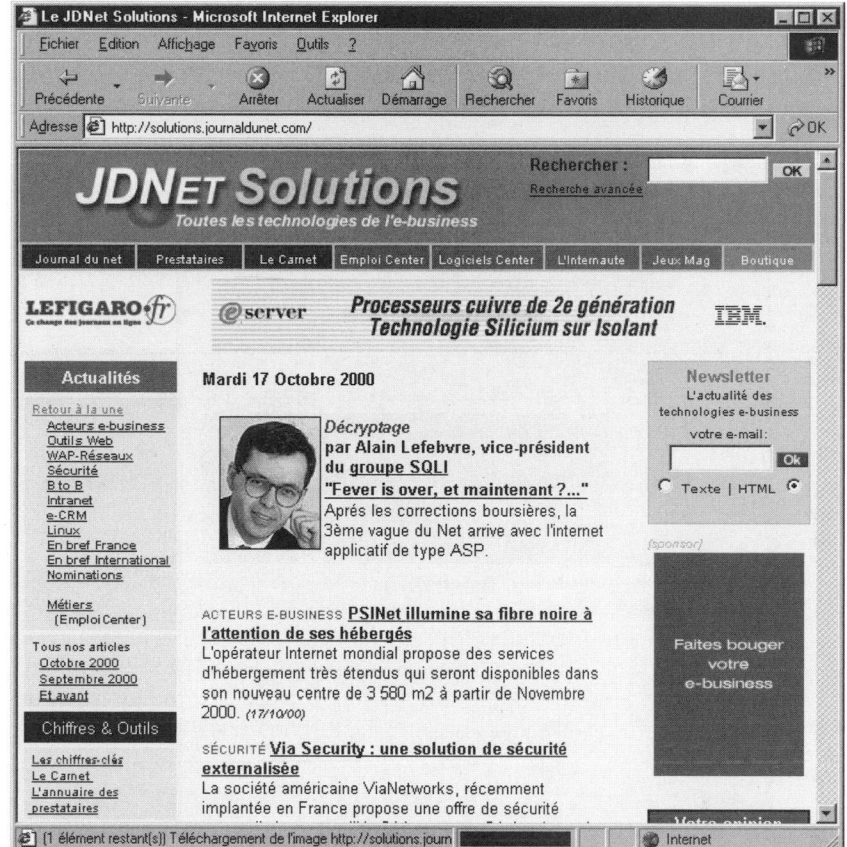

Figure 1.3 :
Une page
d'accueil où
voisinent
texte et
image.

- **GIF et JPEG.** Il s'agit là des deux formats d'images les plus répandus sur le Web. Les fichiers GIF (certains prononcent "jif" – comme *gifle* – ; d'autres, "*guif*" – comme *guignol* –) sont les plus courants et les plus faciles à créer. Les fichiers JPEG présentent un taux de compression plus important, c'est-à-dire qu'ils peuvent proposer une image de même taille mais sous un encombrement plus réduit sur disque. Tous les navigateurs qui supportent les images reconnaissent ces deux formats.

Si tout ce que vous venez de lire vous semble n'être qu'un amas de mots, arrêtez votre lecture et allez surfer un peu sur le Web. Vous allez très vite y voir des exemples concrets des termes que nous venons de définir. Vous pouvez même essayer de faire une recherche sur ces termes à l'aide d'un moteur de recherche à l'une des deux URL que nous venons de vous indiquer.

Avec Yahoo! France, vous aurez en outre la surprise, de découvrir que GIF ne représente pas seulement un format d'image, mais qu'il s'agit aussi du nom d'une charmante localité de l'Ile-de-France, comme l'atteste la Figure 1.4.

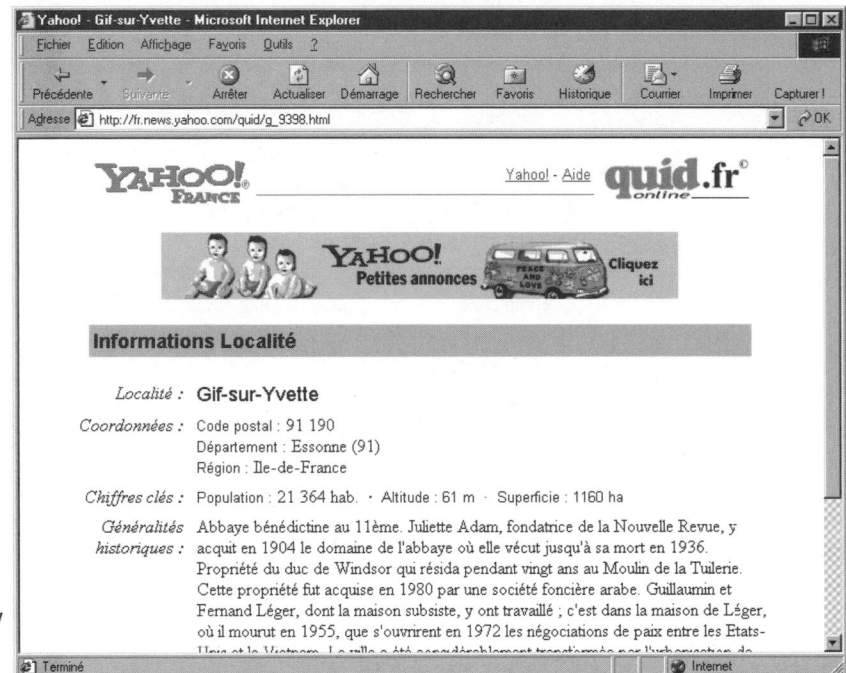

Figure 1.4 :
Attention, il y a GIF et Gif !

Qu'y a-t-il dans un document HTML ?

Nous vous avons dit à plusieurs reprises qu'une page Web était un fichier texte contenant des indications de formatage particulières et des liens vers d'autres fichiers. Mais de quelle façon tout cela est-il combiné dans la page ? Les indications de formatage sont placées dans des *balises* dont le format et la signification sont déterminés par une spécification appelée HTML (*HyperText Markup Language*, ou "langage de marquage hypertexte").

Ne confondez pas *norme* et *spécification*. Une *norme* est un document approuvé et référencé par un organisme non spécialisé comme l'ISO, l'ECMA ou l'IEEE. Une *spécification* est un document défini par un organisme spécialisé. Une spécification n'a pas la même autorité qu'une norme. Il n'existe pas de *norme HTML* mais seulement plusieurs *spécifications HTML*. (N.d.T.)

Si vous voulez voir un exemple du code HTML d'une page Web dans laquelle se trouvent des images et des liens, allez un peu plus loin dans cette même section à l'encadré "Qu'y a-t-il dans un document HTML ?".

Peut-être savez-vous déjà que l'hypertexte est constitué de texte qui contient des liens. Un *lien* n'est autre qu'un appel de connexion à un autre document. Certes, mais qu'est-ce qu'un *langage de marquage* ? Tout simplement une façon de placer des informations particulières dans un document, des liens par exemple, de façon qu'elles ne risquent pas de se mélanger aux informations environnantes. Les langages de marquage utilisent la plupart du temps des *balises*. Ainsi HTML est-il une façon particulière d'utiliser des balises pour insérer des informations de formatage dans un document.

Beaucoup de ces balises se présentent par paire : la première définit le début d'une modification et l'autre sa fin. Dans la phrase exemple ci-dessous, la première balise, ⟨B⟩, signifie qu'il faut afficher ce qui suit en **gras**. La seconde balise, ⟨/B⟩, indique qu'il faut revenir à l'affichage normal.

Voici comment se présente une phrase "marquée" par un couple de balises HTML :

```
C'est une ⟨B⟩mauvaise⟨/B⟩ idée.
```

Ainsi que vous le voyez, une balise est constituée par des caractères enfermés dans une paire de *chevrons* ("<" et ">"). Beaucoup de ces balises vont par paire et se composent d'un *marqueur initial* et d'un *marqueur terminal*. Le premier signifie : commencer à appliquer la mise en forme indiquée à ce qui suit la balise, et le second : cesser d'appliquer cette mise en forme. Ici, ⟨B⟩ signifie afficher en **gras** (en anglais, "gras" se dit "bold", d'où le "B"). ⟨/B⟩ signifie : cesser d'afficher en gras, c'est-à-dire revenir au texte normal.

Voici comment s'affichera cette phrase sur l'écran de votre navigateur :

```
C'est une mauvaise idée.
```

Le navigateur lit la phrase toute simple `C'est une ⟨B⟩mauvaise⟨/B⟩ idée.` et se dit : "Je vais afficher `C'est une` normalement, changer de police de caractères pour une police 'grasse', afficher `mauvaise`, revenir à la première police, et afficher la fin de la phrase." Celui qui a créé cette phrase y a placé les marqueurs appropriés (les balises), le navigateur les interprète et le visiteur voit ce que l'auteur voulait qu'il voit.

Les marqueurs ⟨B⟩ et ⟨/B⟩ sont des balises de mise en forme qui décrivent comment le texte qu'elles encadrent doit être présenté. Il existe d'autres sortes de balises HTML, parmi lesquelles l'une des plus importantes est la *balise de lien* qui spécifie où trouver les informations qui doivent maintenant être affichées. En voici un exemple :

```
Pour en savoir davantage sur les <I>Pokémons</I>, ces
"monstres de poche" si populaires aujourd'hui parmi les
enfants des écoles, visitez le site Web officiel des
<A HREF="http://www.pokemon.com>Pokémons</A>.
```

Les balises ⟨I⟩ et ⟨/I⟩ indiquent que le mot *Pokémons* qu'elles encadrent doit être affiché en italique. Les balises ⟨A⟩ et ⟨/A⟩ indiquent que le mot Pokémons est un appel de lien et doit être affiché comme tel. Avec la plupart des navigateurs, ce texte sera affiché en bleu (ce que vous ne pouvez pas voir ici puisque le livre n'est pas imprimé en couleurs) et, de plus, souligné. Quant au texte qui reste (HREF="http://www.pokemon.com"), à l'intérieur de ces balises, il spécifie l'URL de la page qui sera chargée si le visiteur clique sur l'appel de lien.

Beaucoup d'autres balises fonctionnent de la même façon : elles indiquent au navigateur comment formater du texte ou à quel endroit aller chercher d'autres informations. Nous en dirons davantage sur les balises les plus couramment utilisées au Chapitre 7.

Cette idée d'un mécanisme ou d'une procédure qui lit certaines informations, prend une décision en fonction de ce qui est lu et continue à lire ce qui suit est vieille comme les pierres et a fait l'objet de nombreuses études. C'est ce qu'on appelle *un automate d'états finis*. Pour paraître *in*, essayez d'utiliser cette expression à la première occasion. Succès garanti !

Le décor : images réactives et formulaires

Deux des éléments les plus importants qui affectent la façon dont vous percevez le Web sont les *images réactives* et les *formulaires*.

Une *image réactive* est une image renfermant des *zones sensibles*, c'est-à-dire des zones particulières agissant comme des appels de liens vers une autre URL, de la même façon que le texte affiché en bleu et souligné que nous venons de voir. Elles peuvent donc constituer des outils de navigation souvent plus explicites qu'un simple texte. La page d'accueil de la SEITA que l'on voit sur la Figure 1.5 est un exemple de cette forme d'image réactive.

Les images réactives ne sont pas toujours faciles à créer, et si vous désactivez l'affichage des images par votre navigateur, vous ne pourrez plus les voir,
donc les utiliser. Mais elles constituent un outil de navigation très attractif.
Nous n'en parlerons pas davantage dans ce livre puisque sa vocation est de
rester simple.

Figure 1.5 :
La page
d'accueil de
la SEITA
arbore des
images
réactives.

Quant aux *formulaires*, c'est une façon, pour le visiteur, d'envoyer certaines
informations, comme son nom, son adresse, son numéro de téléphone, à la
demande de la page affichée. Bien qu'il soit facile de définir un formulaire
dans une page Web, le dépouillement des informations ainsi recueillies n'est
pas automatique. Vous devez écrire un programme spécial (en C ou en Perl,
généralement) ou utiliser un outil logiciel particulier pour recevoir les informations et les traiter. En raison de la complexité que cela entraîne, nous
ignorerons la plupart du temps les formulaires dans ce livre. Mais il ne faut
pas oublier que c'est un élément important pour certains sites Web. La
Figure 1.6 vous présente un exemple de formulaire dans lequel vous êtes
invité à donner un certain nombre d'informations personnelles pour vous
abonner au fournisseur d'accès Mageos.

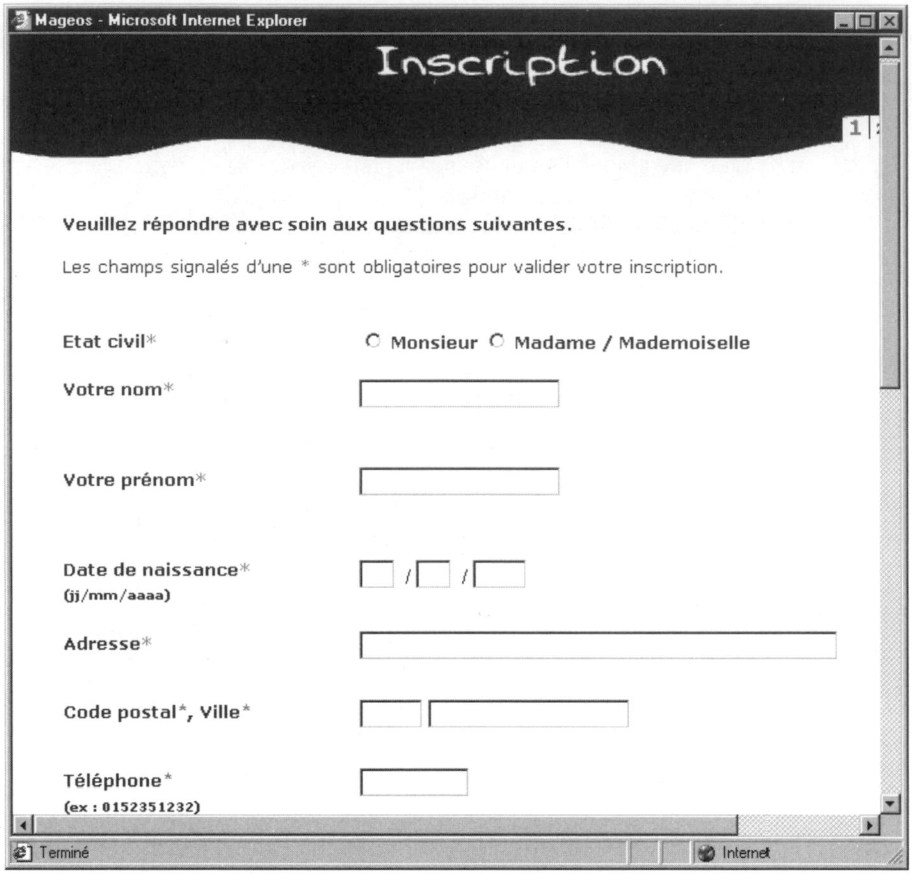

Figure 1.6 :
Exemple
simple de
formulaire.

Un formulaire contient des éléments vous permettant d'y saisir des informations ou de choisir parmi une liste de propositions. La création d'un formulaire dans une page Web est assez facile mais ce n'est pas suffisant car il faut, en outre, écrire le programme de traitement qui utilisera ces informations. En raison de cette difficulté supplémentaire, nous avons pris le parti d'ignorer presque partout les formulaires dans ce livre.

Voulez-vous voir du HTML ?

Lorsque Tim Berners-Lee, ingénieur au CERN (Centre européen pour la recherche nucléaire) inventa le Web, il y a quelques années, il n'imaginait probablement pas que tant de gens pourraient s'y intéresser. De nos jours, la plupart des navigateurs proposent une commande qui permet de voir le code qu'il y a dans une page HTML : son *fichier source*.

Par exemple, avec Internet Explorer, cliquez sur Affichage/Source. Vous allez voir quelque chose qui ressemble à ce qui est reproduit sur la Figure 1.7.

Figmure 1.7 :
Source d'un
document HTML.

Une fois ce fichier ouvert, vous pouvez l'éditer, le sauvegarder, et l'ouvrir de nouveau dans votre navigateur en spécifiant l'adresse où vous venez de le placer sur votre disque dur. Vous pourrez ainsi voir l'effet des modifications que vous venez d'effectuer.

Bien entendu, cela ne modifiera pas le fichier qui se trouve sur le serveur Web : seule la copie locale sera modifiée.

Les progrès de HTML

Depuis que le Web est apparu et a connu le succès que l'on sait, au milieu des années 90, son langage n'a cessé d'évoluer. Sans renoncer aux bases solides que constitue HTML proprement dit, des extensions sont venues élargir les possibilités d'expression des auteurs Web.

Les changements les plus marquants sont l'apparition des tableaux, des cadres (*frames*) et la naissance de DHTML (*Dynamic HTML*). Les tableaux ne constituent pas seulement un outil de présentation d'informations chiffrées, mais servent également à réaliser des mises en page élaborées[2]. Les cadres permettent de subdiviser une page en plusieurs zones rectangulaires indépendantes. Bien que largement utilisés, ils ne sont pas encore aussi répandus que les tableaux. DHTML permet de créer des pages dynamiques, c'est-à-dire comportant des éléments mobiles. Malheureusement, Netscape et Microsoft l'ont abordé selon des angles différents et incompatibles, ce qui retarde son adoption par les auteurs Web soucieux que leurs pages soient vues dans de bonnes conditions par le plus de visiteurs possible.

Ce que toutes ces extensions ont en commun, c'est qu'elles ajoutent un certain degré de complexité à vos pages et que tous les navigateurs en service ne les acceptent pas encore. Nous reparlerons des tableaux et des cadres au Chapitre 10. Mais, rassurez-vous, avec le bon vieil HTML, vous pouvez déjà faire pas mal de choses et, avantage important, ce que vous ferez sera visible dans de bonnes conditions par tous les surfeurs du Web.

Mettez-vous en valeur sur le Web

Vous savez déjà combien le Web peut se montrer passionnant et vous voulez y jouer votre rôle en y publiant votre propre page. Mais il y a quelques chausse-trappes sur la route qui vous conduira vers la gloire et la fortune (?)...

Les pièges du Web

Si passionnant que soit le Web, il n'en recèle pas moins quelques pièges et difficultés que ne doit pas ignorer celui qui veut y publier :

---

2. Dans ce dernier emploi, on leur préfère de plus en plus les *feuilles de style*, une des récentes extensions de HTML, plus riches et mieux adaptées que les tableaux pour une mise en page de qualité. *(N.d.T.)*

- **Différences entre navigateurs.** Différents navigateurs affichent la même page de différentes façons. Certains reconnaissent de nouvelles balises et certaines balises non standard que d'autres ignorent. Il en résulte des affichages différents et parfois d'importantes lacunes.

- **Rapidité des connexions.** Certains utilisateurs privilégiés disposent de réseaux rapides directement connectés au Web, alors que le commun des mortels n'a à sa disposition qu'une ligne téléphonique ne lui permettant pas de dépasser un débit d'environ 40 à 50 Kbps, ce qui est 10 à 20 fois moins rapide. Ainsi, une page riche de superbes images pourra sembler surgir presque instantanément sur l'écran des uns alors qu'elle s'affichera *len-te-ment* sur l'écran des autres.

- **Sacrés utilisateurs !** Les utilisateurs n'ont pas tous le même type d'écran, et peuvent même reconfigurer leur navigateur pour utiliser des polices de caractères différentes, afficher des tailles de fenêtres différentes, et ainsi de suite. Ainsi, même sur un réseau interne (un *intranet*), deux utilisateurs se servant du même navigateur pourront-ils afficher différemment la même page.

- **L'influence du serveur.** Pour mettre une page Web sous les yeux du monde entier, il faut qu'elle soit sur un serveur Web. Ce qui signifie que vous devez en trouver un, gratuit ou payant, mettant à votre disposition suffisamment de place sur son disque dur. Comme vous le verrez, ce n'est pas la mer à boire, même en France !

Les trois premiers problèmes proviennent d'un manque de coordination des acteurs du Web et vous n'y pouvez rien. La seule réponse que puisse trouver l'auteur Web débutant que vous êtes est de rester simple et de fuir toute complication inutile. Dans ce livre, nous utiliserons des mises en page simples ne mettant en œuvre, presque toujours, que les balises HTML les plus universellement reconnues.

Trouver un serveur est un autre problème et peut rebuter le néophyte. Mais il ne faut pas désespérer et, dans les chapitres suivants, nous aurons l'occasion de vous présenter la diversité des solutions qui s'offrent à vous.

Kirk et Spock : deux attitudes différentes

La lecture de ce livre est destinée à faire de vous un auteur Web à part entière. Félicitations d'avoir pris un aussi bon départ !

Deux approches sont possibles pour jouer ce rôle : l'approche spontanée que le capitaine Kirk — le commandant risque-tout du vaisseau *Enterprise* — aurait adoptée, ou l'approche méticuleuse que le plus avisé lieutenant Spock aurait préférée. La première peut se résumer dans le slogan popularisé par Nike : "Allez-y !" En quelques heures de travail, vous pouvez avoir une page Web présente sur l'Internet sans que ça vous coûte grand-chose.

Par opposition à cette approche tout en force, la méthode bien plus logique de Spock vous commanderait de procéder ainsi :

- Définissez les buts que vous voulez atteindre avec votre site Web.

- Planifiez le contenu du site pour atteindre ces buts.

- Faites un découpage précis en spécifiant ce qui se trouvera sur chaque page et comment les pages seront organisées les unes par rapport aux autres.

- Comparez votre plan à celui de sites similaires ou avec lesquels vous risquez d'entrer en compétition et révisez-le en conséquence.

- Créez votre site sur votre propre machine d'abord et testez-le rigoureusement.

- Choisissez soigneusement le service d'hébergement qui vous paraîtra offrir les meilleures prestations.

- Publiez votre site et entrez dans le cycle sans fin des tests et des révisions.

Franchement, il y a là de quoi vous dégoûter !

Adopter l'une ou l'autre approche est une chose, mais encore faut-il que votre attitude corresponde aux buts que vous poursuivez. Nous vous recommandons d'adopter initialement l'approche en force. N'y déployez pas un trop grand effort, mais ne comptez pas démarrer ainsi un vaste empire sur le Web. Contentez-vous de créer une page personnelle ou une page d'entreprise racontant quelque chose d'intéressant au sujet de votre personne ou de votre entreprise.

Si vous n'êtes pas le patron de l'entreprise où vous travaillez, prenez la précaution de demander préalablement l'autorisation de publier sur le Web des informations la concernant. Faute de quoi, votre carrière pourrait rapidement connaître un tournant inattendu.

Si cette première page est la seule que vous publierez jamais sur le Web, c'est bien. Il est assez intéressant de visiter les pages créées par des individus dont le seul but est de s'amuser ou qui partagent une passion commune. La chose est différente si vous réalisez quelque chose pour le compte de votre entreprise ou que vous voulez vous lancer professionnellement dans le monde du

Web : cette première page va enrichir votre expérience et vous inciter à aller plus loin. Le Tableau 1.1 vous donne des éléments pour décider laquelle des deux approches convient le mieux dans un cas plutôt que dans un autre.

Tableau 1.1 : Deux approches possibles pour publier sur le Web.

	Vous amuser	Acquérir de l'expérience	Page pour une petite entreprise	Page pour une grosse entreprise	Créer une entreprise de publication sur le Web
Approche spontanée	X	X	X		
Approche méticuleuse			X	X	X

Sept étapes vers la gloire

Maintenant que vous avez compris ce qu'est le Web et comment il est constitué, vous voici prêt à vous lancer dans la carrière d'éditeur de pages Web. Voyons quelles sont à peu près les étapes à franchir :

1. **Créez vos fichiers HTML.**

2. **Créez ou procurez-vous des fichiers d'images.**

3. **Placez des liens vers les fichiers d'images et vers d'autres pages Web dans vos fichiers HTML.**

4. **Testez votre futur site Web sur votre propre machine.**

5. **Trouvez de la place sur un serveur Web.**

6. **Transférez vos fichiers sur le serveur Web pour y créer votre site Web.**

7. **Vérifiez que tout se passe comme vous l'espériez.**

Bien que tout ceci paraisse simple, ça peut se compliquer. En fait, certains ont du mal à maîtriser parfaitement chacune de ces tâches. Rien que la première étape vous demande de décider à quoi va ressembler votre page, d'apprendre HTML, de choisir et de savoir utiliser le type d'éditeur avec lequel vous allez la créer, etc. Chacune de ces étapes fera l'objet d'un ou de plusieurs chapitres de ce livre.

Faites simplement les choses simples

Si tout ce que vous voulez c'est publier sur le Web une page disant "J'existe !", que ce soit pour votre propre compte ou pour celui de votre entreprise, il est bien inutile de passer par toutes les étapes que nous venons d'énumérer. Vous trouverez dans la deuxième partie quelques-uns des moyens faciles qui existent de publier sur le Web.

Comment rendre possible les choses difficiles

Les services du type "votre page en une heure" vous en donnent pour votre argent : vous serez limité en place et votre page risque de ne pas briller par son originalité. Si vous voulez vraiment faire quelque chose de performant pour votre entreprise, celle-ci aura certainement les moyens de payer un sous-traitant pour ce type de prestation. Si, en outre, vous voulez que votre page ait une URL personnalisée, c'est possible, mais il faut payer pour cela – et, en France, plus cher qu'aux Etats-Unis. De plus, l'organisme français qui délivre les URL, l'AFNIC, a mis en place une procédure compliquée, formaliste et tatillonne, bien représentative d'une administration que le monde entier ne nous envie pas. Mais rien ne vous empêche, même en France, de vous adresser à l'organisme américain, le NIC. Quoi qu'il en soit, si vous envisagez dès le départ de créer un site très développé, mieux vaut prévoir tout de suite une sérieuse planification.

Dans le reste de cette première partie, nous décrirons la stratégie de base que vous pouvez suivre pour établir votre site sur le Web, et verrons juste ce qu'il faut de HTML pour vous y aider. Dans la deuxième partie, nous passerons en revue quelques-unes des façons de créer gratuitement votre site initial.

Tout ce qui suit la deuxième partie de ce livre concerne la création ou l'expansion d'un site Web pour qu'il devienne un des plus remarquables qui soient. Mais, répétons-le : même si vous voulez aboutir à quelque chose d'important, il est bon de commencer à acquérir un peu d'expérience pratique par la création d'une page personnelle ou d'un simple Web d'entreprise au moyen d'une des approches simplifiées que vous trouverez dans la deuxième partie.

Chapitre 2
Votre stratégie de publication sur le Web

L a création d'une page Web initiale est chose facile, spécialement si vous utilisez des services de création de pages que nous allons voir dans la deuxième partie. Mais créer une bonne page ou un site Web de plusieurs pages est une autre affaire. Et c'est précisément ce travail supplémentaire qui fera de vous un véritable auteur Web.

Si vous êtes de ceux qui fourbissent toutes leurs armes avant de commencer quoi que ce soit, selon la tactique Spock que nous avons vue au Chapitre 1, ou bien que vous avez l'intention de créer un site Web de qualité, lisez entièrement ce chapitre avant de vous lancer. Mais si vous êtes plus spontané – plutôt du type Kirk – ou bien pressé, nous vous suggérons d'aller directement aux Chapitres 3 et 4 et, grâce aux instructions que vous y trouverez, de commencer à créer votre page. Plus tard, vous reviendrez à ce chapitre et, la prochaine fois que vous créerez une page, elle sera sûrement meilleure.

Ce chapitre résume l'expérience que nous avons acquise dans l'édition papier et l'édition sur le Web en quelques principes et quelques étapes qui peuvent faire de votre première publication un véritable succès, et vous permettre de l'améliorer ensuite.

Les grandes lignes de la conception d'une page Web

Une page Web ou un site Web est avant tout une publication, même si son caractère interactif est bien plus marqué que s'il s'agissait d'une publication sur papier.

Demandez-vous "Pourquoi est-ce que je fais ça ?"

Nous reviendrons un peu plus loin sur le but d'un site Web proprement dit. Mais, en attendant, une bonne question à vous poser avant de commencer est : "Pourquoi est-ce que je me lance là-dedans ?" Autrement dit, pourquoi voulez-vous créer ce site-là et pas un autre ? La réponse pourra vous aider à faire les choix les plus importants concernant la structure de ce site. Voici quelques-unes des raisons les plus fréquentes qui peuvent justifier la création d'un site Web :

- **Raisons professionnelles.** De plus en plus de gens se voient sollicités pour créer un site Web dans le cadre de leur profession, que ce soit pour communiquer en interne ou vers l'extérieur. Mais, à moins que vous n'ayez l'intention de devenir webmaster à plein temps, vous devrez trouver un équilibre entre le temps que vous allez passer à développer votre site et celui que vous devez consacrer à votre travail habituel. Au début, soyez modeste dans vos ambitions ; vous aurez l'occasion d'en apprendre davantage plus tard. Et n'oubliez pas de garder trace de chacune des étapes que vous aurez parcourues, de façon que vous-même ou quelqu'un d'autre puisse plus tard s'y référer.

- **Pour vous distraire.** C'est ce type de sites qui rend le Web si passionnant. Mais si tel est votre but, vous ne trouverez le temps nécessaire pour vous y consacrer qu'après avoir accompli vos autres tâches habituelles : travail, études ou vie familiale et sociale. Aussi, ne soyez pas trop ambitieux dans vos objectifs initiaux si vous voulez que votre site soit achevé dans un temps raisonnable.

- **Pour vous lancer dans une nouvelle carrière.** Si vous voulez devenir un véritable professionnel de l'édition Web ou de l'Internet, pourquoi pas ? Dans ces conditions, vous pouvez décider de commencer tout de suite par un projet ambitieux, utilisant des outils logiciels élaborés, et mettre en pratique les techniques les plus avancées du Web. La mise en œuvre des techniques simples que nous allons décrire dans ce livre vous mettra le pied à l'étrier, et vous pourrez toujours compléter vos connaissances par d'autres ouvrages ou suivre des enseignements spécialisés[1]. Il existe, dans la même collection et chez le même éditeur, des ouvrages qui vous permettront d'aller plus loin, comme, par exemple, *JavaScript pour les Nuls*, d'Emily A.Vander Veer.

- **Sans trop savoir pourquoi.** Peut-être n'avez-vous pas de motivation bien définie et voulez-vous simplement essayer, "pour voir" ? Le manque de but précis n'est pas une raison pour vous abstenir de tenter le coup, et peut-être cela révélera-t-il à vos yeux des talents personnels que vous ignoriez. Commencez avec simplicité afin de ne pas vous trouver rebuté au départ par trop de difficultés.

Quelques termes à connaître

Pour clarifier les choses, nous croyons utile de revenir sur quelques-unes des expressions que nous avons déjà rencontrées au Chapitre 1.

- **Page Web.** Il s'agit d'un document à base de texte publié sur un serveur Web, comportant des balises HTML et, la plupart du temps, des liens ainsi que des images. Lorsqu'on clique sur les boutons Suivant ou Précédent du navigateur, on se déplace chronologiquement à travers les pages que l'on vient de visiter.

- **Page d'accueil.** C'est la page Web par laquelle vous souhaitez que vos visiteurs commencent la découverte de votre site. Pour cela, vous leur indiquez son URL (son adresse) et vous essayez de vous faire référencer par d'autres serveurs Web afin qu'ils ajoutent dans leurs pages des liens pointant vers la vôtre. Cette page contient généralement elle-même des liens vers les autres pages de votre présentation.

- **Site Web.** C'est une collection de pages Web organisées autour d'un même thème et auxquelles on accède généralement à partir de la page d'accueil. Certains sites Web n'ont qu'une page d'accueil ; d'autres peuvent avoir plusieurs pages.

- **Site ou présentation ?** Vous pouvez pratiquement utiliser ces deux termes indistinctement l'un pour l'autre, comme nous le ferons tout au long de ce livre.

---

1. Le traducteur souhaite mettre en garde ceux qui croiraient pouvoir, en France, sans dispositions artistiques ni études spécialisées, se lancer dans un métier où l'offre est très supérieure à la demande. La sélection est, en effet, sévère parmi de très nombreux candidats attirés par ce nouveau miroir aux alouettes. *(N.d.T.)*

Ne passez pas trop de temps à la conception

La conception d'une présentation Web diffère de celle d'une publication traditionnelle, parce que vous n'avez aucun contrôle sur le *look and feel* qu'elle aura pour chaque visiteur. La vitesse des modems et le débit du réseau ainsi que le choix de la configuration de leur navigateur en sont les causes principales.

HTML est souvent utilisé comme système de mise en page, mais en réalité son but se limite à *marquer* certains éléments de la page. Par exemple, vous *marquez* un morceau de texte pour dire que c'est un titre et non pas pour spécifier la façon dont il sera affiché. C'est là une des faiblesses de HTML. Souvenez-vous que son rôle est d'indiquer la fonctionnalité de chacun des éléments de la page alors que vous, vous allez l'utiliser pour déterminer la façon dont votre document doit être affiché.

Les toutes dernières versions de HTML permettent de contrôler d'assez près l'apparence d'une page. En particulier, les sites à la pointe du progrès, comme celui d'AltaVista où travaille l'un des auteurs, utilisent de nouvelles fonction- nalités de HTML telles que le langage JavaScript pour créer ces mises en page riches, plus proches de celles d'un magazine que d'une page Web ordinaire. Cependant, beaucoup de leurs fonctionnalités ne sont pas encore suffisam- ment standardisées, aussi certains navigateurs ne savent-ils pas les reconnaî- tre. Dans ce livre, nous en resterons à la spécification 4.0, qui donnera des résultats pratiquement identiques quels que soient les navigateurs qu'utilise- ront vos visiteurs.

Ces subtilités nous amènent à une conclusion : concevez quelque chose de simple et n'y passez pas trop de temps au départ. Continuez la construction au fur et à mesure que se développent vos connaissances à la fois de la publica- tion sur le Web et aussi de la façon dont les gens se servent de votre page.

Pensez "affiche" et non "page"

Pour un auteur habitué au monde de l'édition papier, le Web n'est pas quelque chose de très propre. A la différence d'une page imprimée, les navigateurs disposent de barres de défilement et de commandes d'ajustement de leur fenêtre qui permettent au visiteur de jouer comme il l'entend sur les dimen- sions de la page affichée. Lorsque vous concevez une page, l'excès est un défaut. Plus vous en mettrez dans une page et moins les gens s'y attarderont.

Au lieu de vous représenter votre page Web comme une page indéfiniment extensible, dites-vous plutôt que c'est une succession d'affiches, de cadres, d'images fixes, un peu à la façon des bandes dessinées. Faites en sorte que chacune de ces "affiches" tienne à peu près dans un écran de dimension standard. Lorsqu'il arrive sur votre page d'accueil, le visiteur doit voir ce qu'elle contient d'un seul coup d'œil. Ce qu'il va faire ensuite (dérouler la page, cliquer sur un lien ou sur le bouton Page précédente) dépend entièrement de sa première réaction devant cette page d'accueil. Pour lui, chacun des liens que vous lui proposez doit mener à une autre "affiche" se suffisant à elle-même, afin qu'il n'ait pas à hésiter quant au choix qu'il doit faire.

Les visiteurs voient toujours la partie supérieure d'une page comme une sorte de menu. Si vous proposez des liens vers l'intérieur d'une page (et non vers sa partie supérieure), ils verront cette partie de la page comme un nouveau menu.

Inspirez-vous des sites de certaines grosses entreprises que vous avez pu voir. La plupart commencent par une image qui remplit presque la totalité de la partie supérieure de leur page d'accueil. Pourquoi ? Pour faire tout de suite une bonne impression. Les pages mal conçues tendent à être bourrées de texte dès le début et continuent de la même façon. C'est perdre de vue un fait important : le visiteur qui a tant de texte sous les yeux risque fort d'être tenté d'aller ailleurs.

Au fur et à mesure de la conception et du test de votre site Web, pensez à ce découpage instinctif que fera votre visiteur et à la décision de poursuivre ou d'arrêter qu'il pourra prendre. Quel est le choix qui lui paraîtra le plus intéressant ? Que voulez-vous qu'il fasse ? Vous-même, si vous étiez le visiteur, que décideriez-vous ? Demandez ensuite à quelques-uns de vos amis de tester votre présentation. Quel chemin vont-ils choisir et pourquoi ? Si vous découvrez les réponses à ces questions avant d'avoir publié votre site et que vous modifiez sa conception en conséquence, vous serez dans le peloton de tête des auteurs Web.

Allez faire un tour sur quelques-uns de vos sites Web favoris. Qu'est-ce qui vous pousse à y revenir ? Est-ce parce que les informations qui s'y trouvent sont plus facilement accessibles ? Eprouvez-vous un sentiment de satisfaction globale ou ne vous attardez-vous que sur un ou deux points précis ? Souvenez-vous des réponses lorsque vous concevrez votre propre site.

Problèmes importants pour sites importants

Ce livre est destiné à ceux qui veulent créer une seule page Web ou un site de petite dimension et qui travaillent seuls. Les sites importants ou ceux qui doivent être réalisés ou modifiés rapidement exigent un travail d'équipe.

Si vous voulez créer un site de bonne taille, commencez tout de suite à recenser les ressources dont vous allez avoir besoin. Combien de personnes, dans votre entreprise ou à l'extérieur, sont-elles concernées par la publicité, la communication et le marketing ? Combien y a-t-il de gens qui se demandent encore si ce genre d'activités, c'est vraiment du travail ?

On peut raisonnablement supposer qu'une partie des forces de votre entreprise en charge de ces questions collaborera avec vous pour assurer la présence de l'entreprise sur le Web. Et le service commercial ? Au fur et à mesure que des transactions commerciales s'établiront grâce au Web, une partie des forces de vente de l'entreprise devra s'impliquer dans le Web.

Peut-être votre entreprise a-t-elle déjà souffert d'un excès de Web ? Voici quels en sont les symptômes : investissements initiaux massifs, des mois d'efforts sans parvenir à pouvoir présenter quelque chose de réaliste et, finalement, recherche du responsable d'un tel gaspillage. La cause en est souvent due au fait que personne n'a clairement défini les objectifs du site Web et que personne n'a sérieusement conduit le projet. Si c'est le cas, faites en sorte, cette fois, de définir avec précision les buts que vous cherchez à atteindre.

L'élément le plus important, lorsqu'on aborde une nouvelle technologie dans les affaires, est d'avoir un projet pilote. Comme tous ceux qui ont développé un site Web de taille modeste, vous avez acquis de l'expérience en ce qui concerne l'adéquation d'un site Web avec les besoins de votre entreprise. Fixez clairement les objectifs, efforcez-vous de les atteindre et enregistrez les problèmes rencontrés de même que les succès remportés. Vous serez alors en bonne position pour justifier de nouveaux investissements de ressources au fur et à mesure de la croissance du site Web d'entreprise.

Commencez par le meilleur

Représentez-vous le Web comme un immense étalage d'une Maison de la presse, et celui qui y surfe comme le chaland qui passe en jetant un coup d'oeil négligent sur les couvertures de tous ces magazines qui s'offrent à son regard. Ceux qui verront votre site décideront de s'y attarder ou d'aller ailleurs d'après la première impression qu'ils en auront.

Si vous cherchez à fournir des informations ou à proposer des liens, c'est cela qu'il faut placer en tête ou, tout au moins, à portée de clic. Par exemple, si vous créez un site pour faire connaître votre entreprise, faites en sorte que l'on tombe tout de suite sur les coordonnées de la personne à contacter : adresse, numéro de téléphone et de fax. Pour un site personnel, si vous cherchez à intéresser d'éventuels employeurs, indiquez clairement dans quelle branche s'exerce votre activité et facilitez l'accès à votre CV.

Si vous cherchez à attirer des gens pour les distraire, les éduquer ou leur présenter des messages publicitaires — toutes éventualités non mutuellement exclusives —, la première partie de votre page devra leur faire une forte impression et les inciter à aller plus avant. Une image réactive peut représenter une bonne solution, à condition qu'elle ne demande pas trop de temps pour se charger. La Figure 2.1 présente la page d'accueil de Kaua'i Exotix, certainement l'une de celles qui sont le mieux à même de retenir votre attention, se trouve à l'URL :

```
http://www.besttropicals.com/
```

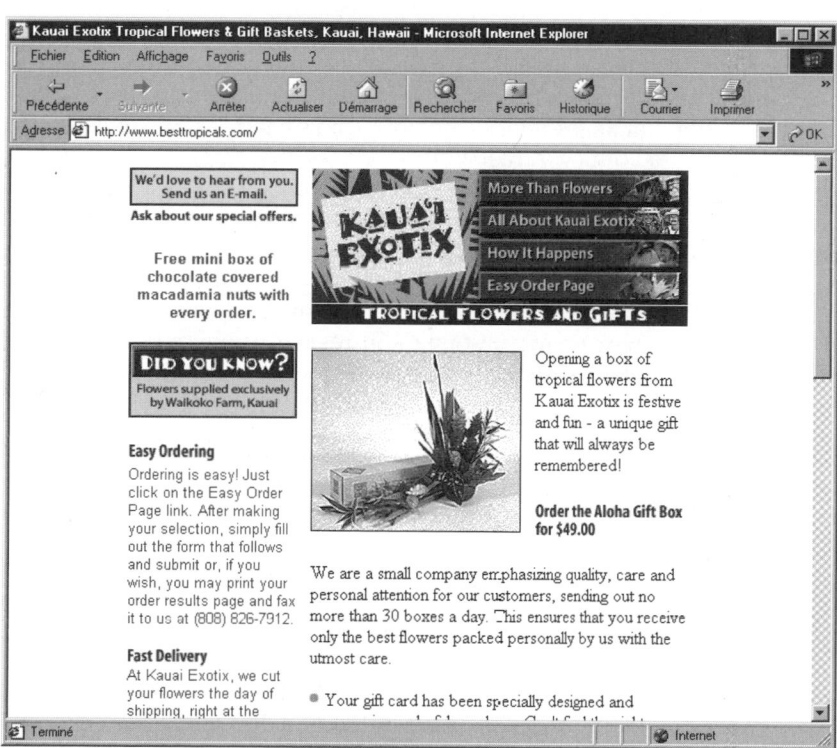

Figure 2.1 :
Dites-le avec
des fleurs !

Mais, à l'instar de la page d'accueil de Kaua'i Exotix, votre page d'accueil doit aussi aider vos visiteurs à trouver ce qu'ils attendent : ils seront d'autant plus enclins à y revenir qu'ils se seront rendu compte qu'ils n'ont pas perdu de temps à trouver ce qu'ils cherchaient.

Ne perdez pas de vue le temps de chargement

Mettre beaucoup d'images dans vos pages va vous demander beaucoup de temps pour trouver celles qui conviennent le mieux et les placer au meilleur endroit. Et vos visiteurs devront, eux aussi, passer beaucoup de temps à attendre que votre page se charge. Aussi, songez à utiliser de préférence des *vignettes* (petites images se chargeant rapidement), et regardez-y à deux fois avant d'installer de grandes images réactives tape-à-l'oeil comme celles des sites de Netscape, d'Apple ou de Silicon Graphics.

Vous pourrez trouver de bonnes informations dans les revues d'informatique sur l'évolution des possibilités offertes aux usagers en matière de connexions rapides. Numéris – qui permet un débit régulier de 64 Kbps – gagne de plus en plus d'abonnés, en particulier avec l'offre ITOO de France Télécom apparue au cours du dernier trimestre 1998. L'ADSL et le câble télévision, encore limités à quelques régions privilégiées, sont autant de techniques à débit élevé qui entrent progressivement en service, mais qui ne couvriront probablement jamais les régions de notre pays à faible densité de population en raison des coûts d'infrastructure nécessaires. Actuellement, c'est le standard V90 (qui autorise une vitesse théorique maximale de 56 Kbps dans le sens serveur vers utilisateur) qui procure les meilleures performances avec une ligne téléphonique ordinaire. Cependant, dans la réalité, il ne faut pas espérer dépasser 48 Kbps, en raison de la qualité irrégulière des lignes d'abonnés. Sans doute y a-t-il encore beaucoup de surfeurs qui n'ont qu'un modem à 33,6 Kbps, leur permettant un débit réel se situant aux alentours de 30 Kbps. Pensez à tous ces "défavorisés" de l'Internet et testez vos pages avec le type de connexion le plus courant : le modem et la ligne téléphonique.

Identifiez votre audience

Selon des recherches statistiques effectuées (aux Etats-Unis) sur les utilisateurs du Web, la plupart d'entre eux parleraient couramment l'anglais, que ce soit leur première ou leur seconde langue. En conséquence, la majorité des présentations, les outils de création du Web et les navigateurs sont presque tous d'origine américaine et l'Amérique du Nord reste le centre de gravité de l'accès au Web. Dix ans après la naissance du Web, et en Europe, encore !

Cela devrait normalement évoluer au fur et à mesure de la pénétration de l'Internet, puis du Web, dans les pays non anglophones.

Pourquoi ces gens-là se connectent-ils ? Des études montrent que les raisons dominantes sont la recherche d'informations, le divertissement, l'instruction, le travail, un moyen de passer son temps et le télé-achat. Laquelle de ces catégories cherchez-vous à intéresser ? De quelle façon comptez-vous les attirer ? Trouver la bonne réponse à ces questions vous aidera à bien définir vos objectifs.

Finalement, quel type de navigateur utilisent vos visiteurs ? Les études portant sur cette question montrent qu'environ 80 % utilisent Internet Explorer et que presque tout le reste préfère Netscape Navigator. En Europe, Opera, un navigateur d'origine norvégienne, tente une timide percée. Les versions récentes de ces navigateurs sont à peu près au même niveau technique. Il est très rare que les visiteurs des sites Web désactivent le chargement des images, mais cela ne veut pas dire qu'ils aiment bien patienter pendant le temps que mettent de grandes images à apparaître. Sauf si ces images sont particulièrement... attractives !

Fractionnez votre texte

Comme nous l'avons dit plus haut, lorsqu'on prépare une présentation Web, l'excès est un défaut. "Un court croquis vaut un long discours", et placer un long texte dans une page Web diminue vos chances que celle-ci soit entièrement regardée. Quelques paragraphes courts, bien écrits, sans verbiage inutile, informatifs, retiendront mieux l'attention du visiteur.

Mais, là non plus, il ne faut pas aller trop loin. Il ne suffit pas de découper simplement un trop long paragraphe en un certain nombre de plus petits. Encore faut-il que ceux-ci soient réellement intéressants et apportent d'utiles informations. Ce fractionnement vous aidera à illustrer votre page avec des images bien en situation.

Si vous voulez vraiment placer de longs textes, vous devrez non seulement les morceler mais aussi les repenser pour ne pas lasser les visiteurs. C'est une bonne idée que de placer en tête un résumé (un *abstract*, comme disent les scientifiques) présentant, en une dizaine de lignes au plus, tout ce que vous allez développer ensuite. Et puis, aérez votre texte par des intertitres judicieusement choisis, comme le font les journaux et les revues imprimés.

Publier aussi en anglais ?

Une grande partie de ce qu'on trouve sur le Web est écrit en anglais. On ne peut donc pas ignorer totalement cette langue. Certains moteurs de recherche comme Yahoo! et AltaVista offrent leurs services dans d'autres langues, généralement en s'implantant dans des pays étrangers. Mais ces incursions dans des territoires non anglophones restent de faible amplitude.

Si vous voulez que vos pages aient la plus large audience, songez à les écrire en deux versions : la première en français et l'autre en anglais, et offrez le choix de la langue à vos visiteurs sur votre page d'accueil. Cette pratique est courante dans les milieux scientifiques comme en témoigne la Figure 2.2 reproduisant la page d'accueil de l'Institut Pasteur.

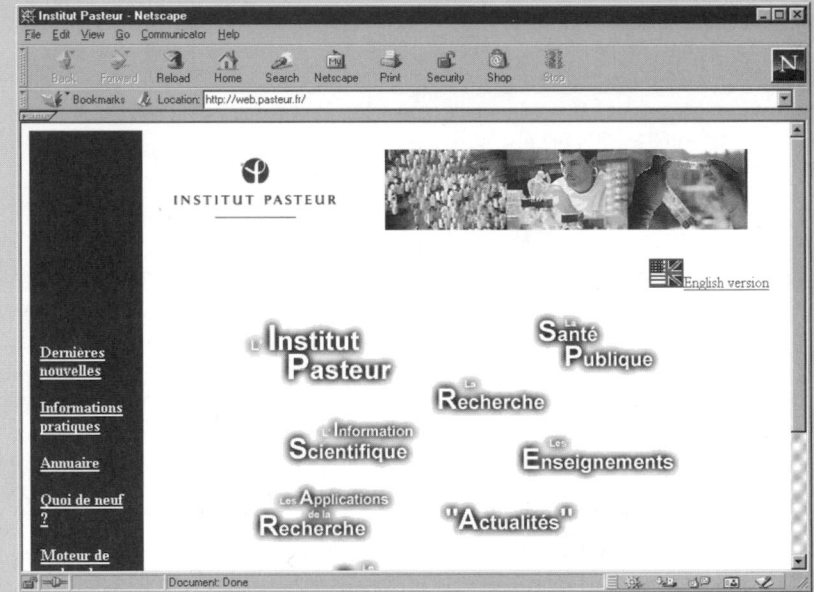

Figure 2.2 : La page d'accueil de l'Institut Pasteur propose une version anglaise du site.

Pour les scientifiques, il n'y a pas de difficulté puisque la quasi-totalité des publications se font dans cette langue. Dans les entreprises, il est également fréquent de trouver des secrétaires ou des personnes des services techniques parlant la langue de Bush (de préférence à celle de Shakespeare, peut-être un peu trop littéraire pour le monde des affaires). Pour le commun des mortels, le problème est tout autre et, sous peine de vous couvrir de ridicule, *if you are not fluent in English, ask your friends to help you*[2].

_____

2.   "Si vous ne parlez pas couramment l'anglais, demandez à vos amis de vous aider."

Inspirez-vous des sites que vous préférez

Ayant bien compris les principes que nous venons d'exposer, passez en revue les sites dont le thème se rapproche du vôtre. Qu'y trouvez-vous de bien ? Qu'est-ce qui vous y déplaît ? Inspirez-vous des premières réponses et évitez les écueils signalés par les autres. Attention, toutefois, à ce que votre imitation ne soit ni un esclavage ni une copie servile, ce qui risquerait de vous rendre coupable de violation de copyright. Au fur et à mesure que le développement de votre site avance, comparez-le aux sites que vous avez identifiés et essayez de trouver de nouvelles idées en élargissant vos recherches.

Il y a finalement peu d'idées originales sur le Web, et votre site n'en contiendra au mieux qu'une ou deux. Le reste de votre site reproduira plus ou moins fidèlement ce que les visiteurs auront déjà vu ailleurs. Alors mieux vaut que ce soit ce qu'il y a de meilleur.

Devez-vous recourir à la sous-traitance ?

Si vous travaillez dans une grande entreprise, vous pouvez songer à sous-traiter tout ou partie de votre présentation Web. Mais ce n'est peut-être pas une bonne idée. Sur le plan technique, cela sera sûrement positif, mais rien ne remplace l'esprit maison et la connaissance intime des rouages de votre entreprise. Une sous-traitance trop poussée risque d'aboutir à un site dépersonnalisé. A n'utiliser, donc, que comme moyen d'appoint. N'allez pas jusqu'à une délégation totale de vos responsabilités.

Pensez à améliorer constamment votre site

Au cours du développement de votre site, vous allez vous trouver devant une liste de tâches à accomplir ou de détails intéressants qui ne rentrent pas exactement dans votre plan initial mais qui vous semblent valables pour des améliorations ultérieures. Une telle liste vous évitera d'entreprendre dès le départ la réalisation d'un gigantesque fourre-tout que vous auriez du mal à terminer. Ce sera le point de départ de vos améliorations.

Certaines des rubriques déjà présentes demandent à être régulièrement mises à jour. C'est le cas, par exemple, s'il s'agit d'un site d'entreprise dans lequel vous publiez les résultats financiers trimestriels. De même pour l'annuaire des chefs de services ou de départements qui peuvent être appelés à changer. (Sauf, bien sûr, si vous êtes personnellement concerné par ce dernier type de changement, auquel cas, ce sera une des tâches de votre successeur.)

Publier des informations périmées est l'un des plus sûrs moyens d'écarter les visiteurs de votre site et peut même conduire à donner une mauvaise image de marque de votre entreprise ou de vous-même.

Outre cette mise à jour nécessaire, évitez les bannières "En cours de réalisation" et autres excuses qui ne trompent généralement personne. Tout ce qui est publié sur le Web est constamment "en construction". C'est d'ailleurs cette évolution qui fait tout l'intérêt et le charme du Web.

D'un autre côté, offrez à vos visiteurs un moyen d'aller directement aux nouveautés. Certains sites ont une page "Quoi de neuf ?" (*What's new?*) réservée à cet aspect des choses et dans laquelle sont succinctement décrites les plus récentes nouveautés de la présentation. On y esquisse parfois les nouveaux développements mais, dans ce cas, évitez de fixer des dates précises à moins que vous ne soyez absolument sûr de vous.

Définissez vos critères de réussite

Avant de concevoir votre présentation et de créer vos pages Web, définissez ce qui constituera pour vous un signe de succès. Initialement, faire passer des informations essentielles est probablement suffisant. Mais, petit à petit, fixez-vous des objectifs plus spécifiques. Quel type de "lectorat" désirez-vous atteindre ? Combien de visiteurs voulez-vous toucher ? L'installation d'un compteur de *hits* (accès) vous permettra de les dénombrer, mais vous pouvez aussi chercher à affiner la connaissance de votre audience ou proposer à vos visiteurs un espace pour poser leurs questions ou donner leurs impressions. Vous pouvez aussi leur offrir un numéro de téléphone gratuit (08 00...) à cette fin. Avez-vous l'intention de leur présenter un site à la pointe du progrès, farci des plus récents gadgets techniques ? Si c'est le cas, avez-vous une idée de la somme de travail et du temps que cela risque de vous demander ? Toujours dans le cadre d'une entreprise, parlez-en donc avec les gens de la publicité et du marketing.

Différents types de sites Web

On trouve toutes sortes de stratégies de communication sur le Web : des bonnes et des moins bonnes. Mais toutes ne sont peut-être pas adaptables à votre cas particulier. Les ressources mises à la disposition de l'auteur Web peuvent varier dans de grandes proportions. D'un autre côté, il existe une grande variété de sites Web et toutes les règles connues ne s'y appliquent pas indistinctement.

Les principaux types de sites Web sont : les sites personnels, ceux qui sont dédiés à un sujet spécifique, les sites d'entreprise et ceux qui n'ont pour but que le divertissement. Dans les sections qui vont suivre, nous allons passer en revue quelques-unes des considérations qui s'appliquent spécifiquement à chacune de ces catégories. C'est à vous de décider dans laquelle se place votre site, de façon à ne prendre en compte que des situations analogues à la vôtre lorsque vous cherchez de l'inspiration. Le mélange des genres ne vous conduira pas nécessairement à l'échec, mais évitez, là encore, tout excès et continuez à vous focaliser sur le but à atteindre. Toutefois, ne voyez pas là une exclusion définitive, car une petite teinture d'un autre genre peut, si elle est choisie avec discernement, donner un surcroît d'intérêt à vos pages.

Sites personnels

Les sites personnels peuvent avoir des objectifs multiples. Souvent, ce qu'on cherche, c'est à partager de l'expérience avec des gens passionnés par le même sujet, à communiquer avec la famille ou avec les amis. C'est un excellent moyen d'établir des contacts et de découvrir des sujets dont on ignorait tout. La Figure 2.3 montre la page d'accueil d'un site personnel à son début (`http://luckylechien.multimania.com`). On pardonnera à Lucky-le-Chien sa méconnaissance de l'orthographe, et on constatera que cette page a déjà été vue 145 fois. C'est du moins ce qu'indique le compteur à droite du portrait de l'auteur.

La création d'un site personnel est une grande source d'amusement et un moyen sûr d'acquérir de l'expérience. Mais, trop souvent, ces pages, une fois terminées, sont un peu laissées à l'abandon et n'évoluent plus. Evitez cet écueil. A partir d'un centre d'intérêt, en y ajoutant de plus en plus de détails intéressants, une page personnelle peut évoluer vers le statut d'une page dédiée.

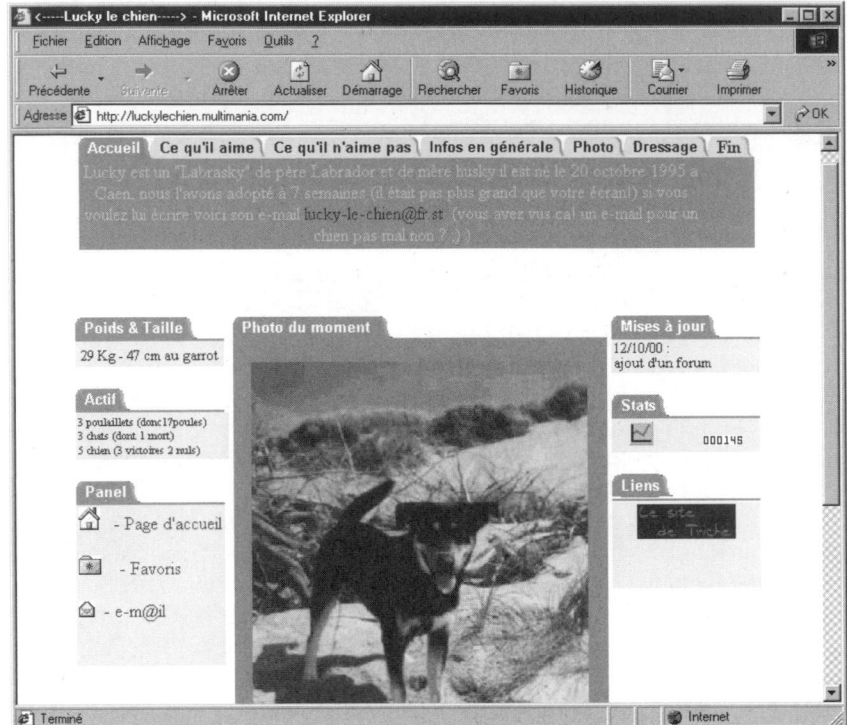

Figure 2.3 :
La page
personnelle
de Lucky-le-
Chien.

Voici quelques règles dont l'observation vous aidera à donner de l'intérêt à votre site personnel sans vous demander trop de travail :

- **Par quoi commencer ?** Non. Par quoi *continuer* ? Comme nous l'avons vu, votre premier écran doit annoncer clairement la couleur et conduire à d'autres rubriques par des liens appropriés. Cela est vrai, quel que soit le type de site. Si le sujet de votre page, c'est "Moi, ma vie, mon œuvre", on devra trouver sur la page d'accueil des liens vers chacune de ces rubriques. Si c'est une entreprise, des liens devront pointer sur ses diverses activités.

- **Restez simple.** Au départ, fixez-vous des buts limités de façon à aboutir rapidement à quelque chose de concret. Créez ensuite une liste de tâches à accomplir pour les extensions futures. Isolez bien les divers centres d'intérêt avec un point d'accès différent pour chacun d'eux.

- **Abondance de liens ne nuit pas.** Un des meilleurs moyens de faire partager vos goûts est de référencer d'autres sites ayant le même objectif. Veillez à ce que vos liens soient actualisés afin que votre site puisse être considéré comme une référence sur un sujet précis.

- **Préservez votre intimité.** Une page Web, c'est un tableau d'affichage mais un tableau d'affichage pouvant être vu par trente millions de gens ou même davantage[3]. Ne mettez pas n'importe quoi sur votre page. Réfléchissez-y à deux fois avant d'y placer des informations sur votre famille et, en particulier, des photos. Il y a de drôles d'oiseaux sur le Web aussi !

Est-il encore pertinent d'avoir sa page personnelle ?

Un intérêt de plus en plus grand se manifeste pour les sites Web à tendance commerciale, les intranets pour la communication interne d'une entreprise et les extranets qui servent à communiquer entre les différentes implantations de cette même entreprise. Les sites personnels sont un peu perdus devant cette profusion de sites bien caractérisés. Cela ne doit pas vous décourager, car cette catégorie a toujours une clientèle et, de toute façon, leur conception et leur réalisation sont quelque chose de passionnant – d'amusant, même.

GeoCities – que nous décrirons en détail au Chapitre 3 – a été le pionnier de l'hébergement gratuit des sites personnels et se place toujours dans les dix premiers sites les plus visités, ce qui est une position enviable. En France, nous avions Altern, qui a fermé à la suite de tracasseries juridiques, mais il nous reste MultiMania (`http://www.multimania.org`), CiteWeb (`http://citeweb.net/`), Chez (`http://chez.libertysurf.fr`) et bien d'autres.

Une importante justification de cet attrait persistant est le nombre croissant de gens qui ont une connexion à l'Internet et, donc, un accès au Web. Vous avez ainsi de plus en plus de chances qu'un de vos parents, une de vos relations ou un de vos collègues vienne visiter et apprécier votre réalisation. Votre motivation reste donc entière, quel que soit le nombre de sites à vocation commerciale présents sur ce média. Les revues d'informatique consacrées à l'Internet ne s'y trompent pas qui — du moins en France — continuent à présenter dans chacune de leurs livraisons les sites personnels qu'elles jugent les plus intéressants.

Sites dédiés

Un site dédié est un site consacré à un sujet particulier. Par exemple, une association sans but lucratif ou un club dont l'auteur est membre. Se dévouer pour créer une présentation mettant son club en valeur est une tâche digne

---

3.   Pour un site anglophone, peut-être, mais pour un site français, il faut être plus modeste. *(N.d.T.)*

d'intérêt, mais attention aux mises à jour continuelles qui vous attendent. Vous pouvez aussi militer pour une bonne cause, parler de votre obsession, de ce qui vous tient le plus à coeur. En ce sens, une page Web est un peu comme une édition à compte d'auteur : n'importe qui peut dire n'importe quoi sur n'importe quel sujet. Parfois, ça peut tourner à la réussite ; trop souvent, ça n'aura aucun intérêt.

Un des centres d'intérêt les plus courus est le Web lui-même. La Figure 2.4 en donne un exemple avec la page Web de Ouèbe Service à l'URL `http://www.chez.com/vdisanzo/web/menu.html` dont le but est tout simplement de vous faire découvrir l'art et la manière de publier sur le Web.

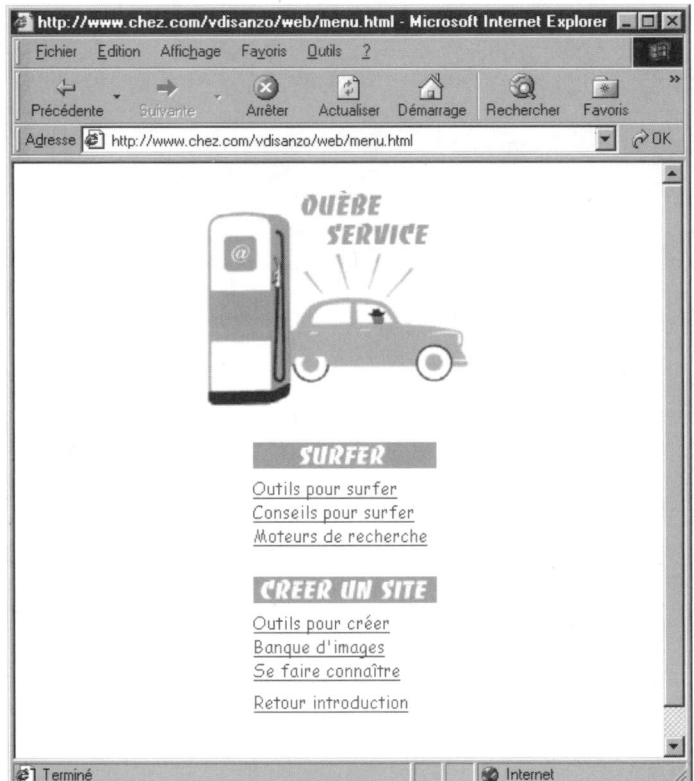

Figure 2.4 :
La page
d'accueil de
Ouèbe
Service.

Se lancer dans une nouvelle carrière en assurant la maintenance et la mise à jour d'un site Web dédié est chose facile, mais en général ça ne paie pas. C'est spécialement vrai si vous créez un site Web pour une association sans but lucratif qui sera très contente d'être présente sur le Web bien que, souvent, ses responsables n'aient pas une idée très nette de ce que vous pourriez y ajouter pour en renforcer l'intérêt. Voici quelques points à prendre en considération lorsque vous créez un site dédié :

- **Par quoi commencer ?** Comme pour les pages personnelles, le titre de ce type de présentation et son premier écran doivent indiquer sans équivoque de quoi il va s'agir et, autant que faire se peut, énumérer les ressources que va offrir la page Web.

- **Restez centré sur votre objectif.** Un site dédié qui s'égare en dehors de son sujet perd beaucoup de sa valeur. Combien, parmi ceux qui s'intéressent à vos recettes de cuisine, partagent votre passion pour les bigoudis ? ("Un" auteur Web peut fort bien être du sexe dit "faible".) Si vous avez plusieurs violons d'Ingres, consacrez-leur autant de pages.

- **Prévoyez son expansion.** Si votre site croît démesurément et que vous sentez qu'il vous échappe, vous devrez demander à quelqu'un d'autre de s'en occuper avec vous. La première personne à qui vous devrez vous adresser pour cela est celle qui vous aura fait remarquer qu'il était dommage que votre site ne traite pas tel ou tel point. Si votre site est consacré à une association (commerciale ou non), ce sont aux membres de cette association de vous donner un coup de main. Choisissez alors le rôle que vous entendez continuer à jouer et demandez à vos "assistants" de s'occuper du reste.

Sites d'entreprise

Ce type de sites recouvre une grande variété de styles parce que leurs objectifs et l'expérience nécessaire pour les traiter varient considérablement. Vous trouverez suffisamment d'informations dans ce livre pour vous permettre d'assurer une présence satisfaisante sur le Web avec plusieurs pages d'informations sur les activités de votre entreprise et les personnes à contacter pour obtenir telle ou telle information. Mais même cette espèce de site n'a pas une structure figée, et il faut vous assurer qu'elle correspond bien à l'activité de votre entreprise. La Figure 2.5 montre la page d'accueil de Netsurfer créée par Arthur pour son entreprise et dont l'URL est http://www.netsurf.com/nsd. Vous verrez à quoi ressemble un site d'entreprise réalisé par un professionnel.

La première question à vous poser pour un site d'entreprise est : "Qui va y accéder ?" Certains sites ratissent large : les consulte qui veut. L'accès à d'autres est protégé par un mot de passe ou toute autre forme de barrage. D'autres encore sont sur des réseaux internes ou privés inaccessibles de l'extérieur. Il s'agit de ces réseaux protégés par un garde-barrière (un *firewall*). Toute page à laquelle on ne peut pas accéder de l'extérieur est considérée comme une page privée, même si la liste de ceux qui ont le droit d'y accéder comprend un millier de noms.

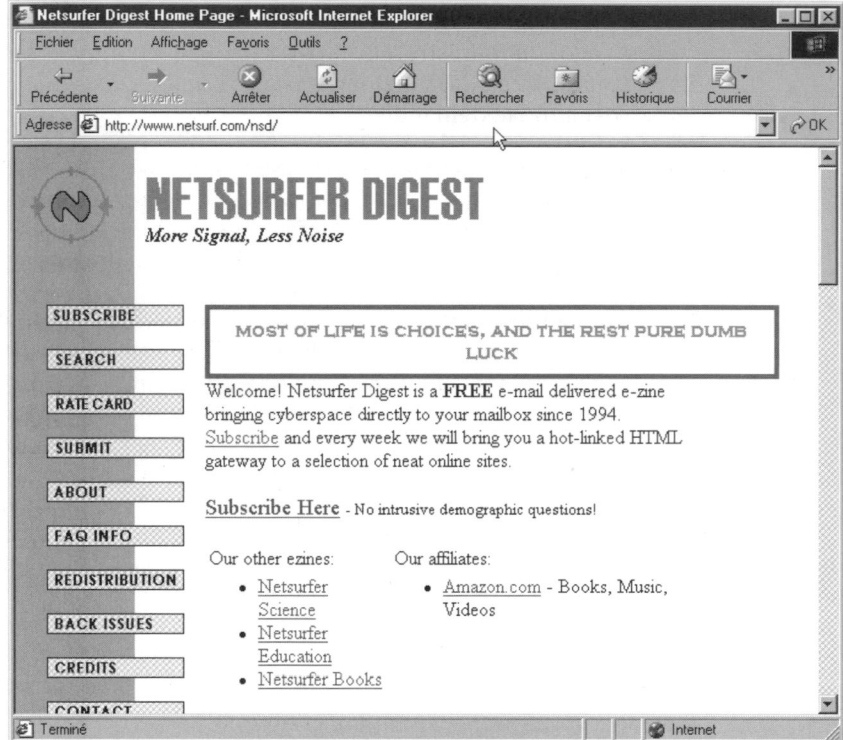

Figure 2.5 :
La page
d'accueil de
Netsurfer.
Excellent
rapport
signal/bruit.

En dépit de la variété de styles des pages d'entreprise, on peut leur appliquer les règles suivantes :

- **Par quoi commencer ?** Une page d'entreprise doit montrer de façon évidente la raison sociale de l'entreprise et son logo, et préciser clairement son type d'activité. Sans oublier les informations nécessaires pour prendre contact avec les responsables de ses divers départements et services.

- **Demandez les autorisations indispensables.** A moins que vous ne soyez son P.-D.G., vous devrez probablement demander à qui de droit l'autorisation de parler de l'entreprise sur le Web. Faute de quoi, vous pourriez vous en repentir après coup. Pour les pages internes, c'est moins grave ; mais pourquoi vous en priver ?

- **De quel côté du garde-barrière ?** Il est toujours délicat de décider qui a le droit d'accéder à des pages Web d'entreprise. Par exemple, certaines informations qui augmenteraient l'intérêt du site peuvent être considérées comme confidentielles, ce qui vous interdirait d'ouvrir votre site au public. Le problème de la protection par mot de passe est à régler avec l'administrateur du système informatique. Un des critères d'accès peut être constitué par le type ou la localisation du réseau sur lequel est situé le demandeur.

- **Trouvez des experts.** Il est vraisemblable que ceux qui travaillent dans le même secteur d'activité que vous, que ce soit à l'intérieur ou à l'extérieur de votre entreprise, aient rencontré les mêmes problèmes. Vous avez donc tout intérêt à voir comment ils s'en sont tirés.

- **Recherchez l'originalité.** Qui a envie de n'être qu'un clone ? Trouvez des moyens spécifiques de différencier votre site et de le rendre plus attrayant que celui de vos concurrents ou collègues. En un mot, d'en faire ce genre de site que les Américains élisent "Cool Site of the Day" (super-site du jour).

- **Surveillez son utilisation.** Investir du temps, de l'argent et de l'énergie dans un site d'entreprise demande d'établir un juste équilibre entre ce qui concerne le site et le reste de votre travail habituel. Pour justifier l'utilisation de ces ressources, vous devez pouvoir prouver que le site est réellement consulté et avec quelle fréquence il l'est. Il existe beaucoup de moyens pour obtenir — avec plus ou moins de fiabilité — ce type de renseignements. L'un des plus simples et des plus usités consiste en la mise en place d'un compteur d'accès. Il existe de très nombreuses adresses où vous pourrez trouver ce type de service. Par exemple :

```
http://fastcounter.linkexchange.com
```

Cette adresse, sans doute bonne pour les Américains, n'est pas à conseiller pour un site Web hébergé chez nous. Presque tous les fournisseurs d'accès et les services d'hébergement français qui vous offrent de la place sur leurs disques durs pour y installer votre page Web vous proposeront un compteur d'accès domicilié sur leur propre site. C'est aussi le cas de tous les prestataires qui proposent leurs services pour les sites d'entreprise Vous éviterez ainsi le temps d'accès supplémentaire pour aller consulter un compteur situé de l'autre côté de l'océan Atlantique.

- **Recherchez d'autres ressources.** Ce livre est principalement consacré à ce qu'il faut savoir pour créer un site Web personnel. Pour un site d'entreprise de plus grande ampleur, vous aurez besoin d'accéder à d'autres ressources concernant la planification, l'hébergement et la maintenance du site. Un premier pas serait de vous procurer *HTML 4 pour les Nuls* d'Ed Tittel, Natanya Pitts et Chelsea Valentine, dans la même collection et chez le même éditeur[4].

 Si votre site semble fait de bric et de broc comme le sont certaines pages personnelles plutôt que de porter la marque d'un véritable travail de professionnel, cela peut nuire à l'image de marque de votre entreprise. Certains sites pratiquent ce qu'on pourrait appeler un "retour vers le futur" en montrant un aspect dépouillé avec peu d'images. Alors, devez-vous choisir un aspect simple ou avoir des pages très chargées d'images ? Pour le savoir, regardez donc ce que font vos concurrents dans ce domaine et comparez votre travail au leur. Est-ce au moins aussi bon ? N'oubliez pas qu'il est bien plus embarrassant de n'avoir pas du tout de site Web que d'en avoir un médiocre.

Sites de divertissement

Se distraire est l'une des trois motivations les plus importantes qui poussent les gens à surfer sur le Web, ce qui explique le nombre grandissant de ce type de sites. Les pages à prétention humoristique, les jeux de rôle (*Multi user Dungeons* — MUD —, par exemple) et les jeux en réseau constituent l'un des attraits commerciaux les plus importants de certains prestataires de services en ligne. La plupart du temps, ces jeux ne sont accessibles qu'aux seuls abonnés à ces fournisseurs d'accès. Mais il n'y a pas qu'cux à proposer des sites de divertissement. Ainsi, la Figure 2.6 montre une page de jeu appelée Ancient Anguish, jeu de rôle qui a débuté en 1992, ce qui le fait remonter à la nuit des temps dans la chronologie particulière du Web. Son URL est :

```
http://www.anguish.org
```

Un MUD est un environnement dans lequel plusieurs joueurs peuvent intervenir. Cela peut être n'importe quoi, depuis une aventure médiévale jusqu'à la cogestion d'un pays imaginaire. Si un Américain vous raconte qu'il a passé toute la matinée à traîner dans la boue, ça n'aura de sens pour vous que si vous savez que *mud* signifie *boue*. Si ses chaussures sont propres, vous comprendrez immédiatement de quoi il s'agit.

---

4. A paraître au cours du deuxième trimestre 2001.

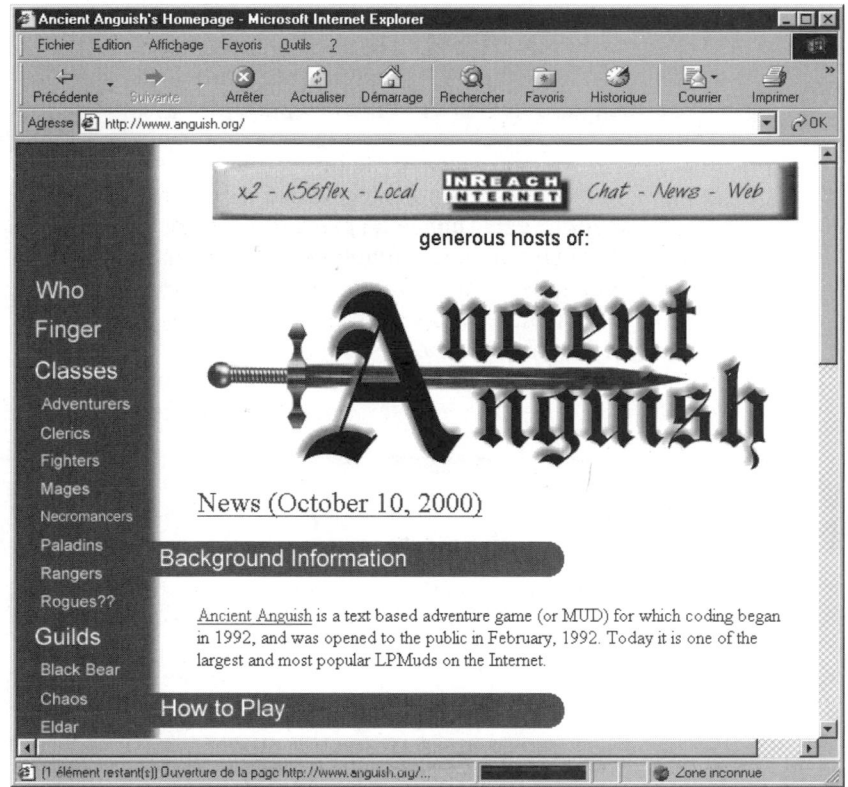

Figure 2.6 :
La page
d'accueil
d'Ancient
Anguish, un
jeu de rôle
américain.

Les sites de divertissement ne sont en général pas que cela. La plupart d'entre eux en profitent pour faire de la pub. Que voulez-vous, ils doivent bien trouver des sponsors pour financer leur site ! Jusqu'à ces dernières années, l'Internet était considéré, même aux Etats-Unis, comme un gadget sans intérêt commercial. Mais maintenant, les choses ont bien changé. Ces jeux peuvent aussi être inclus dans des environnements d'enseignement, ouvertement ou non. Ces facteurs ainsi que le haut niveau d'exigence formulé par leurs visiteurs font de ces sites les plus difficiles à créer et à gérer. Voici quelques suggestions qui devraient vous aider :

- **Ne commencez pas par ça.** Ne tentez pas d'apprendre le dur métier d'auteur Web par la création d'un site de divertissement, car c'est ce qu'il y a de plus difficile. Essayez d'abord un autre type de site.

- **Renouvelez-le souvent.** Une plaisanterie est beaucoup moins drôle la deuxième fois qu'on l'entend. En conséquence, vous devez mettre fréquemment à jour le contenu de votre site ou amener les participants à le renouveler par des suggestions constructives. Ce n'est pas si facile que ça !

- **Utilisez des technologies avancées.** Le degré d'interactivité constitue aussi un des principaux attraits de ces sites. Pour vous, cela veut dire que vous devez largement dépasser le stade d'un HTML pur et dur et des images statiques. Vous devez apprendre quelques-unes des technologies de pointe du Web si vous voulez rester en tête du peloton.

- **Laissez-vous porter par la technologie.** Les avancées technologiques peuvent vous donner des idées. Essayez par exemple d'utiliser Java pour réaliser des routines animées ou créez un environnement ActiveX avec des miroirs déformants. (Nous dirons deux mots de Java et d'ActiveX au Chapitre 9.)

Votre page Web est-elle politiquement correcte ?

Pour beaucoup d'auteurs Web, la meilleure conduite à tenir consiste à rester à l'abri de tout excès : en un mot, d'être *clean*. L'utilisation gratuite de la violence ou du sexe (ou des deux à la fois) dans vos pages aura pour principal résultat d'en dégoûter beaucoup de gens et de présenter le Web lui-même comme un véhicule de propos malsains et immoraux. Mais que faire si, précisément, violence et sexe constituent le point central de votre site ? Dans ce cas, les auteurs de ce livre vous proposent de leur envoyer l'URL de votre présentation afin qu'ils puissent juger par eux-mêmes et vous donner leur avis (tout au moins sur la première page)[5]. De toute façon, n'oubliez pas de placer un avertissement bien visible signalant la "nature" de votre site.

Certains sites d'hébergement peuvent estimer que votre présentation constitue une offense aux bonnes moeurs et décider d'eux-mêmes de vous censurer. La plupart d'entre eux le prévoient explicitement dans les conditions de mise à votre disposition d'espace disque sur leur machine pour un site Web. Sans préjuger des poursuites judiciaires auxquelles vous pourriez vous exposer dans certains cas, de plus en plus fréquents.

Attention ! De récentes affaires survenues en France ont montré que la police et la Justice manquaient assez souvent de recul pour apprécier d'éventuelles déviations dans ce domaine.

---

5. Il est évident que cette proposition ne s'applique qu'à des présentations rédigées en langue anglaise. (N.d.T.)

Publier sur le Web à la façon des Nuls

Il est facile de réaliser une première page sur le Web, mais si vous voulez qu'elle soit bonne, voire utile, c'est une autre affaire. Si vous souhaitez aller plus loin qu'une bête page dénuée de tout intérêt sauf, peut-être, pour vous-même, nous vous suggérons d'adopter le processus de décision détaillé ci-après :

- Définissez les objectifs de votre site.

- Choisissez sa structure.

- Esquissez sa mise en page.

- Définissez les liens à créer entre les différentes pages.

- Définissez les liens à créer vers des pages extérieures.

- Créez le texte des pages.

- Convertissez-le en HTML.

- Créez ou choisissez les éléments graphiques.

- Testez votre site.

- Transférez vos fichiers sur un serveur Web.

- Faites connaître votre site.

- Ronronnez du plaisir d'être devenu un auteur Web. (Et puis recommencez à la première étape.)

Ces étapes détaillées se répartissent en trois grandes catégories : planifier, créer du contenu et le faire connaître. Bien que la plupart des informations qu'on trouve concernant la publication sur le Web mettent l'accent sur le contenu (la partie créative proprement dite), en général, et sur HTML, en particulier, nous croyons que chaque partie a la même importance.

Planification

Les seuls outils dont vous avez besoin pour cette partie du processus sont l'accès au Web, pour y faire des recherches, et soit un traitement de texte et un logiciel de dessin, soit du papier et un crayon. Choisissez ceux de ces outils avec lesquels vous vous sentirez le plus à l'aise pour établir votre plan et prendre des notes. Quelques heures d'un tel travail peuvent vous épargner beaucoup de temps plus tard et vous aider à produire une plus belle page. Malheureusement, la planification est la partie la plus souvent négligée du processus de publication sur le Web. Voici comment vous allez procéder :

1. **Définissez les objectifs de votre site.**

   Choisissez le type de site que vous voulez créer : personnel, dédié, d'entreprise ou de divertissement.

   Nous avons abondamment décrit chaque type de site dans les sections précédentes. Recherchez des sites équivalents et poursuivez vos recherches dans d'autres médias (revues, livres et même télévision). Ensuite, mettez par écrit quelques objectifs pour le site initial et ses développements ultérieurs.

2. **Esquissez votre mise en page.**

   Une mise en page soignée contribue pour beaucoup à l'attrait d'un site. Voici quelques règles générales :

   - Définissez le nombre de pages de votre site et la façon dont elles communiqueront entre elles.
   - Précisez l'objectif de votre site près du haut de sa page d'accueil.
   - Indiquez ensuite en tête des autres pages l'objet de chacune d'elles.
   - N'ayez pas peur d'utiliser largement des boules, des petites icônes et toutes sortes de graphismes pour mettre en valeur les points clés.
   - Réfléchissez aux images que vous allez insérer. Recherchez-les ou dessinez-les.
   - Pensez à insérer une FAQ (*Frequently Asked Questions :* foire aux questions).
   - Disposez aux bons endroits des éléments de navigation : liens vers la page d'accueil ou d'autres pages de votre site, dans les deux sens. Adoptez une disposition constante : soit en haut, soit en bas des pages.

3. **Choisissez les liens à inclure.**

   Une page Web dépourvue de liens est plutôt ennuyeuse. Vous avez déjà choisi à l'étape 2 quels seraient les liens à inclure entre les pages de votre site. Pensez maintenant aux liens partant de vos pages vers d'autres sites, externes, cette fois. Lesquels seraient bien en situation ? Lesquels amèneraient un peu de détente ? Aidez-vous de moteurs de recherche comme AltaVista! (http://www.altavista.com pour le site américain et http://fr.altavista.com pour son antenne française) et des autres sites qui sont listés sur sa page d'accueil pour fouiller le Web à la découverte de liens intéressants (voir la Figure 2.7). Vérifiez ensuite soigneusement tous ces liens et ne retenez que ceux qui vous semblent significatifs en écartant impitoyablement tous ceux qui sont à côté du sujet. Sauvegardez ces liens à un endroit où vous saurez les retrouver (pourquoi pas les *bookmarks* — signets — de votre navigateur ?).

Figure 2.7 :
La page d'accueil du site français d'AltaVista.

Essayez maintenant d'organiser les liens que vous avez retenus. Devez-vous les regrouper ? Certains d'entre eux sont-ils répétitifs ou superflus ? Ecarter les liens inutiles donnera du poids à votre site. Quoi que vous puissiez en penser, de bons liens n'empêcheront pas vos visiteurs de revenir sur votre site. Au contraire.

Créez le contenu

C'est au moment de la création du contenu que vont intervenir les outils logiciels (traitement de texte ou éditeur de texte et logiciel de dessin) vous permettant de créer le mélange nécessaire de texte, d'images et de balises qui va constituer le document HTML. Seules les images de type GIF, JPEG et PNG sont reconnues par tous les navigateurs. Si les images dont vous disposez sont d'un autre type, convertissez-les auparavant dans un de ces deux types avec un des nombreux logiciels qui existent dans ce but (LView Pro, par exemple). Pour un site simple, une seule personne suffit à effectuer le travail (et ce n'est pas rien), mais pour créer un site important et en assurer la maintenance, il vous faudra une véritable équipe avec le secours occasionnel de consultants expérimentés en publication Web.

1. **Créez le texte du contenu.**

   Si vous êtes nouveau dans l'art de publier sur le Web, le mieux que vous ayez à faire est de travailler avec un traitement de texte en ignorant complètement toutes les balises HTML, tout au moins au début. De cette façon, vous pourrez utiliser un outil familier pour mettre votre texte au point et profiter d'un vérificateur d'orthographe. Souvenez-vous, toutefois, que vous ne pourrez pas faire une mise en page aussi précise avec HTML qu'avec un traitement de texte moderne.

   Vous pouvez même aller jusqu'à réaliser un site Web factice, une maquette, en somme, avec votre traitement de texte avant de vous lancer dans HTML. C'est une bonne façon de planifier le contenu de chaque page. Vous pourrez insérer des images et simuler des liens avec de la couleur et du texte souligné. Comparez le résultat avec les sites Web que vous admirez et vous vous rendrez compte des change-ments qui seraient souhaitables.

2. **Convertissez votre texte en HTML.**

   Vous devez ensuite convertir votre texte formaté en document HTML. Vous pouvez ajouter les balises à la main (voir le Chapitre 7) ou utiliser les facilités de conversion HTML de votre traitement de texte s'il en a. Il existe aussi des convertisseurs spécialisés (voir le Chapitre 12). A moins que vous ne préfériez vous servir d'un éditeur HTML tel que ceux que nous décrirons dans la deuxième partie du livre. Vous pouvez aussi associer ces trois méthodes.

   Lisez le Chapitre 7 pour apprendre ce qu'est HTML et comment il fonctionne. Même si vous n'insérez pas les balises vous-même, à la main, il est bon de savoir ce qui est faisable et ce qui ne l'est pas, car cela vous fera économiser beaucoup de temps par la suite.

3. **Créez les éléments graphiques de votre page.**

    Les éléments graphiques, ce ne sont pas seulement les photos et les images générées par ordinateur, mais aussi les en-têtes, les barres de séparation et autres icônes diverses. Ajoutez-y les éléments multimédias comme les sons ou les clips vidéo (les animations) si vous voulez vraiment aller jusqu'au bout. Nous parlerons de tout cela aux Chapitres 8 et 9.

Publiez votre site Web

Que ce soit sur un intranet ou sur l'Internet dans toute sa grandeur, la publication de votre site Web est la partie la plus enthousiasmante du processus global. Votre excitation passagère risque de tourner à l'anxiété lorsque vous penserez à l'opinion que vont avoir les visiteurs de votre nouveau-né. Pour cette partie du processus, vous n'avez besoin d'aucun outil, excepté d'un client FTP (*File Transfer Protocol*) qui vous servira à transporter vos fichiers depuis votre machine jusque sur le serveur Web qui va héberger votre présentation.

Commencez par rassembler les éléments de votre site, et testez l'ensemble en local sur votre machine avant de passer en vraie grandeur sur le Web. A cet instant, vous connaîtrez un bref moment d'exaltation qui sera suivi de l'inquiétude de n'avoir pas pu y mettre toutes ces choses que vous aviez envisagées. Peut-être même vous apercevrez-vous, en vous connectant vous-même, que tout ne se présente pas exactement comme vous l'aviez espéré. Quoi qu'il en soit, voici la marche à suivre :

1. **Rassemblez tous les éléments et testez-les.**

    Vérifiez que tout est bien en place, y compris les liens. Testez alors l'ensemble de votre présentation, page par page, lien par lien (pas les liens externes, évidemment, pour l'instant). Utilisez pour cela votre navigateur habituel. Tout se passe de la même façon que si vous étiez réellement sur l'Internet, à ceci près que vous êtes le seul à ce moment à pouvoir voir votre présentation. Nous reparlerons de tout cela en détail au Chapitre 11.

2. **Transférez l'ensemble sur le serveur Web qui vous héberge.**

    C'est à ce point que nous allons (que *vous* allez !) passer en vraie grandeur. Une fois vos pages transférées sur le serveur, faites à nouveau un test complet. Sur les liens, en particulier, sans oublier, cette fois, les liens externes. Souvenez-vous que rien n'est plus agaçant pour un visiteur que de cliquer sur un lien brisé.

3. Faites connaître votre site.

Amenez quelques-uns de vos amis sur votre site. Utilisez le bouche à oreille, mais surtout servez-vous des ressources du Web et, par exemple, invitez d'autres sites traitant de sujets voisins du vôtre à vous référencer. Allez jusqu'à offrir une quelconque récompense (ne serait-ce qu'un message de remerciement) à tous ceux qui vous feront part de leur impression sur votre site. Tout ces détails seront également repris au Chapitre 11.

4. Souriez, vous êtes maintenant un auteur Web complet !

Avoir un site Web en état de marche est un légitime motif de fierté. Vous pouvez vous asseoir et jouir de votre triomphe pour un petit moment.

Après ce moment d'allégresse, il va être temps de jeter un regard critique sur votre site, de le comparer à d'autres et de commencer à l'améliorer.

Avec HTML ou sans ?

Dans les débuts du Web, il était réellement difficile de créer une page Web correcte sans connaître peu ou prou HTML. Mais maintenant, les choses ont bien changé.

Certains services d'hébergement spécialisés comme GeoCities (dont nous parlerons au Chapitre 3), ou MultiMania (que nous décrirons au Chapitre 6), ou certains fournisseurs d'accès comme Club-Internet (que nous retrouverons au Chapitre 5) vous offrent des modèles, des outils graphiques et de l'espace disque, le tout sans bourse délier. Avec tout cela, point n'est besoin de connaître HTML. Ces outils vous permettront également de transférer vos fichiers sur le serveur. Adieu, donc, FTP ! Vous aurez ainsi rapidement une page Web en état de marche sans aucune difficulté.

Les auteurs suggèrent d'utiliser les services de GeoCities pour créer votre page Web. Aux Etats-Unis, ce conseil est certainement bon, mais nous ne pensons pas qu'il en est de même en France, ne serait-ce qu'à cause de l'obstacle linguistique. Si vous ne lisez pas facilement l'anglais, vous aurez du mal à comprendre (donc à utiliser) les indications et conseils que vous prodiguent les pages de GeoCities. C'est la raison pour laquelle, sans écarter ce prestataire de services, nous avons choisi de vous présenter aussi l'offre d'un hébergeur français spécialisé, MultiMania, dans les pages duquel vous ne vous sentirez pas en terrain étranger, dépaysé. Cela fait, rien ne vous empêchera d'aborder HTML pour peaufiner votre site en profitant de ce que vous aurez appris au Chapitre 7.

Deuxième partie
Une page Web en un jour

"Est-ce que mon site Web doit refléter
l'organisation de mon bureau ?"

Dans cette partie...

Nous allons voir comment vous pouvez créer votre première page Web en une heure ou deux grâce à des services gratuits ou à des outils de publication proposés par certains services d'hébergement ou *fournisseurs d'accès*. Le coût en sera faible, car pratiquement limité au temps de connexion nécessaire pour créer la page, les services Web eux-mêmes étant gratuits.

Chapitre 3
Publiez votre page d'accueil sur le Web

O n peut difficilement croire qu'il soit très facile de créer une page sur le Web lorsqu'on connaît les nombreuses difficultés et embûches qui parsèment le chemin de toute application informatique. Mais grâce à certains services de publication gratuits, vous allez voir qu'il est tout à fait possible de réaliser et de publier votre première page Web en moins d'une heure ou deux.

Dans ce chapitre, nous allons décrire les services offerts par GeoCities pour lesquels les deux seules choses qui vous seront nécessaires sont une connexion à l'Internet et un navigateur.

Si vous êtes abonné à AOL ou à CompuServe, vous pouvez profiter des outils en ligne proposés par ces fournisseurs d'accès. Toutefois, leur inconvénient principal est qu'ils sont à l'écart des standards reconnus, tant pour le courrier électronique que pour les news de Usenet. C'est la raison pour laquelle nous avons préféré vous présenter un peu plus loin (plus précisément au Chapitre 5) l'offre de Club-Internet, d'origine française mais racheté depuis, à hauteur de 90 % par Deutsche Telekom (donc toujours européen).

Vous pouvez aussi bénéficier de ce que proposent certains "hébergeurs" de pages Web personnelles, dont la vocation n'est pas de vous fournir un accès à l'Internet mais seulement de vous proposer de l'espace sur leurs disques pour héberger votre présentation Web. Dans le présent chapitre, nous allons vous présenter GeoCities, récemment racheté par Yahoo!, le moteur de recherche bien connu. C'est — tout au moins aux Etats-Unis — le service d'hébergement le plus populaire. Depuis son lancement, le nombre de pages qu'il a hébergées (et, pour la plupart d'entre elles, continue d'héberger) dépasse les quatre millions. Le taux d'accroissement de cet hébergement est présentement de l'ordre de plusieurs milliers de pages par jour.

GeoCities se situe à un rang très honorable parmi les dix sites Web les plus visités, ce qui, maintenant que l'Internet est une affaire commerciale, lui permet de rentabiliser confortablement ses prestations.

Vous avez dit "gratuit" ?

"[...] you can have your first Web page within a couple of hours end at no cost." (*Vous pouvez réaliser votre première page Web en deux heures et sans bourse délier.*) C'est ce qu'on peut lire dans le premier paragraphe de l'édition américaine de ce chapitre. "Sans bourse délier ?" Voire... Ce moyen de publication de page Web en ligne vous oblige à rester connecté tout le temps que vous réfléchissez, hésitez et corrigez le contenu de la page. Et pendant ce temps le compteur de France Télécom continue de tourner ! Nous verrons à l'Annexe B quelques unes des formules d'accès à l'Internet proposées fin 2000 en France. Certaines sont entièrement gratuites (communications téléphoniques comprises), mais seulement pour un nombre d'heures de connexion plutôt limité.

Dans la plupart des cas, le temps de connexion vient s'ajouter à la facture bimestrielle que vous recevez de l'"opérateur historique" (lisez : France Télécom). Outre-Atlantique, pays où la dérégulation des télécommunications n'est pas un vain mot, les communications locales (dans une même circonscription téléphonique) sont presque toujours gratuites, alors que, dans notre Hexagone, France Télécom n'a perdu son monopole de ce qui s'appelle la "boucle locale" que depuis le 1er janvier 2001. Il faut bien se dire que ce n'est pas du jour au lendemain que des offres concurrentielles – à moindre coût – vont apparaître, surtout en dehors des grandes villes.

Il en résulte que chez nous, se connecter à un serveur Web extérieur pour éditer sa page Web n'est pas la formule la plus économique, et que, en règle générale, mieux vaut composer ses pages Web sans être connecté puis les transférer ensuite chez son hébergeur.

Commencez par une page Web personnelle sur le Web

Créer sa page Web personnelle est quelque chose de gratifiant. D'abord, c'est distrayant. Les millions de gens qui se sont pris au jeu ne l'ont pas regretté. On commence par une simple page avec trois fois rien et puis, en peu de temps, on se retrouve devant une présentation bien structurée, bien documentée et susceptible d'intéresser des visiteurs ne faisant pas partie du cercle de famille.

Créer sa page Web personnelle est un moyen de découvrir l'art et la manière de concevoir et de réaliser une publication sur le Web. Tant que vous ne vous y serez pas risqué, vous pouvez penser que c'est bien compliqué. Dès que vous aurez accompli le premier pas, vous verrez que plus rien ne vous empêche de continuer. Vous pouvez utiliser l'outil d'édition de GeoCities pour créer une page d'accueil simple, rapidement et sans difficulté, et si vous voulez plus tard l'améliorer jusqu'à en faire un véritable site Web, rien ne vous empêche de vous servir d'outils plus perfectionnés tels qu'un éditeur HTML assorti d'un logiciel de FTP.

Pour commencer, vous pouvez hésiter entre une page personnelle, une page promouvant une association sans but lucratif ou une page d'entreprise. Mais, dans ce dernier cas, vous allez rencontrer quelques difficultés :

- Le "ticket d'entrée" (si nous pouvons nous risquer à utiliser ici cette expression provenant en droite ligne des techniques du marketing) est bien plus élevé, car vous allez avoir à affronter une tâche plus complexe.

- La qualité de votre travail aura davantage d'impact parce que vous porterez sur vos épaules le renom d'une entreprise, ce qui est beaucoup plus lourd que le reflet de votre simple personnalité. Aussi, la crainte de ne pas être à la hauteur de la tâche va-t-elle être plus grande. Votre manque d'expérience risque ici de se faire bien cruellement sentir.

- Enfin, l'hébergement d'un site commercial n'est généralement pas gratuit. Il faut donc en évaluer le coût avant même de commencer.

Tout bien pesé, mieux vaut donc démarrer avec une page personnelle. Allez à la découverte sans courir de risque, et accumulez ainsi de l'expérience qui vous permettra plus tard d'entreprendre des tâches plus ambitieuses. Pour cela, GeoCities est tout à fait ce qu'il vous faut.

Pour voir ce qu'ont fait les autres, ceux qui, comme vous, sont partis de zéro, allez donc faire un tour sur GeoCities à l'URL :

```
http://geocities.yahoo.com/home/
```

La Figure 3.1 vous montre comment se présente la page d'accueil de GeoCities. Peut-être verrez-vous quelque chose de différent au moment où vous lirez ces lignes, car GeoCities modifie très souvent sa page d'accueil. Rassurez-vous, cela ne changera en rien les instructions que nous allons vous donner dans les sections qui suivent.

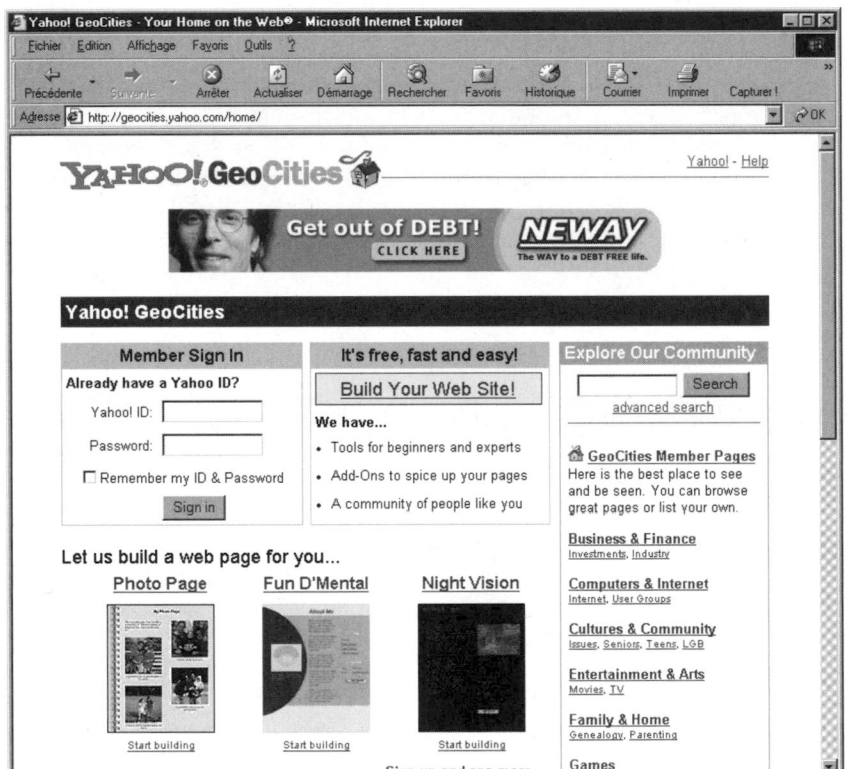

Figure 3.1 :
La page
d'accueil de
GeoCities.

Le site de GeoCities était initialement organisé en *voisinages* (*neighborhoods*), sorte de régions virtuelles délimitant l'espace d'accueil en domaines spécifiques. Heureusement, ce compartimentage a cessé d'exister, et n'est plus accessible que par ceux qui l'avaient déjà utilisé dans les années 1990. En tant que nouvel utilisateur de GeoCities, vous allez recevoir une adresse Web construite d'après le nom d'utilisateur (*user ID*) qui vous sera attribué lors de votre inscription initiale.

L'adresse de votre page sera de la forme :

```
http://www.geocities.com/votre nom_d_utilisateur
```

Cette adresse est bien plus simple que celles qui étaient attribuées par le passé aux membres de GeoCities et dans lesquelles on retrouvait le nom de voisinage que l'utilisateur avait sélectionné ainsi que le numéro de la sous-section qui lui avait été assignée.

La première fois que vous visiterez GeoCities, faites donc un tour des pages hébergées en exploitant pour cela le lien proposé dans la colonne de droite de ce que vous pouvez voir sur la Figure 3.1 sous le nom *GeoCities member pages*.

Connaître quelques rudiments de HTML pourra se révéler utile dans ce qui va suivre. N'hésitez pas, en cas de besoin, à consulter fréquemment l'Annexe C et le Chapitre 7 pour éclairer votre lanterne.

Outils Web ou services Web ?

Un *outil Web*, c'est par exemple un éditeur de texte spécialisé qui vous aide à préparer vos pages Web. Un *service de publication sur le Web*, c'est une prestation de services suscep-tible de vous fournir du clef-en-main ou, de façon plus limitée, de se charger d'une partie du travail de publication comme la mise à jour ou le transfert de vos pages sur un serveur. Selon le degré de prise en charge, ces prestations peuvent être gratuites ou payantes. Les services que nous allons vous présenter dans ce chapitre vous offrant un hébergement gratuit, l'expression "services Web" est donc tout à fait justifiée.

Coup d'œil sur GeoCities

Vous pouvez utiliser l'outil d'édition proposé par GeoCities pour créer vite et bien une simple page d'accueil. Vous pouvez ensuite utiliser HTML et FTP ainsi que d'autres outils pour créer et transférer des pages plus sophistiquées vous permettant de réaliser n'importe quel type de site Web à concurrence d'une occupation de 15 Mo sur les disques durs de GeoCities. Cependant, un certain nombre de précautions et de restrictions existent dont vous devrez tenir compte. Ces conditions diffèrent selon le pays où vous résidez. Les règles propres aux citoyens américains se trouvent détaillées en 23 points à l'URL :

```
http://docs.yahoo.com/info/terms/geoterms.html
```

et leur version applicable en France (22 points), à l'URL :

```
http://fr.docs.yahoo.com/info/utos.html
```

On y trouve en particulier des différences assez importantes concernant le contenu de votre site et la possibilité de créer un site commercial. Dans ce qui suit, nous avons naturellement adopté la version applicable dans notre pays, mais nous vous encourageons vivement à consulter le texte intégral de la page intitulée "Conditions d'utilisation du service", visible à l'URL que nous venons de citer.

- **Pas de contenu illégal.** Vous vous interdisez de consulter, afficher, télécharger, transmettre tout contenu qui serait contraire à la loi en vigueur en France. Ce point concerne tout spécialement ce qui touche à la pédophilie, aux ventes d'organes, au commerce de substances illicites ou de tout autre objet et/ou prestation illégale, ainsi qu'à tout ce qui fait l'apologie du terrorisme, des crimes de guerre et du nazisme.

- **Pas plus de 15 Mo.** L'ensemble de vos fichiers Web ne doit pas dépasser 15 Mo, ce qui représente environ quinze mille pages de texte ou une centaine d'images d'une surface voisine d'un quart d'écran. Cette restriction ne pose pas de problème pour les pages personnelles telles que celles que vous pourrez créer avec l'éditeur spécialisé de GeoCities que nous allons décrire un peu plus loin dans ce chapitre. Si vous voulez occuper davantage de place, GeoCities vous propose **sur son site américain**, à l'URL `geocities.yahoo.com/geoplus`, de vous en accorder davantage (jusqu'à concurrence de 25 Mo) au titre de son plan GeoPlus, moyennant une redevance mensuelle de 4,95 dollars. (Nous n'avons rien trouvé de tel sur le site français.)

- **Aucune garantie.** GeoCities ne vous garantit pas la continuité du service et souhaite ainsi se prémunir contre tout événement ou circonstance inattendus. En fait, c'est une protection de pure forme, car tout semble indiquer une intention bien affirmée de continuer à fournir ce type de service dans l'avenir. En outre, une fois votre page créée, vous pourrez toujours trouver un autre moyen d'hébergement en cas de besoin.

GeoCities ou votre fournisseur d'accès habituel ?

Si vous êtes déjà abonné à un fournisseur d'accès à l'Internet qui vous propose non seulement un accès à l'Internet mais une panoplie de services divers tels que l'hébergement d'une page Web personnelle, vous pouvez publier celle-ci chez lui, sur GeoCities ou sur ces deux serveurs en même temps. Nous allons vous présenter quelques-unes des raisons qui pourront orienter votre décision.

D'abord, l'assistance. La plupart des *services en ligne* (CompuServe, AOL, Wanadoo, Club-Internet, Infonie...) mettent une assistance clientèle à votre disposition. Toutefois, n'en espérez pas trop, car elle se limite généralement aux problèmes techniques simples qui peuvent se poser lors de la création ou de l'exploitation de votre connexion. En outre, sa consultation se fait presque toujours par un numéro de téléphone en 08 surtaxé (de 0,99 à 2,23 francs la minute).

Ensuite, l'habitude. Vous êtes déjà familiarisé avec les tenants et aboutissants de votre fournisseur d'accès, et vous connaissez sans doute mieux les services qu'il offre que ceux d'un autre prestataire, fût-il aussi ouvert et renommé que GeoCities.

Enfin, le sens de la communauté. Comme GeoCities, de nombreux services en ligne essaient de promouvoir un certain esprit communautaire. Si vous êtes sensible à cette convivialité, vous avez certainement déjà pu l'évaluer et la mettre en pratique avec votre fournisseur d'accès habituel. Pourquoi recommencer l'expérience avec un autre prestataire ?

L'avantage principal de GeoCities, c'est finalement de vous offrir des moyens *simples* d'avoir le pied à l'étrier en mettant à votre disposition en ligne des outils *simples* pour créer des pages Web *simples*. Mais vous en trouverez de semblables chez des fournisseurs d'accès comme Club-Internet ou des hébergeurs comme MultiMania ou Chez.

Même si vous avez l'intention de créer un site Web d'entreprise, commencez donc par une page personnelle gratuite. Vous acquerrez ainsi une précieuse expérience qui vous sera très utile pour faire ensuite du travail sérieux et professionnel.

Etablissez votre plan avant de vous lancer

Créer sa page personnelle sur GeoCities ne demande qu'une heure ou deux. Le jeu en vaut bien la chandelle. Mais même ainsi, il vous faut un minimum de préparation afin que cette première expérience soit fructueuse.

- **Visitez les pages hébergées par GeoCities.** Au fil de vos découvertes, notez les idées qui vous viennent.

- **Faites un plan de la structure de votre site.** Pour cela, utilisez de préférence papier et crayon ou, à la rigueur, votre traitement de texte habituel. Ne laissez pas s'envoler les idées qui vous passent par la tête.

- **Préparez quelques images pour illustrer votre page.** Ces images devront évidemment être dans un format reconnu par HTML : GIF, JPEG ou PNG (voir le Chapitre 8). Si vous n'en avez pas encore mais disposez d'un scanner et de quelques photos, vous pouvez utiliser cet appareil pour en préparer. Vous pouvez aussi faire numériser vos images (qui seront alors placées sur un CD-ROM) par un service de développement de photos en couleurs tel que ceux qu'on trouve dans la plupart des centres commerciaux.

Enregistrez-vous

Même si c'est gratuit, avant d'être autorisé à créer une page personnelle, vous devez vous enregistrer auprès de GeoCities et remplir un questionnaire d'identité dans lequel vous indiquerez, entre autres, votre adresse e-mail actuelle. Deux messages de confirmation vous seront adressés : l'un en français, émanant de `geo-register@yahoo-inc.com` ; l'autre en anglais, envoyé par `civics@geocities.com`. **Vous ne devez pas y répondre ou en accuser réception.** Sans attendre de les avoir reçus, vous pourrez commencer à créer votre première page. Voici un extrait du texte du premier message :

```
Subject: Registration Confirmation - Yahoo! GeoCities

Infos compte
-----------

Ne répondez pas à ce message. Si vous n'avez pas sollicité la
création de ce compte, supprimez-le ici.

Enregistrement confirmé - Bienvenue sur Yahoo!
Ce message confirme l'ouverture de votre nouveau compte sur Yahoo!

Votre compte : mdreyfus2000
Votre adresse e-mail : michel.dreyfus@xxxx.fr
```

La connaissance même rudimentaire de la langue anglaise est ici indispensable, car toutes les explications qui vous seront données en ligne le seront dans cette langue.

Voici la longue suite des étapes que vous allez devoir parcourir pour publier votre première page personnelle après vous être connecté à l'Internet :

1. **Lancez votre navigateur.**

2. **Pointez-le sur l'URL** `http://geocities.yahoo.com/home`. La page d'accueil de GeoCities s'affiche telle que nous vous l'avons présentée plus haut, sur la Figure 3.1.

3. **Cliquez sur le bouton Sign in.** Dans la page qui s'affiche (voir la Figure 3.2), cliquez sur le lien Sign me up! (là où vous voyez la petite main sur la figure).

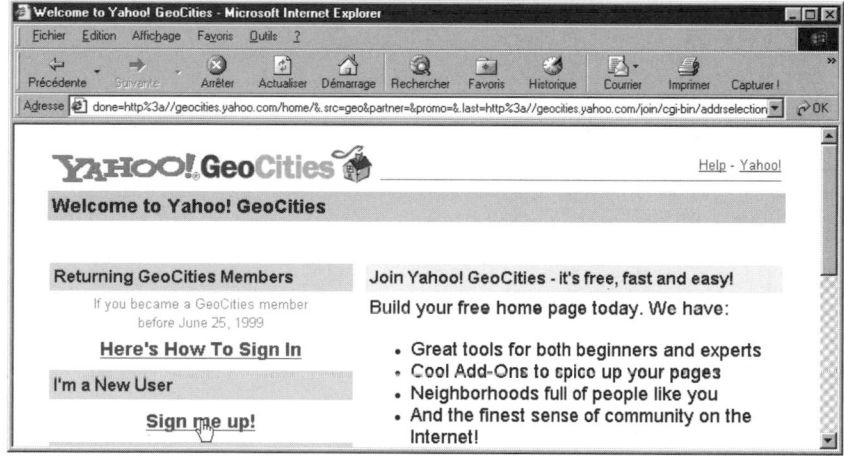

Figure 3.2 : Demandez à vous enregistrer.

4. **Une page de questionnaire s'affiche.** Dans la première rubrique (voir la Figure 3.3), choisissez "French - France". De cette façon, quelques rares écrans seront affichés dans notre langue.

5. **Saisissez ensuite votre identité d'utilisateur GeoCities.** Plus exactement, celle que vous souhaitez adopter, car si elle est déjà attribuée, vous devrez en choisir une autre ou choisir parmi les identités de remplacement qui vous seront proposées. Choisissez ensuite un mot de passe d'au moins six caractères et saisissez-le deux fois de suite. Il sera affiché sous forme d'astérisques.

6. **Saisissez maintenant une information vous permettant de retrouver votre mot de passe en cas d'oubli.** En cliquant sur la petite flèche à droite de la boîte de saisie Security question, vous trouverez un choix de questions comme votre date de naissance ou le nom de votre animal de compagnie. C'est cette dernière que nous avons choisie (*What is your pet's name?*).

![Welcome to Yahoo! - Microsoft Internet Explorer]

Figure 3.3 :
Question-
naire
d'inscription
auprès de
GeoCities.

Dans la case qui suit, saisissez la réponse (dans notre cas, c'est
"Fredo"). N'inventez rien. En particulier, si vous avez choisi votre date
de naissance comme question clé, ne vous rajeunissez pas : il est plus
difficile de se souvenir d'un mensonge que de la vérité.

Dans la case placée à la suite d'Alternate e-mail, indiquez votre adresse
e-mail, ce qui vous permettra de recevoir les messages de confirmation
dont nous vous avons parlé plus haut.

Il semblerait que les adresses e-mail chez Yahoo! ne soient pas acceptées.
Comme il est peu probable qu'un utilisateur français ait choisi une telle
adresse, cela ne devrait pas vous poser problème.

7. **Saisissez maintenant quelques renseignements sur votre identité.**
   Dans l'ordre : le pays où vous résidez, votre code postal, votre sexe,
   votre activité professionnelle et le domaine dans lequel vous l'exercez.

   Supprimez la coche placée devant *Contact me occasionaly about special
   offers and Yahoo! features* qui n'offre que fort peu d'intérêt pour un Français.

8. **Vous pouvez, pour terminer, cocher une ou plusieurs cases dans la liste des centres d'intérêt qui vous sont proposés.**

9. **Cliquez sur le bouton Valider.** Une nouvelle page s'affiche. Si le nom d'utilisateur que vous aviez choisi est déjà attribué, vous verrez s'afficher une page du modèle de celle qui est reproduite sur la Figure 3.4. Plutôt que d'imaginer un nouveau nom complet (qui risquerait, lui aussi, d'être déjà attribué), choisissez de préférence un des noms de remplacement qui vous sont proposés.

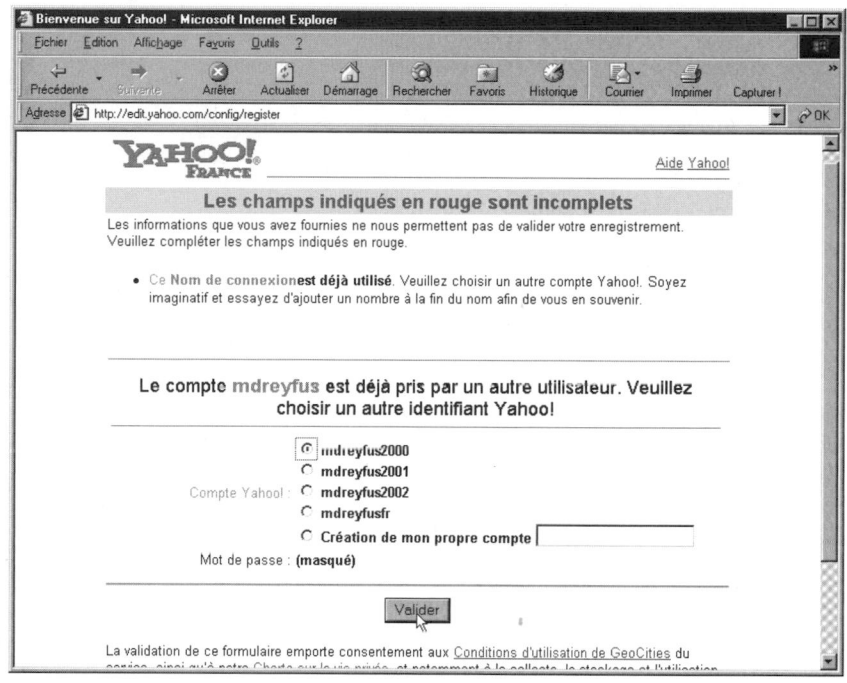

Figure 3.4 :
Ce que vous verrez si le nom que vous avez choisi est déjà attribué.

10. **Lorsque tout est correct, un écran apparaît, vous détaillant les conditions d'utilisation du service offert par Yahoo!.** Vous êtes censé le lire du haut en bas — heureusement, il est rédigé en français et adapté à la législation en vigueur dans notre pays — puis, parvenu à son extrémité, vous devez cliquer sur le bouton J'accepte. Bien entendu, si vous cliquez sur le bouton Je refuse, les choses en resteraient là et vous ne pourriez pas utiliser les services de GeoCities/Yahoo!.

Quelques renseignements sur votre page Web

Une fois que vous avez accepté les conditions imposées, un nouvel écran s'affiche, reproduit sur la Figure 3.5, qui vous demande d'indiquer dans quel domaine peut se situer votre page Web. Voici quelques indications sur la façon de renseigner ce formulaire :

Figure 3.5 :
Choisissez le
sujet général
de votre
page.

1. **Choisissez le sujet général correspondant à la page que vous allez créer.** Ce choix conditionnera le type de bannières publicitaires qui viendront "agrémenter" l'affichage de votre page.

2. **Cliquez sur le bouton Submit.** Un écran récapitulatif, du modèle de ce que vous pouvez voir sur la Figure 3.6, s'affiche alors.

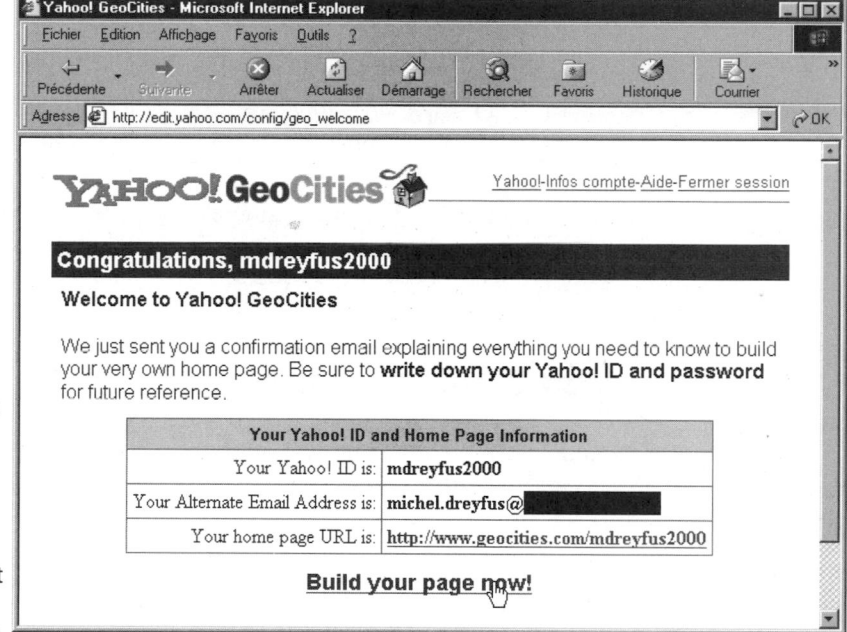

Figure 3.6 :
Félicita-
tions ! votre
inscription
chez
GeoCities est
terminée !

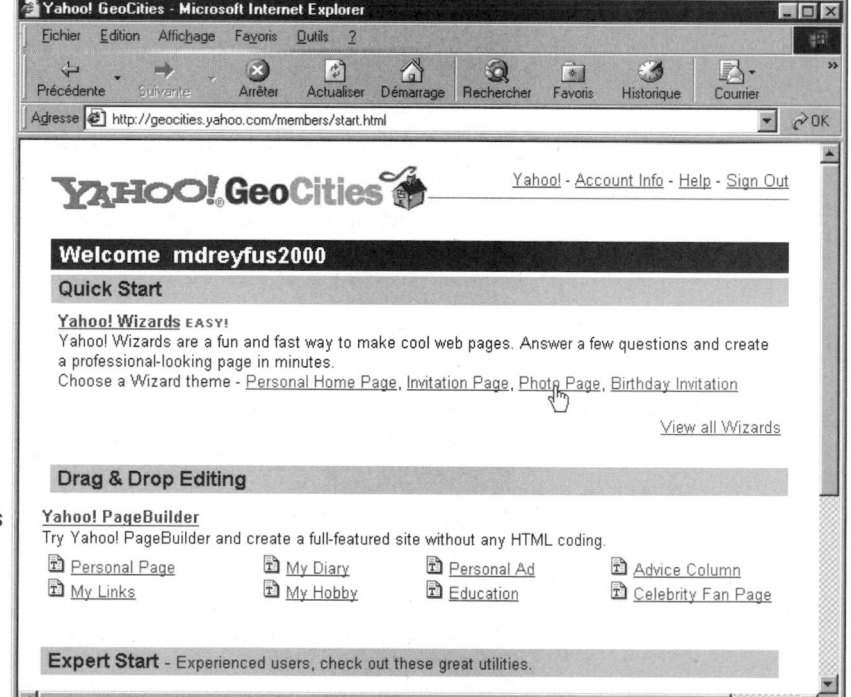

Figure 3.7 :
Trois moyens
vous sont
proposés
pour
construire
votre page
Web.

Le texte précédant le tableau récapitulatif indique que vous allez recevoir un message de confirmation à l'adresse e-mail que vous avez indiquée (en fait, vous en recevrez deux, comme nous vous l'avons dit plus haut). En outre, on vous conseille d'inscrire soigneusement votre identité d'utilisateur et votre mot de passe afin de vous en souvenir. La dernière ligne indique quelle sera l'URL de la page Web que vous allez créer.

3. **Cliquez sur le lien Build your page now**. (Autrement dit : *commencez à écrire votre page maintenant*.) Une nouvelle page s'affiche, reproduite sur la Figure 3.7, qui vous invite à vous mettre réellement au travail.

Main dans la main avec l'Assistant

GeoCities a récemment présenté un nouvel outil de création de pages simples appelé Yahoo! Wizards (*Assistants Yahoo!*). C'est un bon moyen de vous familiariser avec ce travail.

A la différence des éditeurs HTML habituels, l'Assistant Yahoo! ne vous permet pas de saisir des balises HTML.

Voici comment vous allez opérer pour créer une page "album de photos" :

1. **Dans la page d'accueil de GeoCities, au-dessous de Photo Page, cliquez sur le lien Start Building (*commencez à construire*).** GeoCities va alors vous envoyer quelques *cookies* que vous devrez accepter. (Selon la façon dont vous avez configuré votre navigateur, vous pouvez fort bien ne pas vous en apercevoir.)

2. **Une nouvelle page s'affiche, dans laquelle vous allez vous identifier.** Pour cela, saisissez votre identifiant (Yahoo! ID) et votre mot de passe (Password). Cochez ensuite la case placée devant Remember my ID and Password, puis cliquez sur Sign in.

3. **Vous voyez alors une page vous proposant six présentations différentes (Figure 3.8).** A la vérité, ces pages ne diffèrent que par la bordure située du côté de la marge gauche. Cliquez sur Launch Yahoo! page Wizard pour lancer l'Assistant.

4. **Une nouvelle fenêtre s'ouvre, en plus de celle qui existait déjà.** Les opérations de création vont maintenant se dérouler dans cette fenêtre, reproduite sur la Figure 3.9. Vous remarquerez qu'elle est dépourvue de barre d'outils et de barre de menus et que vous ne pouvez pas la redimensionner. Dans cette fenêtre, on vous demande si vous voulez modifier une page ou en créer une. Cliquez sur le bouton radio placé devant Create new page.

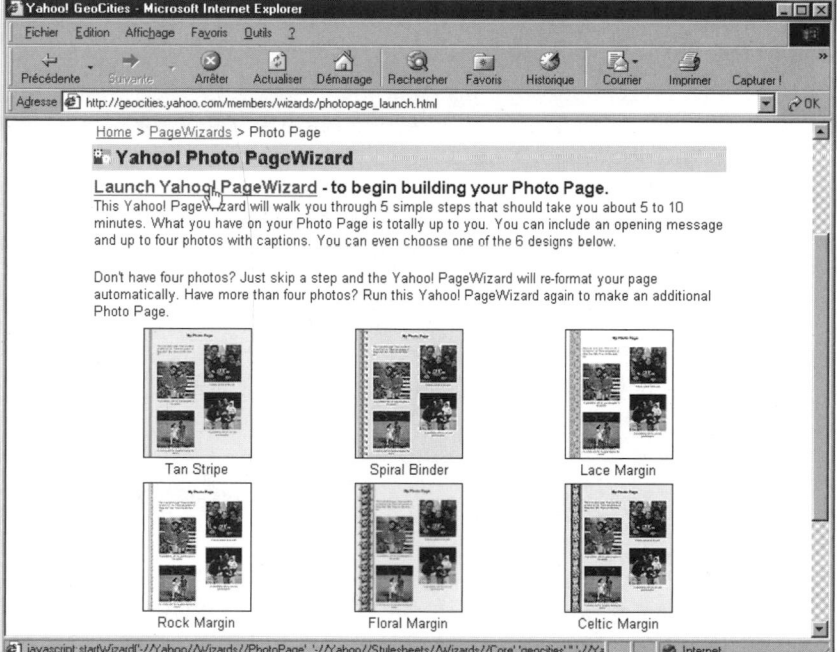

Figure 3.8 :
Voici les
modèles de
pages qui
vous sont
proposés.

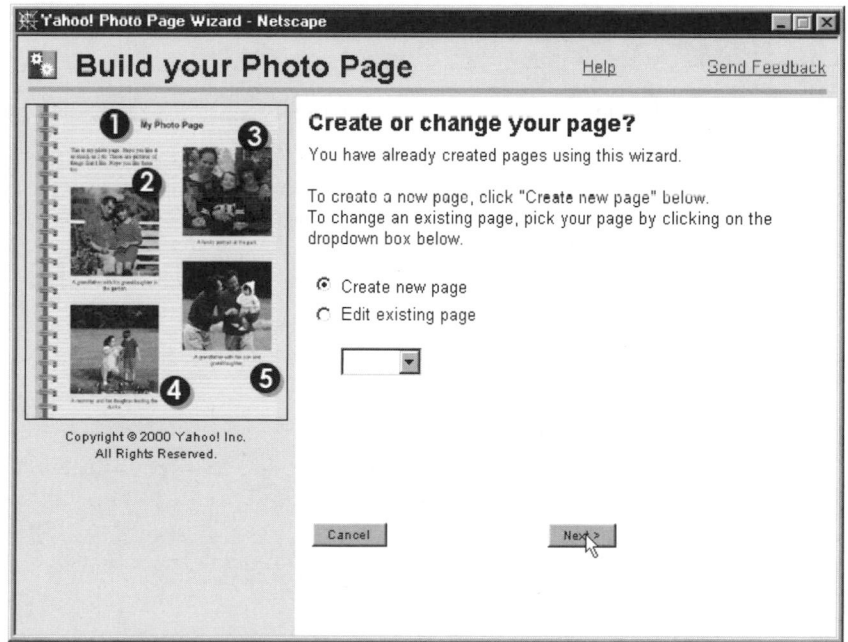

Figure 3.9 :
Voulez-vous
créer une
nouvelle
page ou en
modifier
une ?

5. **Vous devez maintenant choisir parmi les six présentations qui vous sont proposées.** Nous choisirons celle qui ressemble à une reliure spirale en cliquant sur le bouton radio placé devant Spiral binder.

6. **La fenêtre suivante vous demande de saisir un titre et un texte de présentation.** Nous souhaitons évoquer quelques motos anciennes de la défunte marque Gnome & Rhône. Dans la première boîte de saisie, nous tapons donc :

> Les motos anciennes Gnome & Rhône

et dans la zone plus grande qui se trouve au-dessous un texte un peu plus long, résumant en quelques lignes ce que fut Gnome & Rhône (Figure 3.10). Nous cliquons ensuite sur Next.

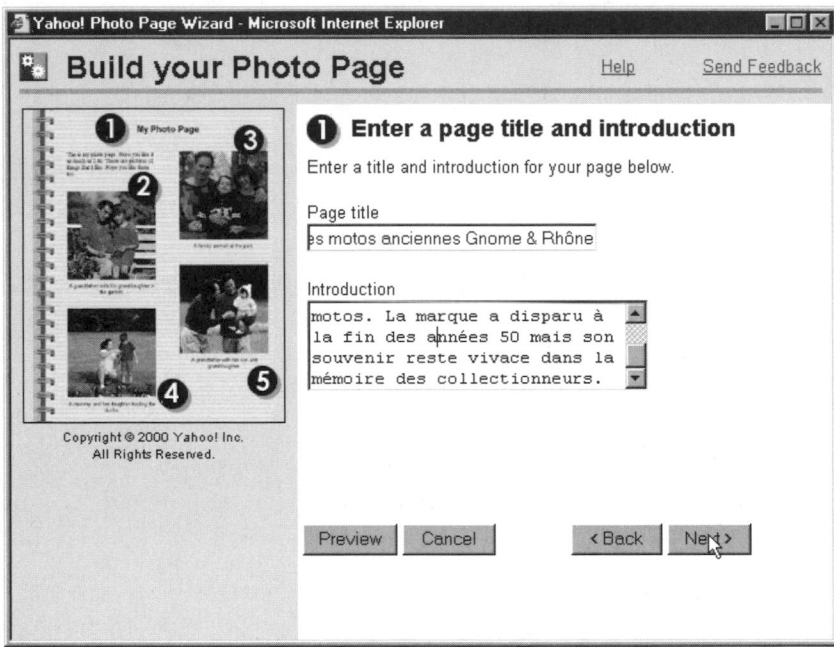

Figure 3.10 :
Titre et texte
de présenta-
tion de notre
page.

7. **Nous voyons maintenant s'afficher une fenêtre intitulée "Pick your first photo".** En cliquant sur le bouton Parcourir, nous allons explorer le contenu de notre disque dur et choisir la première photo. Après cela, son chemin d'accès apparaîtra dans la boîte de saisie à gauche du bouton Parcourir.

Au-dessous de Photo caption (*légende de la photo*), nous saisissons un très court texte descriptif. Par exemple : "Une des plus anciennes : la moto ABC." Nous cliquons ensuite sur le bouton Next.

8. **Le fichier image de la photo est alors envoyé à GeoCities.** Pendant ce temps, une petite fenêtre auxiliaire s'affiche, reproduite sur la Figure 3.11, nous invitant à patienter. A la fin du transfert, elle disparaît et le titre de la précédente fenêtre est remplacé par Pick your second photo, nous invitant à procéder comme nous venons de le faire pour la deuxième image.

Figure 3.11 : Patience ! le fichier de l'image est envoyé à GeoCities.

Cette fenêtre apparaîtra encore deux fois pour nous permettre d'envoyer les fichiers images des troisième et quatrième photos, accompagnés des légendes que nous leur avons données.

9. **La fenêtre qui s'affiche maintenant nous demande : "Make This Your Home Page?"** (*Voulez-vous en faire votre page d'accueil ?*) Cliquez devant le bouton radio placé devant Yes (Figure 3.12). Cela aura pour effet de donner au fichier de cette page le nom `index.html` qui est le nom par défaut des pages d'accueil.

10. **Nous arrivons à la dernière fenêtre dont le titre est "Congratulations!"** (*Félicitations !*). Comme nous ne voyons rien — pour le moment — à modifier, nous cliquons sur Done (*Fait*) pour valider le travail que nous venons d'exécuter. Nous pouvons noter l'URL de notre page qui se trouve affichée :

```
http://www.geocities.com/mdreyfus2000/index.html
```

C'est un lien et, si nous cliquons dessus, nous allons pouvoir contempler ce que pourront voir tous nos visiteurs (Figure 3.13).

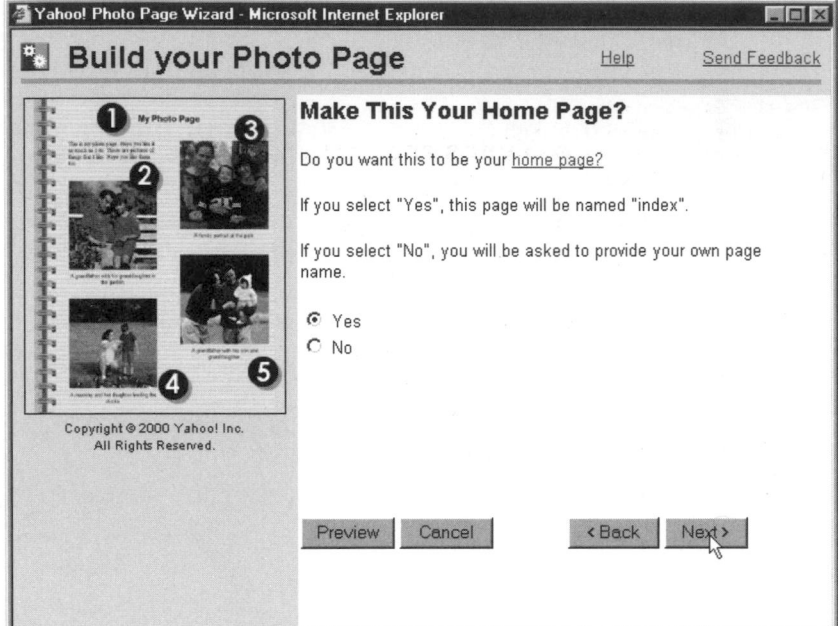

Figure 3.12 :
Cette page
va devenir
notre page
d'accueil.

La facilité avec laquelle nous venons de réaliser quelque chose de présenta-
ble nous incite à améliorer cette page. C'est possible, mais nous laisserons
cela de côté pour le moment.

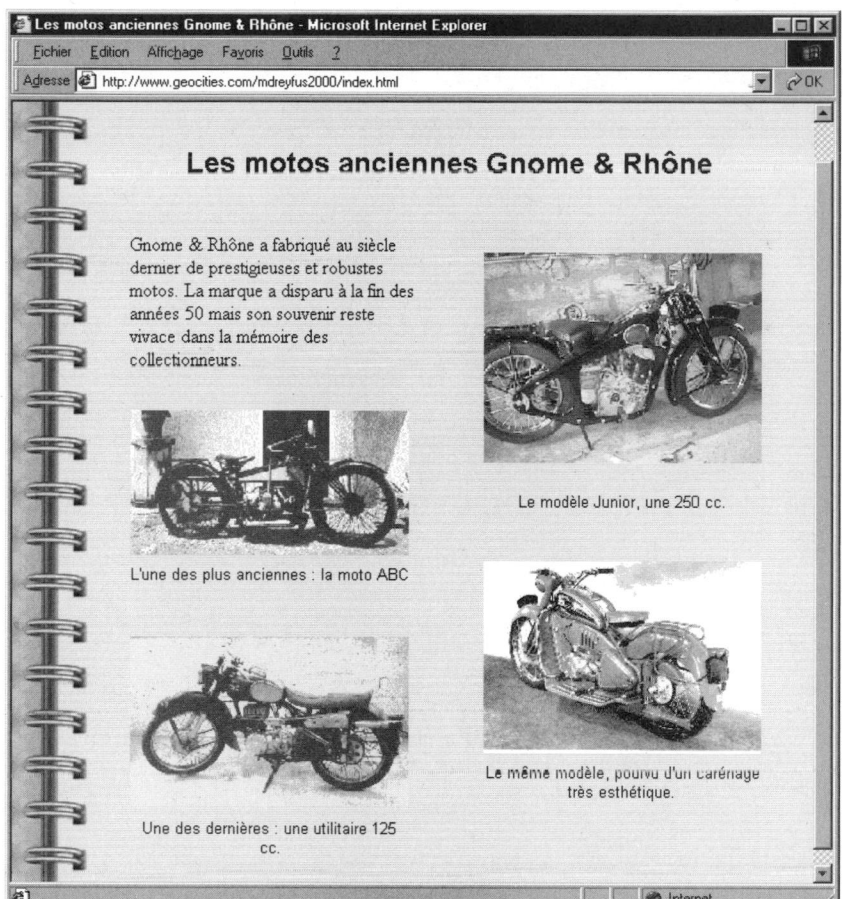

Figure 3.13 :
Notre
première
page avec
GeoCities.

Chapitre 4
Les services en ligne et la publication Web

. . . .

Dans ce chapitre :

▶ Quels sont les meilleurs services en ligne ?

▶ AOL et CompuServe.

▶ Club-Internet.

. . . .

Ce chapitre a subi de nombreux remaniements pour l'adapter à l'état du marché de l'Internet en général et du Web en particulier en France. Pour éviter d'alourdir le texte, les ajouts et suppressions ne seront pas explicitement signalés. *(N.d.T.)*

Certains de ceux qu'on appelle les *services en ligne* (AOL et CompuServe en particulier) sont restés longtemps calfeutrés dans un environnement propriétaire présentant de notables incompatibilités avec l'Internet pur et dur.

En France, le paysage est un peu différent, car plusieurs grands groupes se sont lancés sur ce marché. Il y a encore un an, on comptait quelque 200 fournisseurs d'accès, d'importance variable, depuis les fournisseurs régionaux (voire municipaux) jusqu'aux filiales françaises des "grands" américains (AOL et CompuServe[1]) en passant par de puissants groupes français (Wanadoo, Club-Internet, Infonie...) qui bénéficient d'assises financières confortables. Depuis, le PIF (*Paysage Internet français*, qu'on nous pardonne cette fantaisie !) s'est modifié, la fourniture d'accès (hors communications

---

1. MSN (*Microsoft Network Service*) n'est pas encore réimplanté en France à l'heure où nous écrivons ces lignes. *(N.d.T.)*

téléphoniques) est devenue presque toujours gratuite, les forfaits (communications téléphoniques comprises) ont germé de toute part, et certaines offres d'un nombre (limité) d'heures entièrement gratuites sont même apparues.

La concurrence fait rage, et c'est à qui imaginera la bonne formule pour attirer et surtout retenir l'internaute hexagonal. Pour cela, presque tous les prestataires proposent un *portail* avec lequel ils offrent plusieurs types de services dont, souvent, la facilité de réaliser sa page Web personnelle.

A côté de ces fournisseurs d'accès, il existe en France l'équivalent de GeoCities : des *hébergeurs* qui, sans vous proposer d'accès à l'Internet, vous offrent tout simplement de la place sur leurs disques durs. Plus généreux que GeoCities, le seuil d'espace semble se situer à 20 Mo, avec un plafond à 50 ou 100 Mo, voire illimité, parfois. (Mais nous savons que le mot "illimité" souffre d'interprétations restrictives dès qu'il s'agit de l'Internet !)

Choix d'un service en ligne pour publier sur le Web

Il n'est pas rare d'essayer plusieurs fournisseurs d'accès avant d'en trouver un qui convienne. Dans ce chapitre, nous allons tenter de montrer quels sont les avantages et inconvénients des services en ligne par rapport aux simples fournisseurs d'accès et hébergeurs. A vous de choisir en dernier ressort.

Le meilleur service en ligne

La question "Quel est le meilleur service en ligne ?" a souvent été posée, et des douzaines d'articles et de discussions publiques ont tenté d'y répondre. Sans compter les milliers de conversations entre utilisateurs. Différents critères sont mis en avant : qualité de l'interface utilisateur, permanence du fonctionnement, efficacité de l'assistance, services annexes proposés, coût...

Aux Etats-Unis, beaucoup d'entreprises et non des moindres ont des comptes sur un de ces services. En France, le paysage est différent : la plupart des grosses entreprises ont leur propre serveur et les autres préfèrent s'adresser à des prestataires ayant une image de marque plus professionnelle.

Si vous êtes satisfait de votre fournisseur d'accès (ou de votre service en ligne) actuel, il n'y a pas de raison, *a priori*, d'en changer. Chez nous, il existe bon nombre d'entreprises de tailles diverses, dont vous trouverez les coordonnées dans les revues *Netsurf* et *.net*. Périodiquement, certaines d'entre elles proposent des offres d'essai d'un mois sous forme de CD-ROM, la plupart du temps encartés dans des revues consacrées à l'informatique. C'est une bonne occasion de faire un essai sans bourse délier.

Comme le mot "illimité", le mot "gratuit" a un sens particulier pour les propositions d'essai. Presque toujours, on vous demandera de fournir votre numéro de carte de crédit, histoire de pouvoir vous facturer si, par mégarde, à la fin de l'offre, vous oubliiez de résilier votre abonnement d'essai.

Vous trouverez à l'Annexe B une liste de quelques-uns des fournisseurs d'accès français ayant une couverture nationale et un numéro d'appel de type Kiosque (08...) permettant de les joindre pour le prix d'une communication locale.

Savoir ce qu'en pensent leurs abonnés par les news

Si vous avez déjà un accès Internet et envisagez de changer de fournisseur d'accès, faites un tour sur le forum `fr.reseaux.internet.fournisseurs` et vous en apprendrez de belles. Mais ne prenez pas tout ce que vous lirez pour argent comptant. D'une part, il y a pas mal d'utilisateurs inexpérimentés qui accusent leur fournisseur d'accès de défauts qui ne sont dus qu'à leur propre maladresse dans l'utilisation des services auxquels ils se sont abonnés. D'autre part, un incident isolé, toujours possible, peut donner lieu à des accusations exagérées. Recoupez les informations que vous lirez. Si l'unanimité se fait sur la mauvaise qualité des prestations d'un fournisseur d'accès, ce n'est généralement pas sans raison. Alors, évitez-le. A votre tour, demandez des renseignements en précisant votre situation géographique, car certains prestataires de bonne qualité peuvent fort bien ne pas avoir de point d'accès à proximité de votre domicile, ou d'accès de type "kiosque", ce qui vous conduirait à des notes de téléphone plus élevées. Si vous habitez dans le Tarn-et-Garonne, n'allez pas vous abonner à un fournisseur d'accès dont l'essentiel des activités est concentré dans le département du Pas-de-Calais.

Les services en ligne ont aussi des groupes de news qui leur sont propres mais qui ne sont généralement pas publics, ce qui vous empêche d'y accéder sans être inscrit chez eux. C'est le cas, par exemple, de Club-Internet ou de Wanadoo. Mais si un de vos amis a un abonnement chez eux, profitez-en pour vous renseigner.

Le meilleur accès au Web

Tous les fournisseurs d'accès et tous les services en ligne offrent maintenant l'accès au Web. Si les prestations annexes (cours de la Bourse, météo, actualité du cinéma...) que les services en ligne vous proposent sur leur portail ne vous intéressent pas, vous aurez peut-être meilleur compte à les éviter et à vous abonner à un fournisseur d'accès sans valeur ajoutée. Ces "petits" ont assez souvent de meilleures conditions d'accès, car ils sont moins assiégés par leurs clients aux heures de pointe. Par contre, leur assise financière ne leur permet pas toujours de renforcer leur équipement en fonction de l'accroissement du nombre de leurs abonnés.

- **Pour un accès personnel, les services en ligne sont bon marché.** Maintenant que presque tous ont opté (à la suite de World Online, en avril 1999) pour la gratuité, ce qui vous reste à payer, ce sont les communications téléphoniques. Mais il existe des formules de forfait comprenant l'accès à l'Internet **et** les communications téléphoniques. Généralement, il existe plusieurs options pour ces forfaits, pouvant aller de quelques heures (généralement 2 à 5) à une quarantaine d'heures de connexion par mois. On considère que l'internaute moyen "consomme" entre 10 et 15 heures de connexion par mois.

- **L'accès en est facile et fiable.** C'est généralement vrai en France, sauf aux heures de pointe en ce qui concerne le débit.

- **Le service d'assistance (la *hot line*).** Il est rarement à la hauteur. Un service en ligne (que nous aurons la charité de ne pas nommer) à qui nous posions une question technique par *e-mail* nous a une fois répondu par un autre message nous demandant de l'appeler au téléphone. Nous avons obéi et, là, on nous a dit que le service assistance était saturé et que nous devrions rappeler plus tard. Quand ? C'était une bonne question... Si vous appelez, préparez-vous à une longue attente et, trop souvent, à une réponse dilatoire.

Trop souvent les numéros d'appel de la *hot line* sont des numéros surfacturés dont le coût se situe entre 0,99 et 2,23 francs la minute. Et comme l'attente risque d'être longue...

D'un autre côté, certains services en ligne posent problème :

- **Manque de choix.** Certains vous imposent l'utilisation de leur navigateur. C'était le cas, entre autres, pour AOL, CompuServe et Infonie. Mais, peu à peu, ces particularismes s'estompent et si, parfois, l'interface semble personnalisée à l'excès, le navigateur utilisé est en réalité presque toujours Internet Explorer de Microsoft. De toute façon, grâce à l'option de mise en veilleuse, on peut souvent accéder véritablement à un Internet non biaisé avec le navigateur que l'on préfère.

- **L'accès est lent.** C'est la rançon du succès et de la guerre des prix à laquelle se livrent les fournisseurs d'accès, accueillant beaucoup trop d'utilisateurs par rapport au nombre de modems installés chez eux et au débit de leur propre accès à l'Internet. Il en résulte l'impossibilité de s'y connecter, la tonalité d'occupation remplaçant le doux gazouillis du dialogue initial des modems à l'issue de la numérotation. Et lorsque enfin on y est parvenu, c'est pour se désespérer devant un débit ralenti causé par la saturation des accès du côté de l'Internet.

- **S'abonner à un service en ligne, c'est comme rouler en vélo avec des stabilisateurs.** On a l'impression d'être materné. Certains trouveront ça rassurant, tout au moins au début ; d'autres éprouveront une sensation d'étouffement. Le plus grave est peut-être la censure à laquelle se livrent certains fournisseurs sur les news afin d'éviter de porter atteinte à la santé morale de leurs abonnés. Ou à leur propre réputation. Ou même aux deux à la fois !

Le meilleur support de publication sur le Web

Les services en ligne peuvent sembler une bonne solution pour démarrer dans la publication sur le Web : bas prix, bons outils, assistance assurée (en tout cas : promise), sinon directement par eux-mêmes, tout au moins par les autres abonnés sur leurs forums privés. Voici ce qu'offrent AOL et CompuServe :

Aux Etats-Unis, certes, mais en France ?

Les informations que vous allez trouver dans cette section concernent spécifiquement les prestations offertes aux Etats-Unis. La plupart du temps elles sont équivalentes en France.

- Pas de supplément à payer pour créer sa page Web. Mais c'est maintenant le cas de tous les fournisseurs d'accès. Et il existe, comme nous l'avons dit plus haut, des hébergeurs qui vous proposent de l'espace disque chez eux sans bourse délier.

- Outils de création de page faciles à utiliser. Ces outils sont du type "formulaire" : il suffit de remplir des boîtes de saisie pour obtenir rapidement une simple petite page Web.

AOL et CompuServe proposent un service facile à utiliser et il existe, en France, chez AOL, une aire spécifique et en français pour aider ses membres dans la création de sites. Cette aire est accessible par le mot clé "PAGEHTML". CompuServe propose son Home Page Wizard ainsi qu'un éditeur HTML plus puissant mais plus délicat à utiliser. Mais ils ne sont pas les seuls. Les fournisseurs d'accès Club-Internet et Infonie, entre autres, et les hébergeurs comme MultiMania et Chez font de même.

Ces "moulinettes" peuvent paraître suffisantes pour débuter, mais on parvient très vite à la limite de leurs possibilités. Néanmoins, elles ont le mérite de permettre une initiation en douceur.

- Pas de problème de transfert de fichiers. Les outils spécialisés vous évitent l'utilisation du FTP, laquelle, pour ceux qui n'en ont pas l'habitude, peut poser quelques problèmes.

- Possibilité d'utiliser des outils HTML plus perfectionnés. Vous pourrez, grâce aux outils dont nous parlerons dans les quatrième et cinquième parties, créer des pages plus sophistiquées.

Chaque service en ligne a ses propres avantages et inconvénients dont voici un bref aperçu :

- AOL. Déclare totaliser 25 millions d'abonnés de par le monde. A récemment rajeuni son interface en proposant sa version 5.0. C'est ici que l'on trouve le plus d'utilisateurs de Macintosh. Jusqu'à 10 Mo d'espace disque (2 Mo par "nom d'écran" et vous pouvez en avoir jusqu'à cinq par compte). 1-2-3 Publish, un service facile à utiliser pour créer des pages Web, supporte les images et le multimédia. Il existe un outil plus perfectionné appelé Easy Designer.

- CompuServe. Vous pouvez maintenant accéder directement au Web à partir de la version 4.0 de son interface. Il propose un assistant appelé Home Page Wizard pour créer des pages Web et un autre outil, Publishing Wizard, pour publier les pages sur le Web. Vous avez droit à 5 Mo d'espace gratuit. Toutefois, l'association de Home Page Wizard et de Publishing Wizard est assez complexe à manipuler. Vous pouvez utiliser le service gratuit pour mentionner ou décrire votre entreprise mais pas pour en faire la promotion. Vous n'avez pas le droit de créer une page pouvant être assimilée à quelque chose de commercial, à moins de payer un supplément.

- Club-Internet. Pour 97 francs par mois, vous aurez droit à 20 heures de connexion, communications comprises. Ses utilisateurs en sont généralement satisfaits. La place attribuée aux pages Web est de 100 Mo.

- Infonie. De 15 à 149 francs par mois. Quatre formules de forfaits vous proposent de 3 à 40 heures mensuelles. Son interface est maintenant beaucoup moins personnalisée et on ne risque plus guère de s'y sentir un peu à l'étroit, voire prisonnier. L'abonné a droit à 50 Mo d'espace disque pour ses pages personnelles. On entend que peu de récriminations concernant l'ensemble de ses prestations.

• Wanadoo. C'est une filiale de France Télécom. Les forfaits proposés sont plus chers que ceux de la concurrence. L'espace disque autorisé pour des pages personnelles est limité à 15 Mo.

Vous trouverez davantage de détails sur ce que proposent les fournisseurs d'accès en France à l'Annexe B.

Dans les deux chapitres qui vont suivre, nous allons décrire la façon d'utiliser ce que proposent le fournisseur d'accès Club-Internet et l'hébergeur MultiMania pour vous permettre de vous faire une idée plus précise en les comparant à GeoCities dont nous venons de vous parler au Chapitre 3.

Chapitre 5

Votre page Web avec Club-Internet

- -

- -

C lub-Internet est un fournisseur d'accès qui existe depuis cinq ans et se situe dans le peloton de tête en ce qui concerne le nombre d'abonnés. Il a récemment été racheté à hauteur de 90 % par T-Online (émanation de Deutsche Telekom comme Wanadoo est une émanation de France Télécom).

Présentation de Club-Internet

Club-Internet respecte parfaitement les standards de l'Internet et offre des conditions d'abonnement tout à fait raisonnables avec, par exemple, un forfait de 20 heures, communications comprises, pour 97 francs par mois. Enfin, on lit fort peu de récriminations à son sujet dans le groupe de news `fr.reseaux.internet.fournisseurs`.

Avantage non négligeable : le mot de passe qui vous est attribué est le même pour la connexion et pour le courrier électronique. Vous ne risquez donc pas de confondre les différents mots de passe qui vous auraient été attribués pour utiliser ses services. Autre avantage : vous pouvez vous inscrire en ligne et utiliser votre nouveau compte dans le quart d'heure qui suit, alors que le plus important fournisseur d'accès (en nombre d'abonnés) vous oblige pour cela à attendre d'avoir reçu le courrier *postal* (eh oui !) qu'il vous enverra pour connaître votre identité d'utilisateur et votre mot de passe. La Figure 5.1 vous présente sa page d'accueil à l'URL `http://www.club-internet.fr/`.

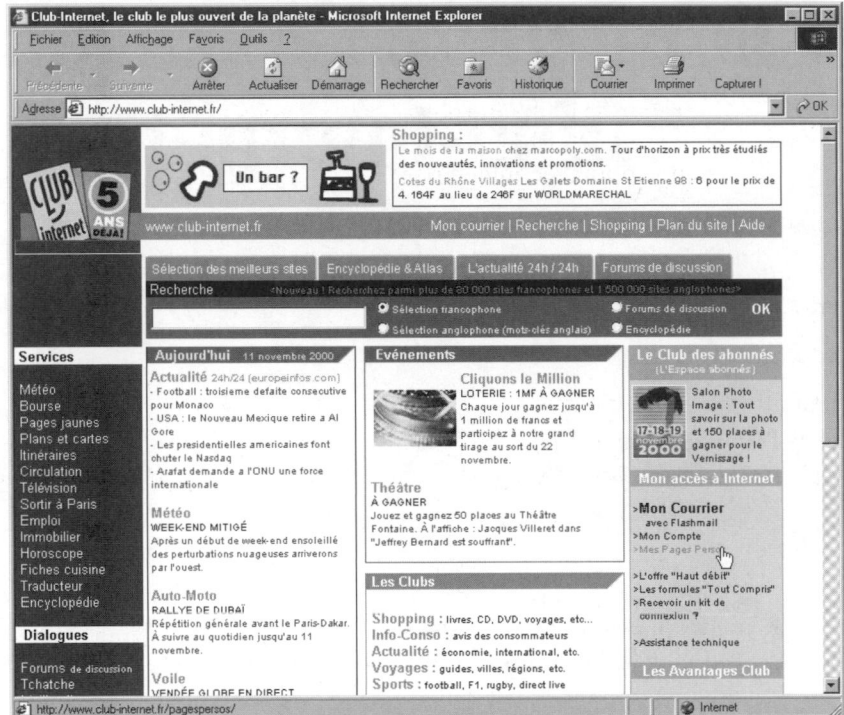

Figure 5.1 :
Page
d'accueil de
Club-
Internet.

Nous n'entrerons pas dans le détail des modalités d'inscription, car ce n'est pas l'objet de ce livre. Nous passerons directement à l'écriture d'une page Web, tout en sachant qu'il est nécessaire d'être abonné à Club-Internet pour pouvoir bénéficier de cette facilité. Vous disposez d'un maximum de 100 mégaoctets pour abriter vos pages, ce qui est très largement suffisant et bien supérieur à ce que vous allouent d'autres fournisseurs d'accès.

Bien entendu, vous devez respecter certaines règles générales dont vous pouvez prendre connaissance à l'URL :

```
http://www.club-internet.fr/pagesperesos/charte/conditions.phtml
```

En particulier, le contenu des pages doit respecter la réglementation française en vigueur. Ainsi, il est interdit de publier des pages dont le contenu relève de sujets tels que la pédophilie, la pornographie, l'incitation à la haine raciale, le négationnisme, l'appel au meurtre, le proxénétisme, la diffamation, etc. De même, aucun contenu ne doit violer des copyrights (écrits, musique...). A ce titre, vous n'avez pas le droit de placer dans vos pages des images dont vous n'êtes pas propriétaire (scannées dans un magazine, par exemple). Vous ne pouvez pas non plus proposer des logiciels piratés.

En contrepartie, Club-Internet s'engage à vous apporter le soutien nécessaire à la construction et à la mise en ligne de vos pages, et à mettre à votre disposition un support technique par e-mail accessible 24 heures sur 24, sept jours sur sept.

Accès à l'édition en ligne avec La Fabrique

Comme avec GeoCities, c'est en étant connecté à Club-Internet que vous allez composer, au vol, votre première page Web. Vous avez donc intérêt à bien la préparer pour ne pas allonger inutilement votre temps de connexion. Autrement dit, à avoir rassemblé d'avance les images dont vous allez agrémenter votre page.

Voici comment vous allez aborder cette édition :

1. **Commencez par vous connecter à Club-Internet.** Pour cela, la procédure est la même que pour n'importe quel fournisseur d'accès : double-cliquez sur l'icône représentant la boîte de connexion.

2. **Demandez à votre navigateur de vous afficher la page d'accueil de Club-Internet.** Son URL est `http://www.club internet.fr/`.

3. **Dans la colonne de droite, cliquez sur "Mes pages perso".** Ce lien se trouve dans la rubrique "Mon accès à Internet", là où se trouve le pointeur de la souris sur la Figure 5.1. Une nouvelle page s'affiche, que vous pouvez voir sur la Figure 5.2.

4. **Dans la colonne de gauche, cliquez sur La Fabrique.** Ce lien se trouve dans la rubrique "Créez vos pages", là où se trouve le pointeur de la souris sur la Figure 5.2. La page qui s'affiche est reproduite sur la Figure 5.3. Vous pouvez explorer les différentes rubriques illustrées par les quatre premiers engrenages, mais celui qui nous intéresse pour passer à l'action, c'est le dernier, celui intitulé "Accès à votre fabrique". Cliquez non pas sur cet engrenage mais sur la légende qui se trouve au-dessous.

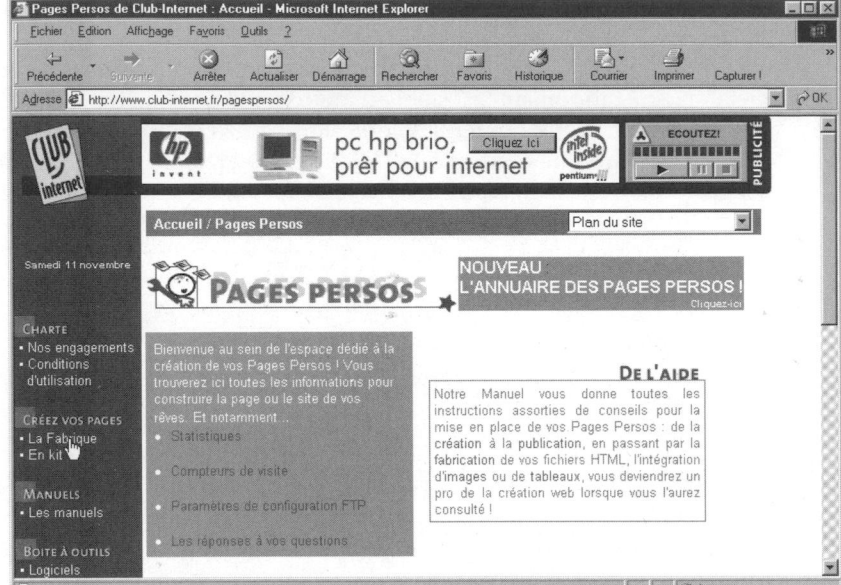

Figure 5.2 :
La première
page de
l'édition de
pages
personnel-
les.

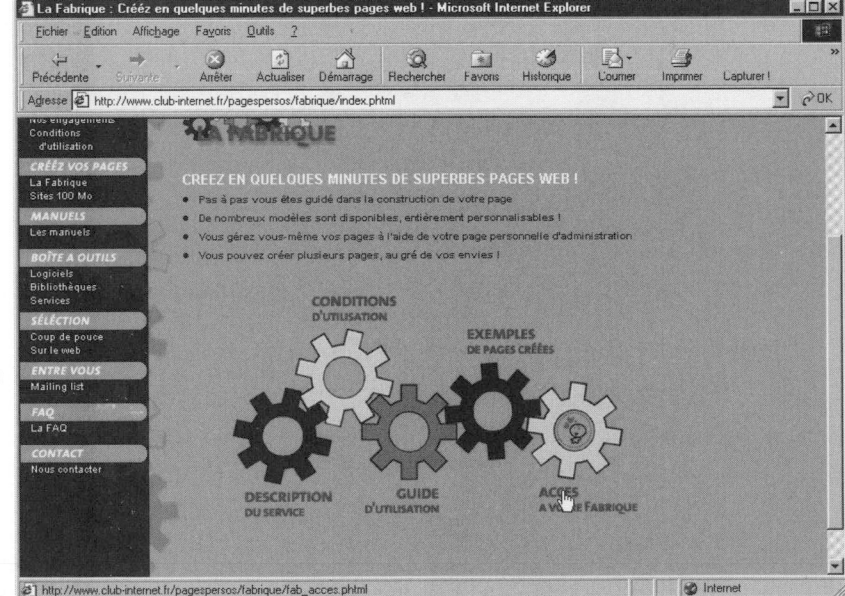

Figure 5.3 :
La deuxième
page de
l'édition de
pages
personnel-
les.

5. **C'est maintenant que vous allez devoir déclarer votre identité d'abonné à Club-Internet.** La page qui vient de s'afficher (voir la Figure 5.4) est divisée verticalement en deux zones : celle de gauche concerne la toute première utilisation de la Fabrique ; celle de droite sert à modifier ou à compléter une page déjà créée. C'est donc la première que nous allons renseigner.

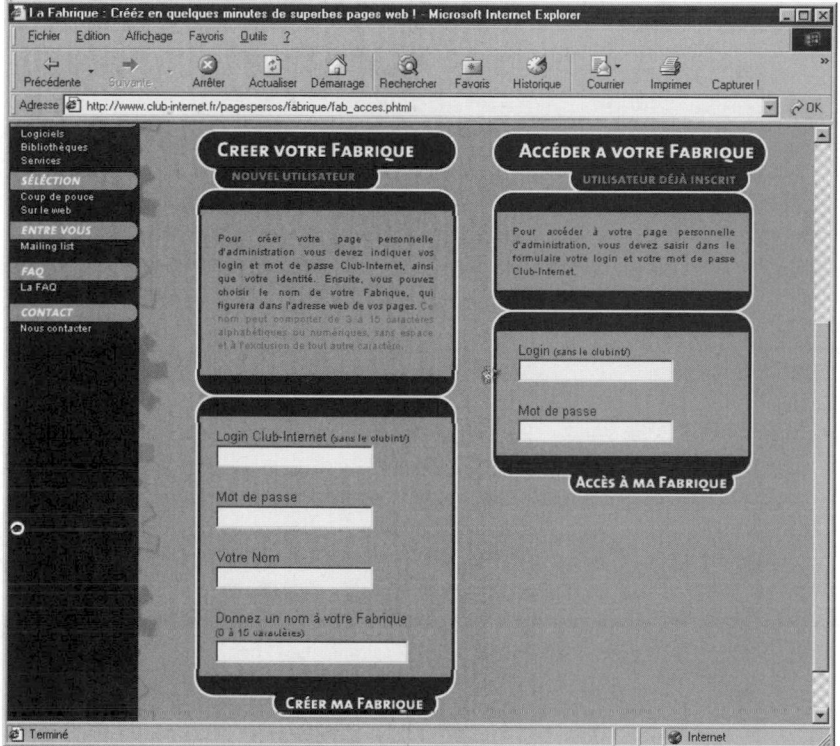

Figure 5.4 : C'est ici que vous devez vous identifier.

6. **Dans la rubrique Login Club-Internet, saisissez votre identité d'utilisateur.** C'est celui qui figure dans votre boîte de connexion et qui représente la partie gauche (avant le "@") dans votre adresse e-mail chez Club-Internet.

7. **Dans la rubrique Mot de passe, saisissez votre mot de passe.** C'est celui que vous utilisez pour vous connecter ou pour relever cotre courrier électronique.

8. **Dans la rubrique Votre nom, saisissez votre nom précédé ou non de votre prénom.** C'est sous ce nom que vous serez inscrit dans l'annuaire des pages personnelles de Club-Internet.

9. **Dans la rubrique Donnez un nom à votre fabrique, saisissez un nom d'au plus 15 caractères.** Nous avons choisi "Mapremierepage", ce qui ne révèle pas une imagination débordante. Nous vous conseillons de choisir un nom plus en rapport avec le sujet de votre page.

Si le nom de page que vous avez choisi est déjà utilisé, une page s'affichera vous pour vous en informer et vous demander d'en choisir un autre.

10. **Cliquez ensuite sur "Créer ma Fabrique".** Vous allez maintenant pouvoir entrer dans le vif du sujet : la création de votre page personnelle.

Contrairement à ce qui figure dans la documentation en ligne relative aux pages personnelles, le nom de domaine de vos pages sera `http://mapage.club-internet.fr` et non `http://monweb.club-internet.fr`.

Création de votre page personnelle

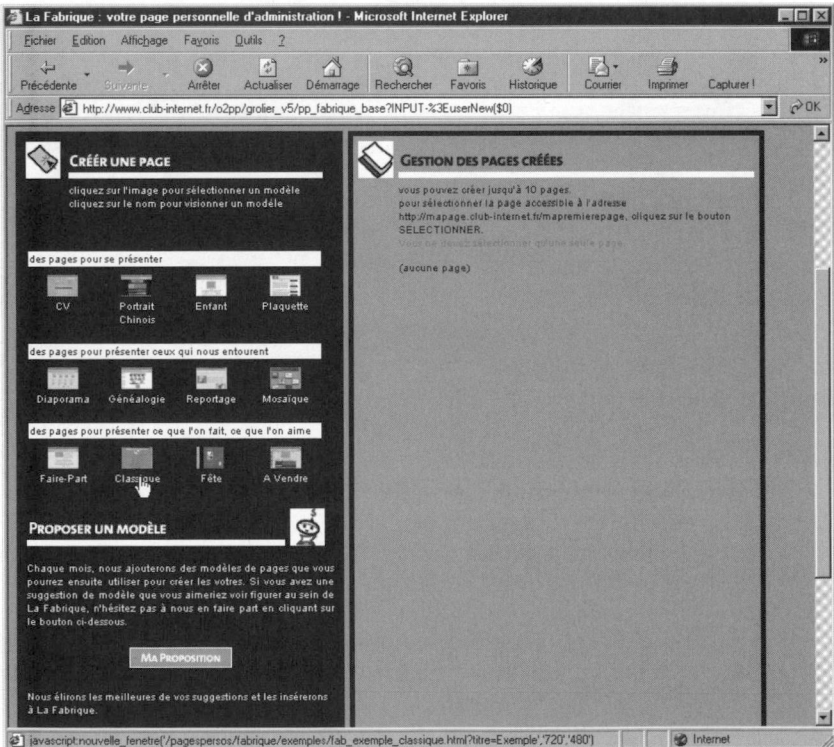

Figure 5.5 :
Les diffé-
rents
modèles de
pages
offerts.

Vous avez maintenant sous les yeux l'écran reproduit sur la Figure 5.5 qui vous propose un choix de thèmes : pages pour se présenter, pour présenter ceux qui vous entourent, ou pour présenter ce que vous faites ou ce que vous aimez. Il est même prévu une rubrique pour que vous puissiez proposer un modèle nouveau de page. Nous le laisserons de côté pour cette première fois, et choisirons de présenter très sommairement l'activité d'un club de motos anciennes, l'Amicale Gnome & Rhône (AMGR). C'est donc dans la troisième rangée de modèles que nous allons choisir parmi les quatre types de présentations. Entre "Faire-part", "Classique", "Fête" et "A vendre", c'est évidemment le deuxième qui semble le mieux adapté. Nous cliquons donc sur le mot "Classique".

Les généralités

Dans la fenêtre qui s'ouvre et que nous reproduisons sur la Figure 5.6, vous pouvez voir trois rubriques que nous allons détailler :

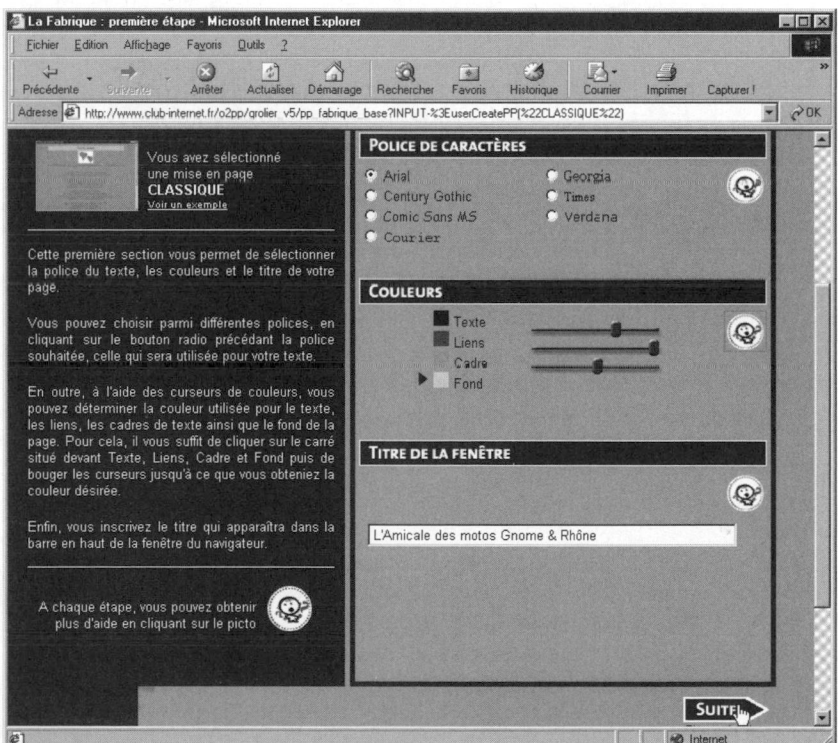

Figure 5.6 :
Principaux
éléments de
composition.

 En cliquant sur la petite icône ronde placée dans chacune des rubriques, vous pouvez afficher une petite fenêtre supplémentaire d'aide.

1. **Police de caractères.** Sept polices nous sont proposées, qui sont des polices classiques et ont donc de grandes chances d'être installées sur presque tous les navigateurs. Cependant, par mesure de sécurité, nous allons choisir la police Times qui est la police par défaut de tous les navigateurs. Nous cliquons donc sur le bouton radio placé en face de Times.

2. **Couleurs.** Quatre sous-rubriques nous permettent de définir la couleur du texte et celle des liens, d'une part ; celle du cadre qui entourera notre page et celle du fond de page, d'autre part. En règle générale, il faut éviter de modifier les deux premières (respectivement noire et bleue, par défaut) sous peine de dérouter le visiteur. Nous allons donc personnaliser seulement les deux dernières.

   Pour cela, du bout de la souris, nous allons déplacer le curseur correspondant à chacune des trois couleurs primaires, de bas en haut : rouge, vert et bleu. La couleur affichée dans le petit carré à gauche de la sous-rubrique variera en fonction des positions occupées par chacun de ces curseurs.

3. **Titre de la fenêtre.** C'est le titre qui sera affiché dans la barre des tâches du navigateur du visiteur. Nous choisirons un titre court et descriptif : "L'Amicale des Motos Gnome & Rhône".

Nous cliquons ensuite sur le bouton Suite placé en bas et à droite de la page.

La page d'accueil

La page suivante, visible sur la Figure 5.7, concerne la page d'accueil de notre petite présentation Web. En effet, Club-Internet va nous permettre de composer un véritable petit site Web avec plusieurs pages reliées par des liens placés en bas de chaque page. La page d'accueil est un peu particulière, car c'est elle qui doit présenter un résumé du sujet de la présentation et l'illustrer avec une image de taille raisonnable (pas trop longue à charger) mais représentative.

1. **Identité du créateur de la page.** Ce sont les quatre rubriques d'identification qui se trouvent en haut et à gauche. Elles sont facultatives et sont destinées à indiquer les coordonnées de l'auteur de la présentation Web dans un bandeau de couleur situé au bas de la page. Ici, nous avons choisi de les laisser de côté.

2. **Titre de la page.** C'est le titre qui va s'afficher dans un bandeau de couleur situé au-dessus de l'image. C'est en quelque sorte la légende de cette image. Nous avons choisi : "La Junior, une superbe moto de 250 cm^3 de cylindrée".

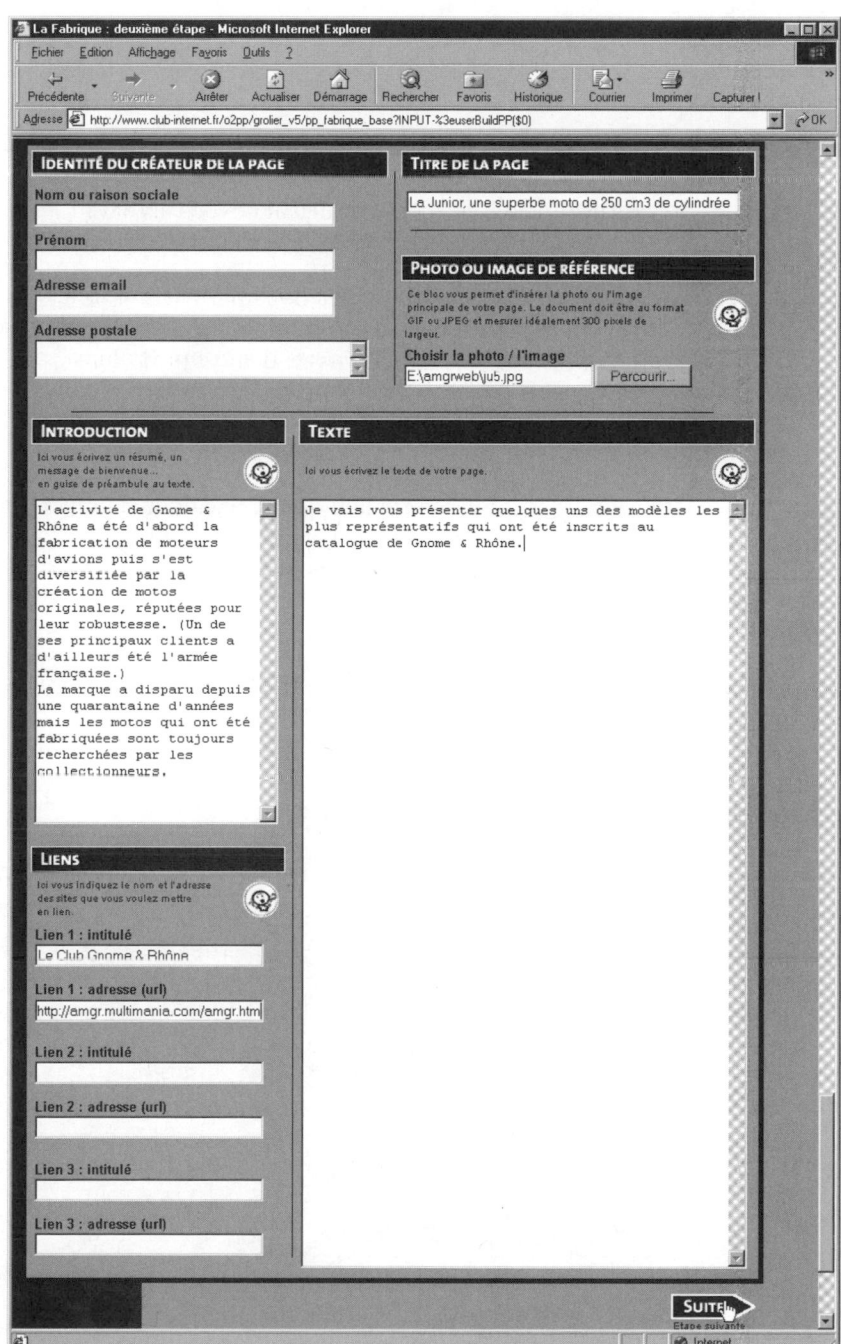

Figure 5.7 :
Contenu de
la page
d'accueil.

3. **La photo ou image de référence.** En cliquant sur le bouton Parcourir, une boîte de sélection de fichier va nous permettre de sélectionner un fichier d'image situé sur notre disque dur.

4. **Introduction.** C'est le texte de présentation général qui sera placé immédiatement au-dessous de l'image que nous venons de choisir. Ici, nous avons le droit à plusieurs lignes qui doivent présenter de façon assez brève, mais cependant informative, le sujet des pages qui vont suivre.

5. **Texte.** On pourrait traduire cette rubrique par "Annoncez la couleur". Autrement dit, c'est là que vous allez dire à vos visiteurs ce qu'ils verront dans les pages qui vont suivre et dont les liens se situeront au bas de la page d'accueil. Ce texte, bien entendu plus bref que le précédent, sera situé au-dessous et en sera séparé par quelques lignes blanches.

6. **Liens.** Pour l'instant, le seul lien que nous allons définir sera celui qui pointe sur la page de l'Amicale (bien réelle et qui existe depuis plusieurs années à l'URL indiquée sur la Figure 5.7). Nous renseignons donc les deux premières rubriques respectivement avec le nom du site et avec son URL.

Nous pouvons maintenant cliquer sur le bouton Suite placé en bas et à droite de la page.

Publication de votre page

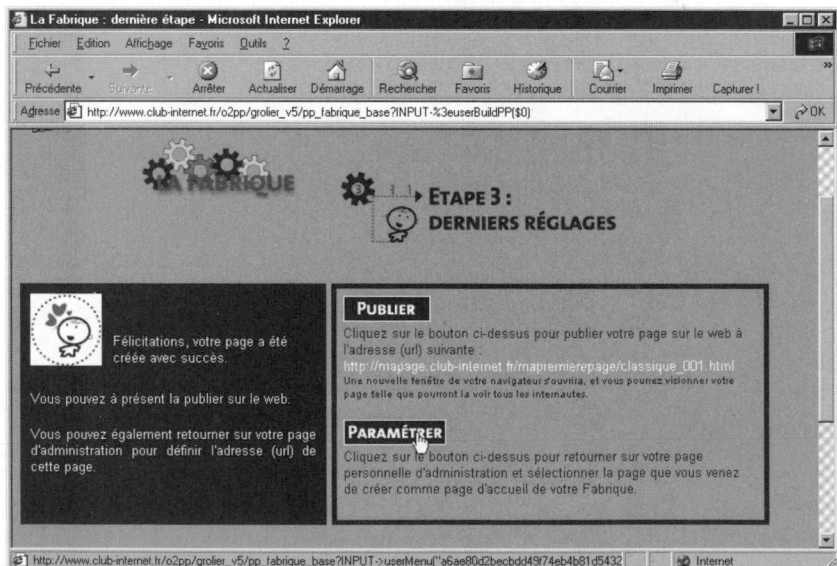

Figure 5.8 : Deux possibilités vous sont maintenant offertes.

Vous parvenez à la fenêtre reproduite sur la Figure 5.8 qui vous propose deux possibilités :

- Publier votre page maintenant, c'est-à-dire l'enregistrer sur les disques durs de Club-Internet d'où elle sera visible par le monde entier. Elle aura comme URL :

```
http://www.mapage.club-internet.fr/mapremierepage/classique_001.html
```

Si c'est ce que vous voulez faire, cliquez sur Publier : une fenêtre supplémentaire s'ouvre, vous présentant le résultat de vos travaux. Dans notre cas, la Figure 5.9 vous présente ce que vous allez voir.

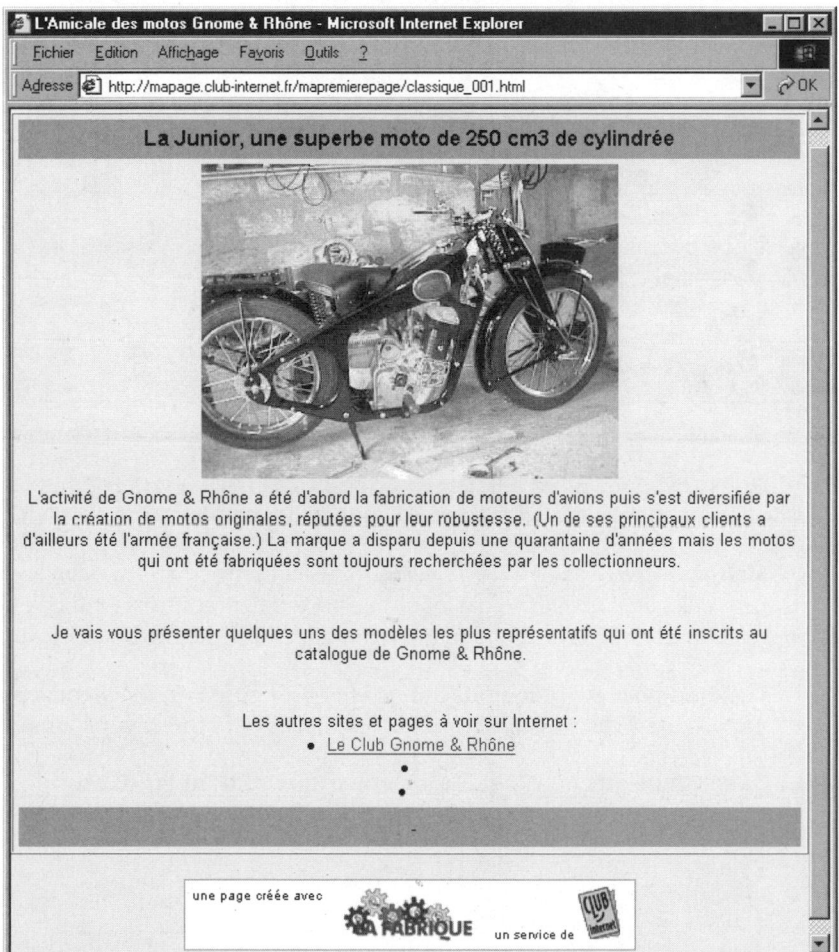

Figure 5.9 :
Voici notre
première
page Web.

- En modifier le contenu. C'est en cliquant sur Paramétrer que nous pourrons modifier le contenu de notre page, ce que nous allons précisément faire dans la section suivante.

Modification d'une page

Après avoir cliqué sur Paramétrer, nous parvenons à la page de la Figure 5.10, qui nous présente la liste des pages déjà créées (pour le moment, il n'y en a qu'une) ainsi que trois boutons. Cliquons sur Modifier puisque c'est ce que nous voulons faire.

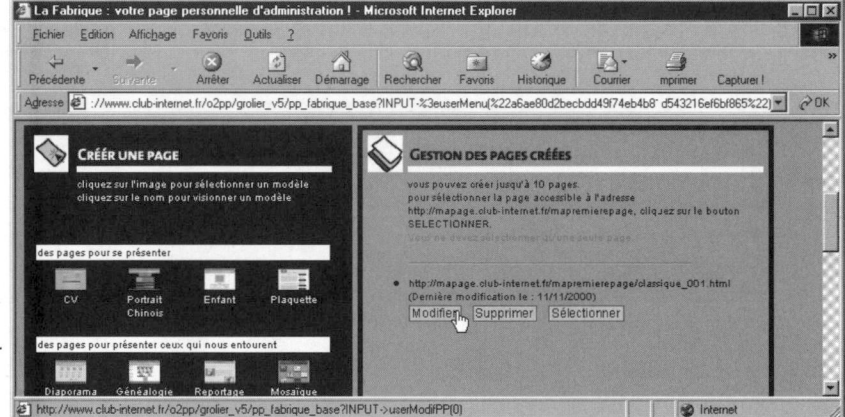

Figure 5.10 : C'est là qu'il faut cliquer pour modifier notre page.

Nous revenons alors à la page que nous avons déjà vue et dans laquelle nous allons pouvoir effectuer tous les changements désirés.

Malheureusement, si le texte et les titres contenus dans la page sont bien rappelés, ce n'est pas le cas pour la police de caractères, l'image et les différentes couleurs. Regrettable lacune car nous allons devoir les saisir à nouveau.

Les modifications que nous allons effectuer consistent à structurer notre page, c'est-à-dire à y ajouter d'autres liens. Nous prévoyons ainsi trois pages :

- Celle que nous venons de construire et dont l'URL est :

```
http://www.mapage.club-internet.fr/
      mapremierepage/classique_001.html
```

- Une deuxième page qui sera consacrée à la moto à gazogène (eh oui, elle a bel et bien existé !) et dont l'URL sera :

```
http://www.mapage.club-internet.fr/
      mapremierepage/classique_002.html
```

- Une troisième page qui montrera une des dernières productions de la marque et dont l'URL sera :

```
http://www.mapage.club-internet.fr/
      mapremierepage/classique_003.html
```

En outre, sur la page d'accueil, et sur celle-ci seulement, un lien pointera sur le site de l'Amicale. C'est actuellement le seul qui existe.

D'où sortons-nous les URL des deux nouvelles pages ? Il ne faut pas être bien malin pour deviner que si le fichier qui contient la première page a pour nom `classique_001.html`, les deux pages suivantes, construites sur le même modèle, auront respectivement pour noms : `classique_002.html` et `classique_003.html`.

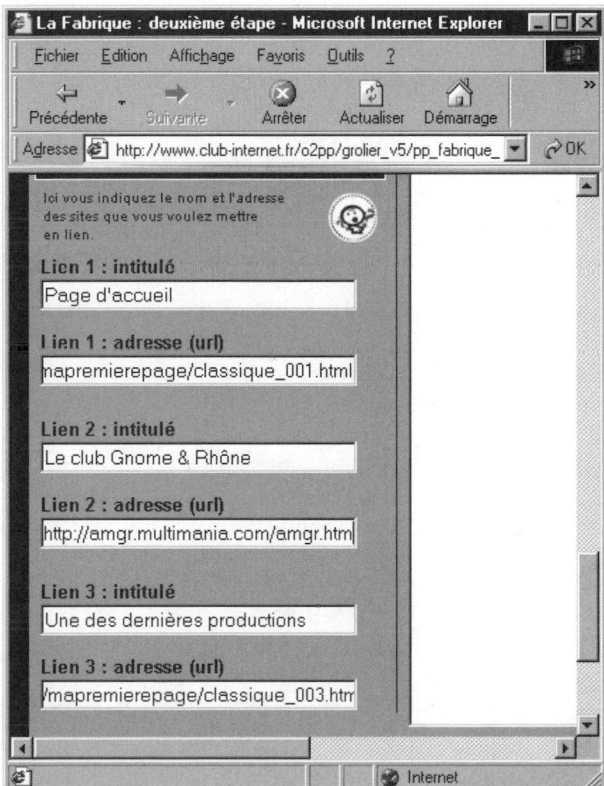

Figure 5.11 :
Nous venons
d'ajouter
deux autres
liens.

Les trois liens disponibles sur les deux pages supplémentaires pointeront :

- le premier, sur la page d'accueil ;

- les deux autres, sur les deux autres pages (évidemment pas sur celle où ils se trouvent).

Nous ne détaillerons pas l'intégralité du processus de création de ces deux nouvelles pages, car il est rigoureusement identique à celui de la page d'accueil. Nous montrerons simplement (sur la Figure 5.11) comment se présentent maintenant les liens au bas de la page de généralités qui était reproduite sur la Figure 5.7.

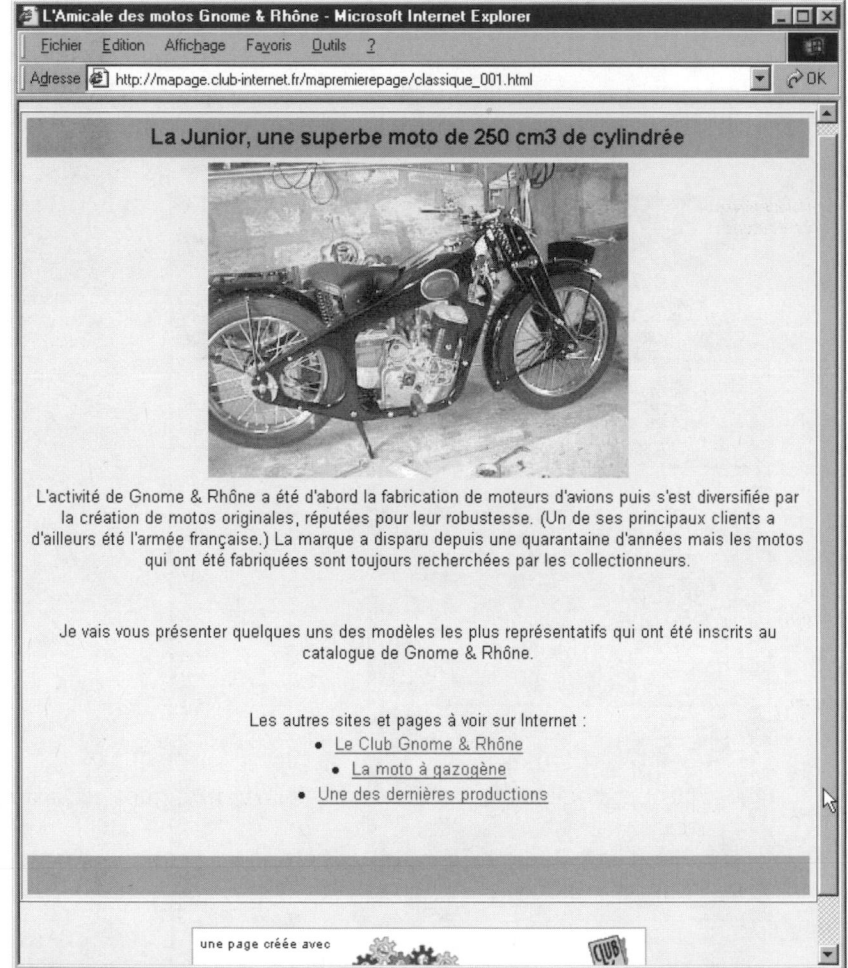

Figure 5.12 : Notre nouvelle page d'accueil.

La Figure 5.12 vous montre comment se présente maintenant notre page d'accueil, et la Figure 5.13 ce que verra l'utilisateur qui clique sur le lien de la moto à gazogène.

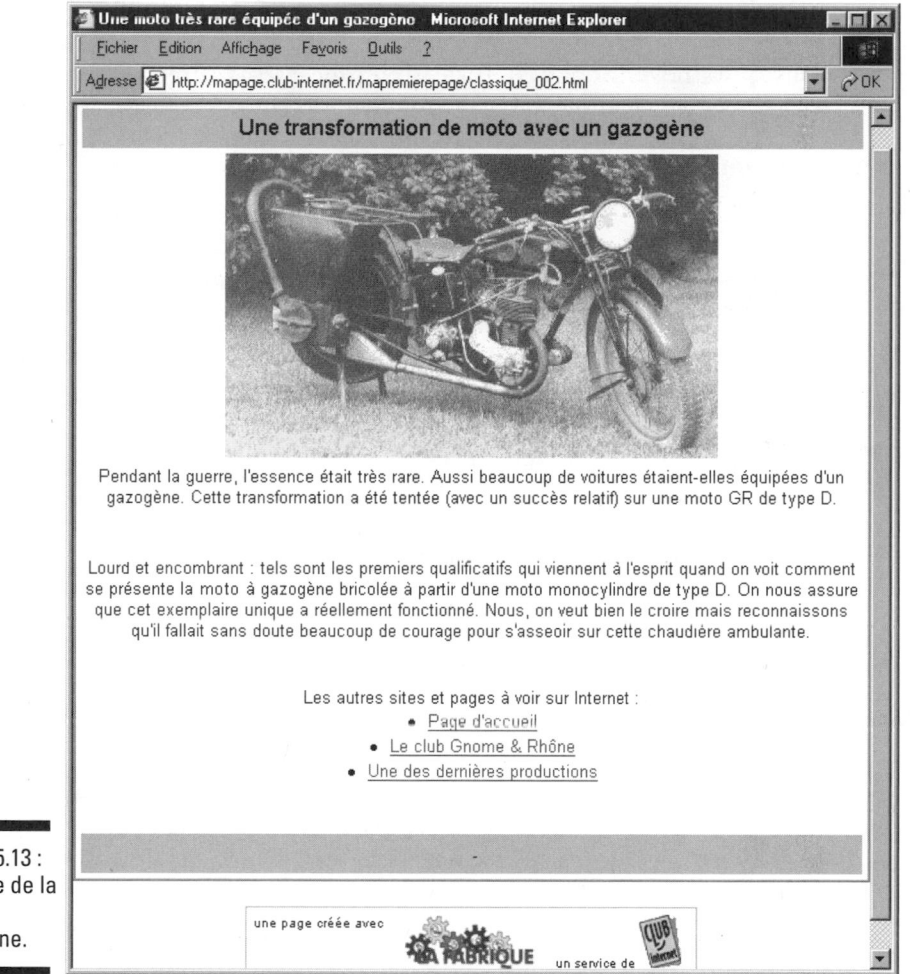

Figure 5.13 :
La page de la moto à gazogène.

On remarquera que les liens respectent la structure que nous avions décidé d'adopter.

Impression d'ensemble

La Fabrique permet de faire davantage qu'une page simplette comme celle que propose GeoCities, puisque nous pouvons esquisser l'amorce d'un véritable site avec des liens entre les pages. Cependant, nous n'avons que fort peu de contrôle sur le contenu de chaque page. Pour cela, nous devrions utiliser l'autre versant de l'offre de Club-Internet en matière de pages personnelles, "Le Kit", dont on voit la mention sur la Figure 5.2, au-dessous de "La Fabrique". Mais pour cela, nous devons mettre les mains dans le cambouis, c'est-à-dire manipuler le code HTML. Nous y viendrons plus loin.

Chapitre 6
Votre page Web avec MultiMania

S i nous avons choisi MultiMania (récemment racheté par Lycos, mais qui poursuit néanmoins son activité sous son ancien nom), c'est parce que c'est l'un des plus anciens hébergeurs de pages personnelles, et qu'il se targue, fin 2000, d'héberger environ 5 millions de pages. On n'entend pratiquement pas de réclamations à son sujet. Nous allons décrire les services qu'il offre pour l'exploitation desquels les deux seules choses qui vous seront nécessaires sont une connexion à l'Internet et un navigateur.

Que vous propose MultiMania ?

Tout d'abord, une précision : MultiMania n'est pas un fournisseur d'accès, mais seulement un *fournisseur d'espace*. Autrement dit, il vous propose "seulement" d'héberger votre ou vos pages Web sur son serveur, à charge pour vous de vous adresser à un authentique fournisseur d'accès pour vous connecter à l'Internet. L'espace disque mis gratuitement à votre disposition est annoncé comme étant illimité.

Plusieurs types de support sont proposés aux créateurs de pages personnelles :

- **WebMinute.** C'est un éditeur en ligne très simple qui vous permettra de créer votre page, texte et image(s), sans aucune connaissance de HTML.

- **WebStarter.** C'est l'option qui vous permettra d'apprendre les bases de la création de pages avec HTML, leur mise en ligne et leur référencement.

- **WebMaster.** Ici, il s'agit d'une chaîne grâce à laquelle vous pouvez créer de véritables contenus. S'adresse plutôt à des utilisateurs déjà initiés aux techniques du Web.

Tous ces modules sont accessibles à partir de la même URL : `www.multimania.fr/creation/`, que vous présente la Figure 6.1.

Figure 6.1 :
Cette page de MultiMania vous ouvre la porte de la création de vos pages Web personnelles.

Mais avant de pouvoir vous lancer, vous devez accomplir une petite formalité, à vrai dire peu contraignante : devenir membre de la communauté MultiMania. Pour cela, vous devez cliquer sur le bouton bleu de forme allongée Rejoignez MultiMania.

Comment on devient membre de MultiMania

Vous êtes alors amené devant la page reproduite sur la Figure 6.2 où vous allez devoir renseigner quelques boîtes de saisie réparties en plusieurs rubriques.

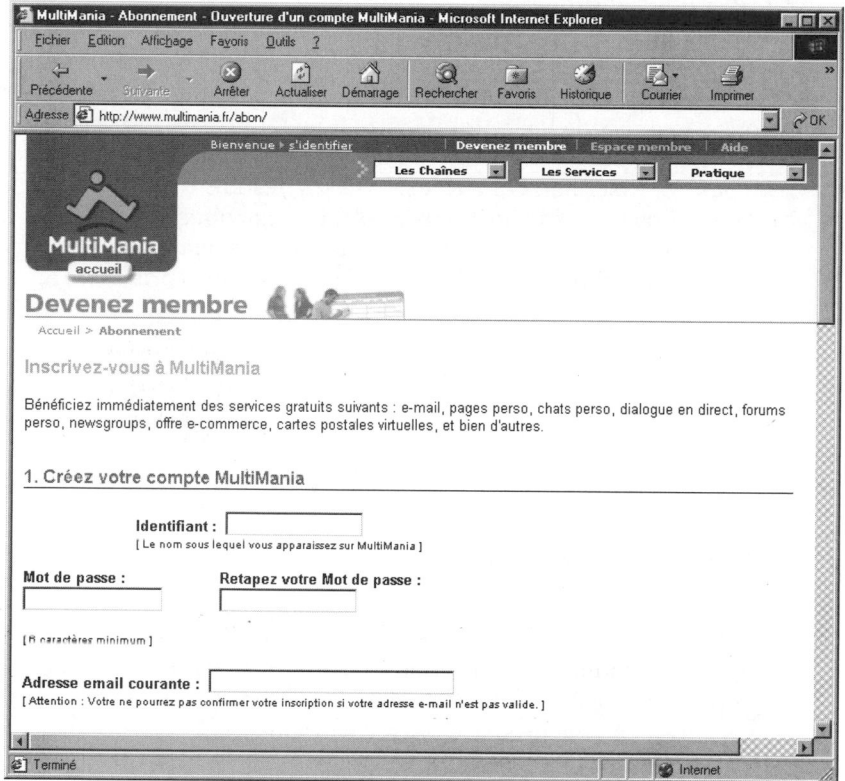

Figure 6.2 :
Formulaire
d'inscription
à
MultiMania.

Créez votre compte MultiMania

De façon classique, votre identité se compose du couple *nom d'utilisateur/mot de passe*. Ici, contrairement à ce qui se passe le plus souvent lorsque vous vous abonnez à un fournisseur d'accès, vous êtes (presque) libre de les choisir vous-même. Nous allons voir que les restrictions sont faibles. Au cours du dialogue que nous allons établir avec MultiMania, ce dernier va souhaiter à plusieurs reprises enregistrer des cookies sur votre disque dur. La justification qu'en donne MultiMania paraît convaincante : en acceptant les cookies, vous ne devrez saisir qu'une seule fois votre couple identifiant/mot de passe par connexion. Si vous choisissez de ne pas les accepter initialement, vous devrez les ressaisir chaque fois que vous passerez par une des pages sécurisées, et vous ne pourrez pas faire de modifications dans votre page "espace Membre"[1].

Votre nom d'utilisateur

La première boîte de saisie vous demande de choisir un *identifiant MultiMania*, c'est-à-dire un nom — pas nécessairement le vôtre — sous lequel vous serez reconnu par MultiMania et qui fera partie intégrante de l'URL qui vous sera attribuée. Ce nom doit être écrit obligatoirement en minuscules et ne pas dépasser huit caractères. Pour les besoins de notre démonstration, nous avions d'abord choisi `mike`, mais, lorsque nous avons validé l'ensemble du questionnaire, un message d'erreur nous a signalé que ce nom appartenait déjà à un membre de MultiMania. Nous avons alors pris `mdreyfus` (qui sera reconnu comme valide).

Notre site Web sera accessible par deux URL : `http://www.multimania.com/mdreyfus/` et `http://mdreyfus.multimania.com/`. Comme nous le verrons, il faudra indiquer à la suite du dernier slash le nom de la page particulière à laquelle on veut accéder.

Votre mot de passe

Vient ensuite votre mot de passe, qui doit se composer d'au moins 6 caractères (majuscules et/ou minuscules et chiffres). Si vous tenez à vous assurer un minimum d'intimité, et que vous souhaitez que les membres de votre famille qui partagent votre ordinateur ne viennent pas bidouiller vos pages, vous avez intérêt à faire preuve d'un peu d'originalité. Evitez donc de choisir votre date de naissance, celle de votre femme ou de vos enfants, le nom de votre chien, le numéro d'immatriculation de votre voiture, etc.

Vous devez saisir deux fois de suite votre mot de passe afin de vérifier que vous n'avez pas fait d'erreur car, comme il s'affiche sous forme d'astérisques, vous n'avez aucun contrôle visuel sur ce que vous tapez. Evitez d'avoir recours à un couper/coller pour la seconde saisie, car cela empêcherait de détecter une éventuelle faute de frappe.

---

1. Pour en savoir plus sur l'usage des cookies sur MultiMania, consultez la page située à l'URL `http://www.multimania.fr/general/aide/section/`.

Choisir un mot de passe

Les experts vous conseilleraient de choisir quelque chose d'absurde et d'illogique comme 67qwX3zs. Le seul problème, c'est qu'il va falloir vous le rappeler. Sans l'écrire au dos du clavier ni le noter sur la page de garde de votre agenda, bien entendu.

Un moyen plus rustique mais plus simple et tout aussi efficace consiste à choisir un vers ou une phrase que vous êtes sûr de pouvoir vous rappeler. Par exemple, le premier vers de *La conscience* de notre grand Victor : "Lorsque avec ses enfants vêtus de peaux de bêtes". Ensuite, vous avez deux choix possibles :

- Composer votre mot de passe avec les initiales de chacun des mots. Ici, cela donne : lasevdpdb ou, en alternant minuscules et majuscules : LaSeVdPdB.

- Composer votre mot de passe avec le nombre de lettres de chacun des mots. Ici, cela donne : 043752525 (si un des nombres est supérieur à 10, vous n'en conservez que les unités).

De ces deux méthodes, la première est évidemment la plus pratique et la plus rapide. Mais rien ne vous empêche d'en inventer d'autres.

Cette rubrique se termine par la saisie de votre adresse e-mail. Cette adresse va permettre à MultiMania de vous envoyer un courrier électronique auquel vous devrez répondre en cliquant sur un lien de façon à valider votre inscription. Il importe donc de saisir très exactement votre véritable adresse e-mail.

Informations personnelles

Viennent ensuite quelques renseignements d'identité dont on vous assure qu'ils "sont destinés exclusivement à la société MultiMania, et serviront à la gestion des comptes et de votre relation avec MultiMania, ainsi qu'à l'établissement de statistiques générales". Vous devrez indiquer vos nom et prénom, votre sexe et votre date de naissance, l'adresse de votre domicile, votre secteur d'activité et votre profession.

Informations facultatives

Comme leur nom l'indique, vous n'êtes pas obligé de renseigner les boîtes de saisie qui se trouvent dans cette rubrique et qui concernent votre état (particulier, association, entreprise) et votre lieu de connexion (maison, travail, université/école, autres).

Vos centres d'intérêt

Ici, vous pouvez cocher une ou plusieurs des cases placées devant les activités proposées : art et culture, affaires, informatique, musique, santé, science et technologie, shopping, sport et voyage. Ces informations permettront à MultiMania de mieux vous situer et de vous envoyer éventuellement des offres commerciales.

Lettres d'information

MultiMania vous demande ensuite si vous désirez recevoir un ou plusieurs des courriers électroniques suivants :

- Lettre d'info MultiMania : l'actualité du site (toutes les semaines) ;
- Lettre WebShopping : l'actualité du e-commerce sur MultiMania (tous les 15 jours) ;
- Lettre MasterWeb : l'actualité de la création de site (toutes les semaines).

Vous êtes bien entendu libre de votre choix, mais si vous vous intéressez réellement à la création de pages personnelles sur le Web, nous vous suggérons de dire *oui* à la lettre MasterWeb. La lettre info MultiMania peut contenir des informations intéressantes. Quant à la lettre WebShopping, nous l'assimilons à ces publicités qui viennent encombrer votre boîte aux lettres postale. Si vous aimez...

Fin de la page

Au-dessous du bouton Suite, figurent en petits caractères quelques rappels de la législation relative aux les pages Web, d'une part, et le droit à la rectification des informations vous concernant au titre de la loi Informatique et Libertés, d'autre part. Nous reproduisons ici ce qui concerne le premier point, car il est récent et généralement assez mal connu. Bien entendu, ces dispositions s'appliquent à l'ensemble des hébergeurs de pages situés sur le territoire national et pas seulement à MultiMania.

En application de l'article 1 de la Loi n° 2000-719 du 1er août 2000 modifiant la loi n° 86-1067 du 30 septembre 1986 relative à la liberté de communication (article 43-10), vous devez vous identifier sur votre site par le biais de votre nom, prénom et domicile, votre raison sociale pour une personne morale (association), le nom du directeur ou du codirecteur de la publication et, le cas échéant, celui du responsable de la rédaction au sens de l'article 93-2 de la loi n° 82-652 du 29 juillet 1982 sur la communication audiovisuelle.

Vous pouvez ne tenir à la disposition du public sur votre site, pour préserver votre anonymat, que le nom, la dénomination ou la raison sociale et l'adresse de MultiMania sous réserve d'avoir communiqué à MultiMania les éléments d'identification personnelle prévus par la Loi tels que décrits ci-dessus lors de son inscription aux services par le biais du formulaire mis à votre disposition.

Après avoir cliqué sur le bouton Suite, une nouvelle page s'affiche, reproduite sur la Figure 6.3, signalant que notre enregistrement est terminé et indiquant l'adresse de notre (future) page Web ainsi que l'adresse e-mail qui nous a été automatiquement attribuée.

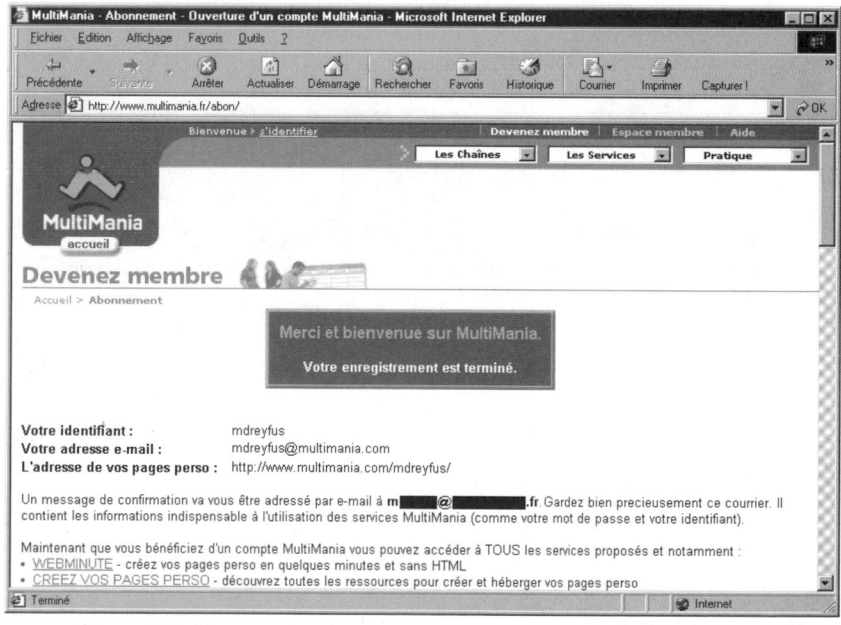

Figure 6.3 : Fin de notre enregistrement et présentation des adresses qui nous ont été attribuées.

Confirmation de l'enregistrement

Comme on peut le lire sur la Figure 6.3, un e-mail nous est ensuite envoyé ayant pour sujet "Abonnement" et dont le début est ainsi rédigé (nous avons seulement remplacé le mot de passe, écrit en clair, par "XXXXXXXX") :

```
Cher(e) mdreyfus
Gardez bien precieusement ce mail. Il contient les informations
indispensables a l'utilisation des services MultiMania.

Votre Identifiant    : mdreyfus
Votre mot de passe   : XXXXXXXX
Votre adresse email  : mdreyfus@multimania.com
Vos pages perso      : http://www.multimania.com/mdreyfus/

I. CONFIRMEZ VOTRE INSCRIPTION
--------------------------------

Pour confirmer votre inscription cliquez sur l'URL ci-dessous.
Vous devez effectuer cette operation lorsque vous etes connecte(e)
a l'Internet.

http://www.multimania.fr/abon/confirmation.pthml?login=
mdreyfus&key=25
```

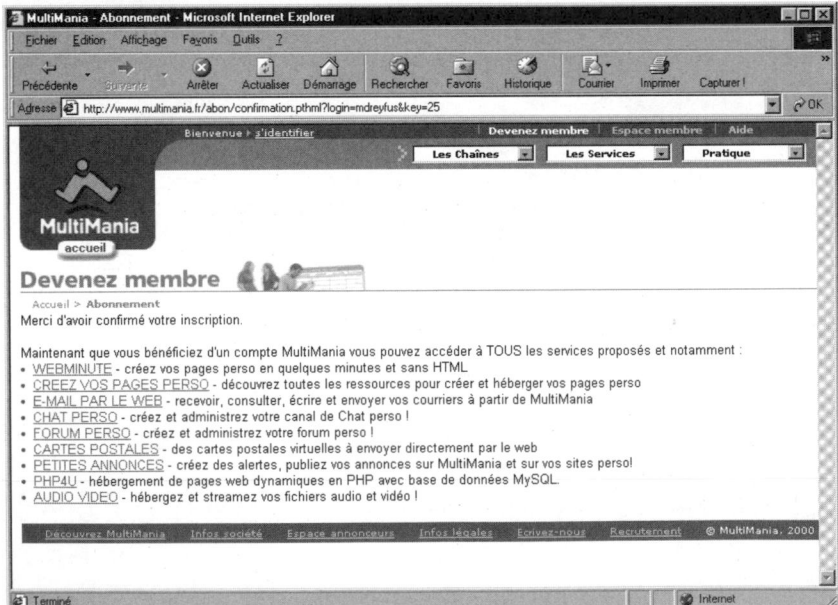

Figure 6.4 : Confirmation de notre inscription.

Nous suivons cette dernière injonction et la page reproduite sur la Figure 6.4 s'affiche. Nous sommes maintenant membre à part entière de MultiMania et nous allons pouvoir immédiatement attaquer notre première page Web. Pour cela, cliquons sur le premier lien de la liste : WEBMINUTE.

Composition de notre première page

Pour l'instant, notre but est de composer une page rudimentaire afin de prendre connaissance des étapes de composition qu'il faut parcourir. Nous pourrons ensuite, tout à loisir, éditer cette première page pour l'améliorer.

Généralités

La page d'accueil de WebMinute nous propose les quatre modèles qu'on peut voir sur la Figure 6.5. Nous allons choisir le premier : l'album photos. Nous cliquons sur l'image correspondante, ce qui amène l'affichage de la page reproduite sur la Figure 6.6 dans laquelle quatre rubriques nous sont proposées que nous allons étudier.

Figure 6.5 : Quatre modèles de page Web nous sont proposés.

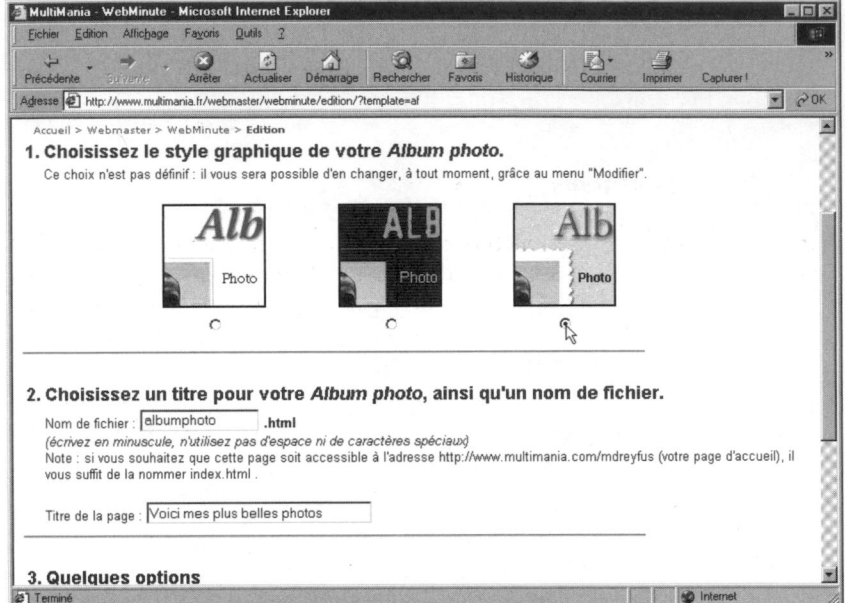

Figure 6.6 :
Début de la composition de notre page Web.

Nom du fichier

Nous devons donner un nom de fichier au document HTML que nous allons créer. Ce nom ne peut comprendre que des caractères minuscules et des chiffres, et il aura automatiquement l'extension `.html`. En dessous de la boîte de saisie, une note nous apprend qu'un nom a une signification particulière, c'est `index`. C'est le nom par défaut de la page à charger lorsqu'on n'indique pas de nom de fichier à la fin de l'URL d'une page. Ainsi, les deux URL ci-dessous sont-elles équivalentes :

```
http://mdreyfus.multimania.com/index.html
http://mdreyfus.multimania.com/
```

Nous choisissons de donner à notre page un nom différent, car il s'agit ici d'une page d'essai destinée à nous familiariser avec WebMinute. Nous choisissons `albumphoto`, ce qui fait que notre page sera contenue dans le fichier `albumphoto.html`. Plus tard, lorsque nous construirons une page plus réfléchie, mieux organisée, nous pourrons la considérer comme notre véritable page d'accueil et l'appeler `index.html`.

Titre de la page

Trêve de modestie, appelons cette page "Mes plus belles photos". C'est ce titre qui s'affichera dans la barre de titre du navigateur lorsqu'on visitera la page.

Quelques options

Ici, trois paires de boutons radio nous sont proposées. Autrement dit, nous pouvons répondre par *oui* ou par *non* à chacune des trois questions qui nous sont posées :

- **Barre de navigation.** A tout hasard, nous répondons *oui*. Ce n'est pas une bonne réponse, car, comme il s'agit d'une page simple (pour ne pas dire simplette), notre "site Web" n'en comportera pas d'autres, et ce n'est donc pas réellement utile.

- **Moteur de recherche MultiMania.** Nous ne souhaitons pas pouvoir accéder à ce moteur de recherche qui permet de faire des recherches parmi les pages hébergées par MultiMania. Nous cochons donc *non*.

- **Compteur de visites.** Par ce moyen, il est possible de savoir quel est le nombre de visiteurs qui sont venus admirer (ou critiquer) une page. Cela flatte toujours l'ego de l'auteur. Nous cochons donc la réponse *oui*.

Poursuivre

Il ne reste plus maintenant qu'à cliquer sur le bouton bleu marqué Poursuivre, ce qui va nous amener à la page MultiMania qui présente l'organisation générale de la page que nous allons pouvoir créer.

Choix des éléments

Sur cet écran, nous voyons comment seront disposés les éléments de notre page. En tête, un texte général suivi de douze cadres contenant, les uns un petit texte, les autres une option de chargement d'image. Pour un début, nous n'allons prévoir, outre le texte général, que deux images et un court texte de présentation de ces images, ce qui nous amène à la structure de page reproduite sur la Figure 6.7.

Nous cliquons alors sur l'image où se trouve le pointeur de la souris sur la Figure 6.7, ce qui nous conduit à la page du choix des images.

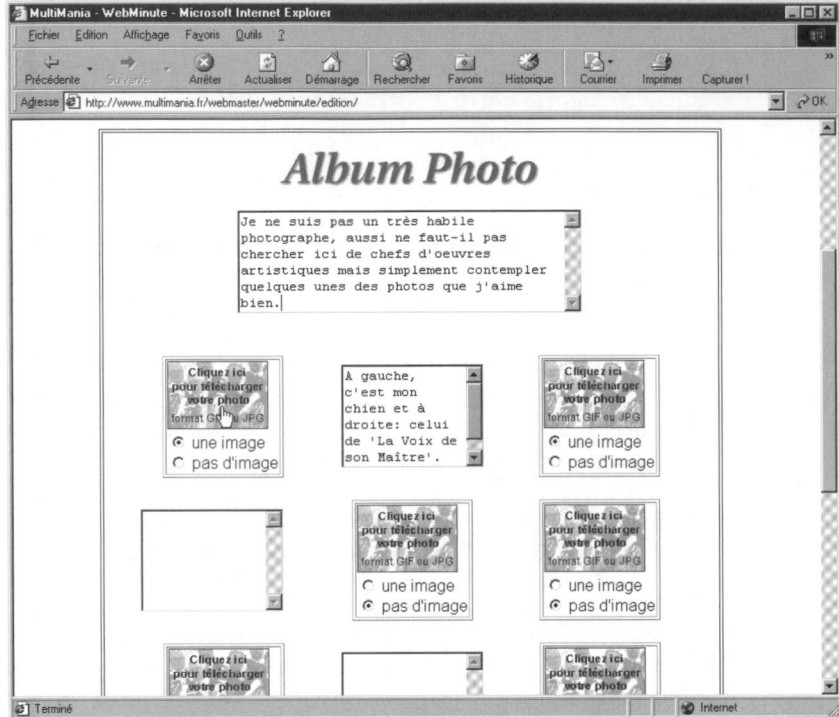

Figure 6.7 :
Organisation
générale de
notre future
page.

Les images

Une page Web sans images, c'est un repas sans vin, une journée sans soleil. Et puis, comme le sujet de notre page c'est un album de photos, il faut bien que la page soit illustrée. Il y a deux phases dans l'ajout des images à une page : constitution chez MultiMania d'un petit stock de nos images, puis choix, parmi ces images, de celles qui vont figurer dans la page en cours de création.

Chargement d'une image

Avec WebMinute, les images que nous allons charger sur le site de MultiMania iront se placer dans le même répertoire que les fichiers HTML contenant le texte des pages. Comme nous le verrons au Chapitre 8, trois formats d'images sont acceptables dans une page Web : GIF, JPEG et PNG (ce dernier, de création assez récente, n'est pas encore très répandu). Si nous voulons utiliser des images qui existent dans un format différent (BMP ou TIFF, par exemple), nous devrons d'abord les convertir dans un de ces trois formats à l'aide d'un logiciel approprié. Mais ceci est une autre histoire...

 Comme nous le conseille MultiMania, il faut éviter d'utiliser des images trop grandes, sous peine de voir la page s'afficher très lentement, ce qui risque de lasser la patience du visiteur.

Dans la rubrique de chargement d'une image, on trouve les deux boîtes de saisie que l'on peut voir sur la Figure 6.8.

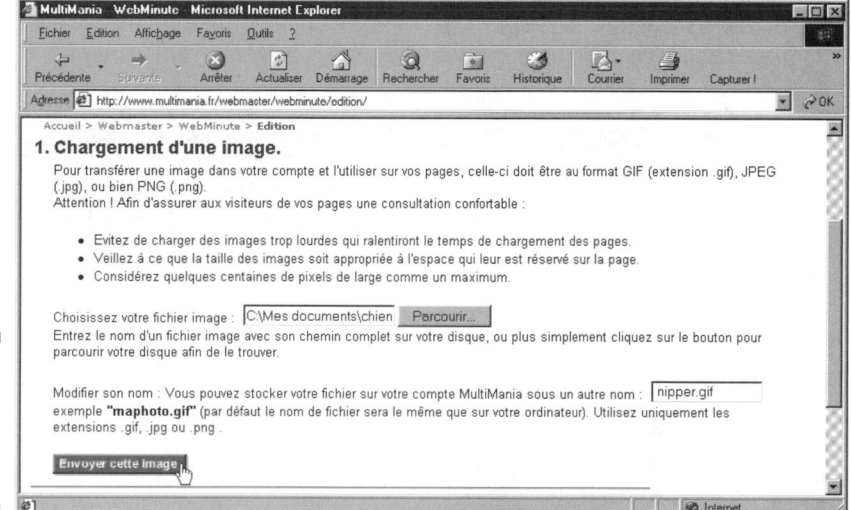

Figure 6.8 :
Enregistre-
ment d'une
image chez
MultiMania.

- Dans la première, on peut saisir directement le nom d'une image située quelque part sur notre disque dur si on connaît exactement son nom et son chemin d'accès. Sinon — et c'est de loin ce qui est le plus pratique —, on clique sur le bouton Parcourir, ce qui fait surgir une boîte de sélection de fichier grâce à laquelle on peut choisir plus facilement et sans erreur de frappe l'identité exacte de l'image à transférer. Dans notre cas, l'image se trouve dans le répertoire `Mes documents` et son nom est `chien.gif`.

- Dans la seconde, on a la possibilité de modifier le nom sous lequel cette image sera conservée chez MultiMania (elle conservera son ancien nom sur votre propre disque dur). Bien entendu, il ne faut pas modifier l'extension du nom de fichier puisque c'est lui qui détermine le format de l'image. Comme notre image représente une petite figurine de porcelaine à l'effigie du chien Nipper (celui qu'on voit sur le logo des disques et CD La Voix de son Maître), nous décidons que cette image s'appellera `nipper.gif`.

On peut maintenant cliquer sur le bouton Envoyer cette image, ce qui va entraîner son transfert depuis notre machine vers le répertoire des disques durs de MultiMania qui nous a été attribué. La durée de cette opération nous renseigne sur le temps que mettra plus tard l'image pour se charger dans le navigateur d'un visiteur. Cette opération correspond à ce que les Américains appellent *uploading*, terme qui n'a pas d'équivalent exact en français, et qu'on traduit donc tout simplement par *téléchargement* (ce qui ne permet pas d'indiquer le sens de ce transfert). Une nouvelle page s'affiche, reproduite sur la Figure 6.9, qui nous montre l'image que nous venons de transférer et le nom sous lequel elle sera identifiée sur le site de MultiMania.

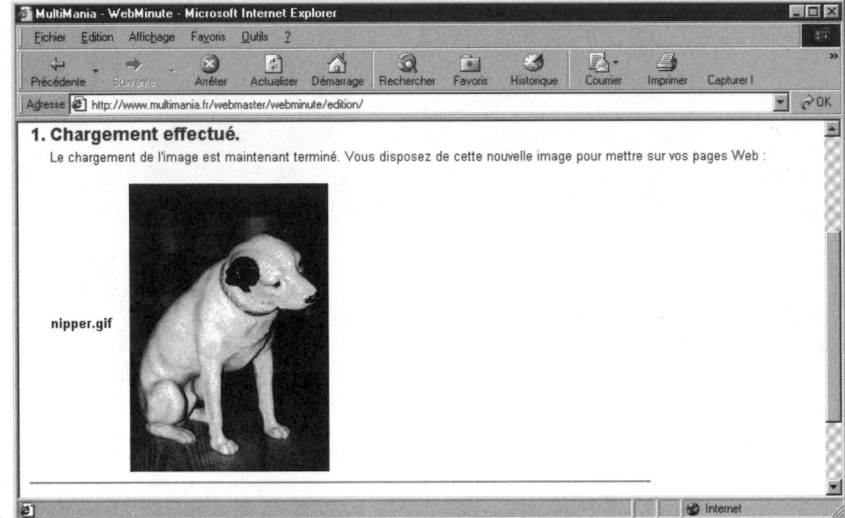

Figure 6.9 : Notre image est maintenant transférée chez MultiMania.

En cliquant sur le bouton Continuer l'édition, nous sommes ramenés au choix des images. Nous allons effectuer une autre fois ces opérations, de façon à avoir transféré deux de nos images (la seconde s'appelle `fredo.jpg`) sur le site de MultiMania. Ensuite, nous passerons à la rubrique du choix des images qui suit celle du chargement proprement dit.

Choix d'une image

La page représentée sur la Figure 6.10 s'affiche. Nous choisissons l'image de droite (`fredo.jpg`), et cliquons sur le bouton Utiliser cette image.

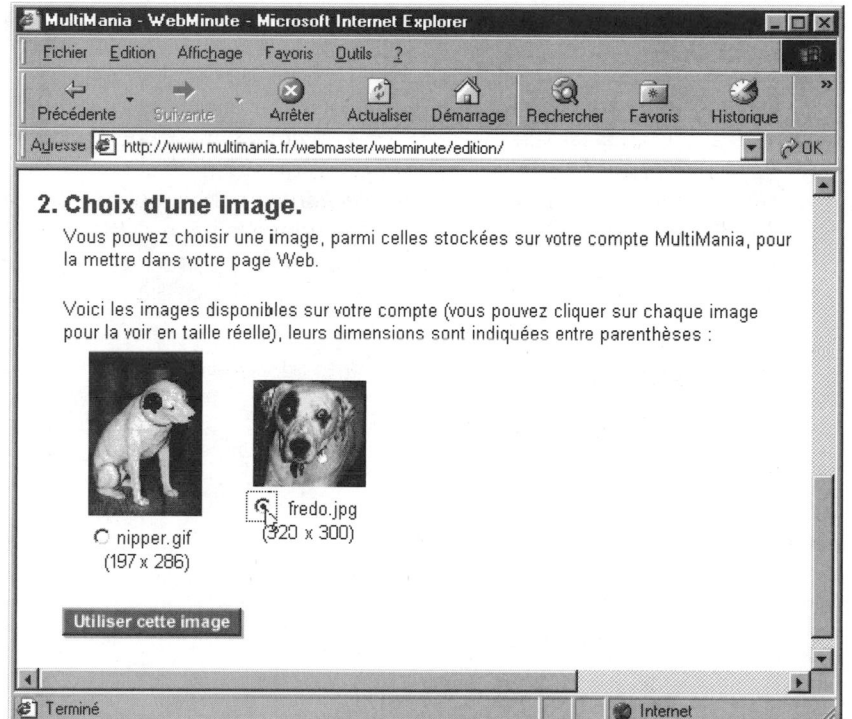

Figure 6.10 :
Choix de
l'image à
utiliser.

Nous revenons alors à l'écran présentant l'organisation générale de notre page (voir la Figure 6.7). Pour mettre en place la seconde image, nous cliquons dans le cadre de droite de la première rangée, ce qui nous ramène à la page où on nous propose le chargement et le choix des images. Nous opérons comme précédemment, mais, cette fois, en sélectionnant l'image nipper.gif. La structure de notre page se présente maintenant comme le montre la Figure 6.11.

Ne faites pas attention à la déformation des images. Ici, ce n'est qu'un schéma structurel général ; les figures auront leurs proportions correctes dans la page définitive.

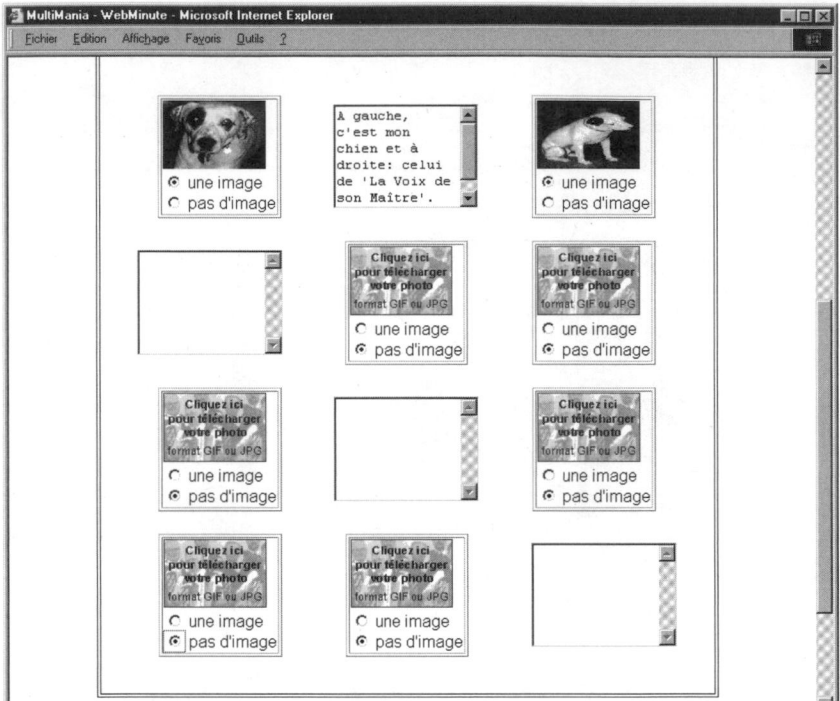

Figure 6.11 :
Notre page
comporte
maintenant
deux images.

Prévisualisation

Avant d'aller plus loin, nous souhaiterions voir comment se présente la page.

Chaque fois que nous revenons à la page représentée sur la Figure 6.11, les textes encadrés que nous avions précédemment effacés réapparaissent là où nous n'avons rien saisi. Il ne faut donc pas se contenter de les effacer en les sélectionnant avec la souris et en appuyant sur <Suppr>, mais les *remplacer* par un ou plusieurs espaces.

Le bas de cette page nous propose deux boutons : Prévisualiser et Publier. En cliquant sur le premier, nous obtenons un avant-goût de ce que verront nos visiteurs, ce qui nous permettra éventuellement de modifier le contenu de la page. La Figure 6.12 montre comment se présente maintenant notre page.

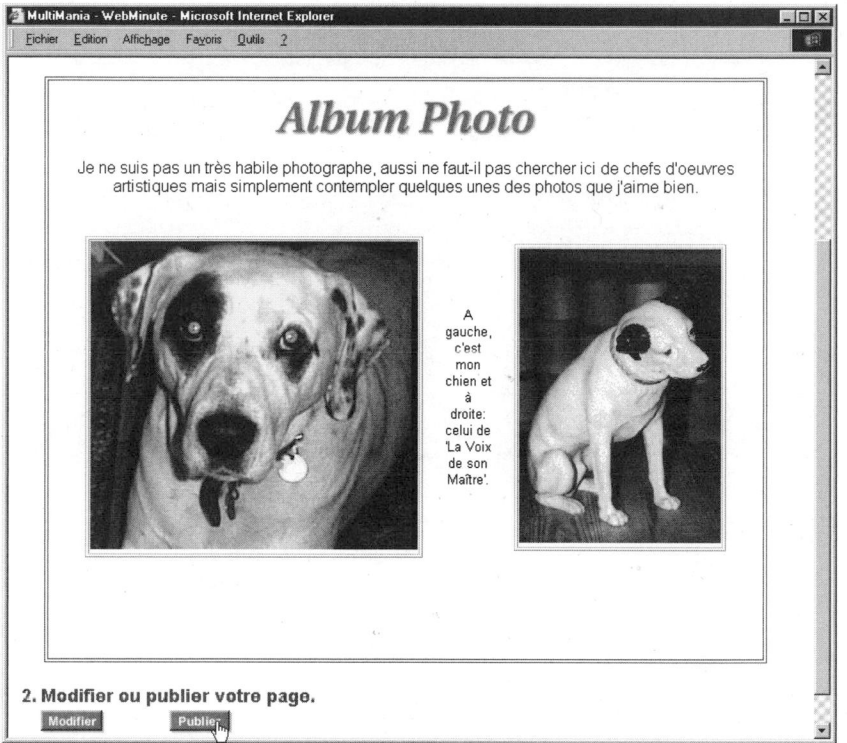

Figure 6.12 :
Prévisualisation
de notre
page.

Publication

Ce résultat nous paraissant correct, nous décidons de *publier* cette page,
c'est-à-dire de l'écrire définitivement sur les disques de MultiMania. Il n'y aura
pas de différence avec la prévisualisation, sauf en ce qui concerne le cadre
général qui aura disparu. Pour confirmer cet enregistrement, la page reproduite sur la Figure 6.13 est affichée.

A ce niveau, plusieurs actions sont possibles :

- **Retourner à la page d'accueil.**

- **Reprendre l'édition.** Par exemple, si on veut ajouter de nouvelles
images, corriger une faute d'orthographe ou changer un texte.

- **Référencer le site.** Pour une page aussi simplette, cette question ne se
pose pas.

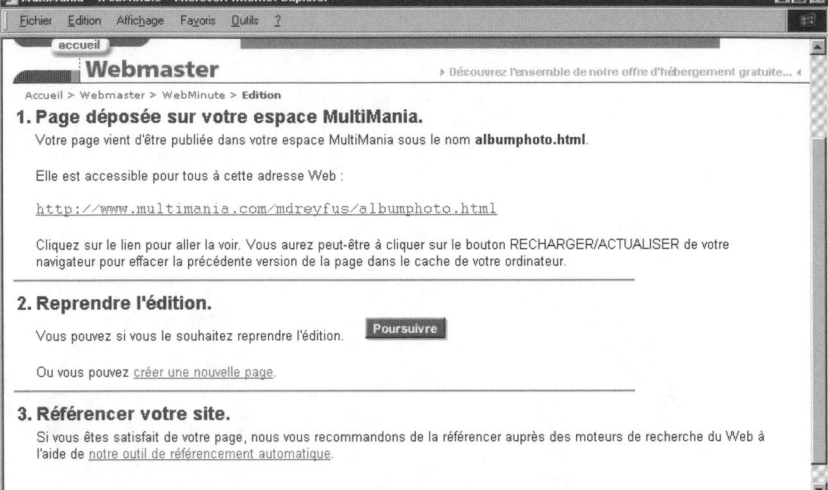

Figure 6.13 :
Notre première page Web vient d'être "publiée". Elle est désormais accessible par tous.

Test de la page

Tout cela est bien beau, mais qui nous dit que c'est bien ce que verra un visiteur ? Sur le Web, il faut toujours tout vérifier. Aussi allons-nous demander à notre navigateur de nous afficher la page dont l'URL vient de nous être rappelée sur l'écran reproduit sur la Figure 6.16. Pour cela, sans quitter notre navigateur, il suffit de taper <Ctrl>+<O> et de saisir dans la petite fenêtre qui s'ouvre l'URL :

```
http://www.multimania.com/mdreyfus/albumphoto.html
```

Nous voyons bien s'afficher notre page, mais un petit écran publicitaire vient se coller par-dessus comme on le voit sur la Figure 6.14. C'est la rançon de la gratuité. Pour survivre, MultiMania a choisi de vendre des espaces publicitaires sous forme de bandeaux à des annonceurs. Ils sont affichés dans une fenêtre flottante apparaissant lorsqu'un internaute vient consulter le site d'un membre de MultiMania. Il est facile de déplacer cette bannière ou de la faire passer à l'arrière-plan par les manipulations qu'on pratique habituellement sous Windows.

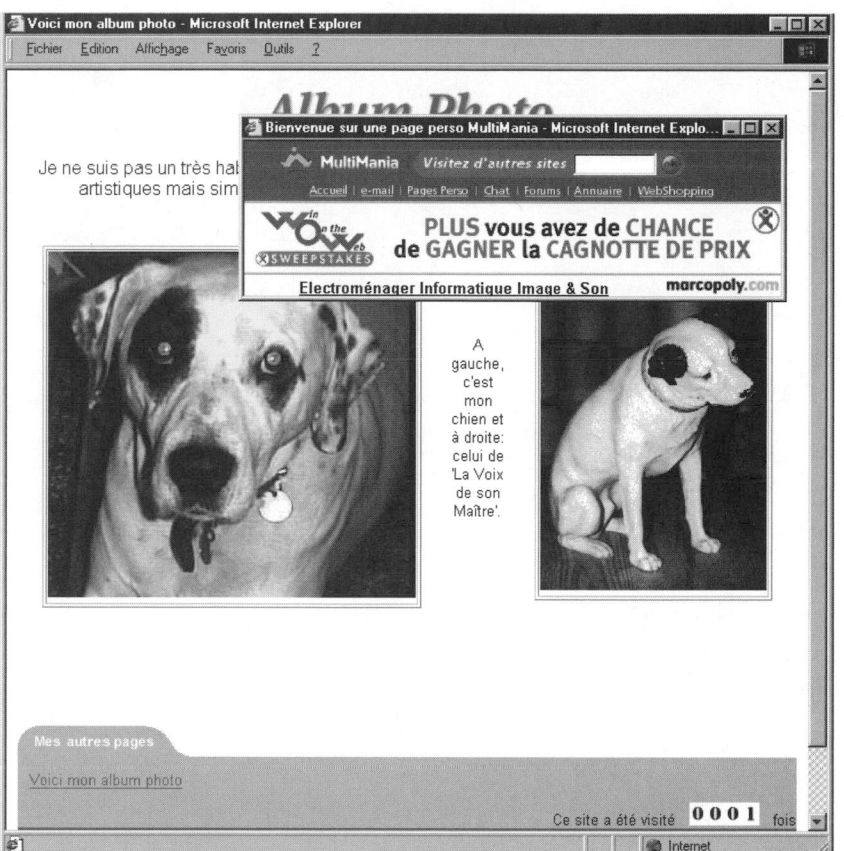

Figure 6.14 :
Ce que voit
un visiteur.

Troisième partie

Des sites meilleurs, plus rapides et plus solides

"Arrêtez une minute ! Il faut du temps pour réaliser une page d'accueil pour quelqu'un de votre taille !"

Dans cette partie...

Une fois que vous aurez terminé votre première page, vous voudrez certainement l'améliorer. Pour cela, vous devez connaître les rudiments de HTML (*HyperText Markup Language* : langage de marquage hypertexte). C'est la spécification sur laquelle sont construites toutes les pages Web. Vous pourrez alors bidouiller finement le code HTML du contenu de vos pages, ajouter des images et du multimédia, et à en faire quelque chose qui se remarque sur le Web. Dans cette partie, nous allons vous expliquer comment y parvenir.

Chapitre 7
Juste assez de HTML

· ·

Dans ce chapitre :

▶ A la découverte du document HTML.

▶ Identification des balises HTML.

▶ Création de listes.

▶ Pose d'ancrages.

▶ Test de votre document HTML.

▶ En savoir plus sur HTML.

· ·

*I*l est bon de connaître un peu HTML, car c'est le lien qui existe entre le fichier texte que vous avez créé à l'aide de votre éditeur de texte ou un outil HTML spécialisé et ce que vos visiteurs verront s'ils regardent votre présentation avec leur navigateur.

Vous pouvez ajouter des balises HTML, les éléments de formatage et de liens que nous avons vus au Chapitre 1, à du texte ordinaire pour créer votre propre document HTML avec n'importe quel éditeur de texte ou traitement de texte. Vous pouvez aussi utiliser des éditeurs spécialisés, certains WYSIWYG, qui vous permettent d'ignorer toute la cuisine HTML. Dans ce chapitre, vous allez en apprendre suffisamment pour comprendre ce que vous lisez quand vous regardez le fichier source d'une page Web.

Tenter d'apprendre HTML de façon exhaustive est, pour le moment, une *mauvaise* idée. Passer des heures et des heures à apprendre tout le détail des balises ne pourrait que ralentir vos élans d'auteur Web, voire briser votre inspiration, ce dont vous ne tireriez aucun bénéfice. Nous allons donc nous limiter au strict nécessaire afin que ce que vous découvrirez dans ce chapitre puisse simplement vous aider à créer des pages encore plus personnelles et à les publier sur le Web.

Brève et reposante description de HTML

Comme nous venons de vous le dire, ce chapitre constitue une initiation de base à HTML. Nous n'allons pas vous ennuyer avec des centaines de pages sur les balises HTML, et les astuces et les trucs qui vont avec. Vous trouverez certains détails techniques et historiques un peu plus loin, dans l'encadré "La croissance désordonnée de HTML". Ce n'est que lorsque vous aurez publié quelques pages Web que vous pourrez prendre (perdre ?) le temps d'en savoir davantage sur HTML. Pour l'instant, le présent ouvrage devrait vous suffire.

Si vous voulez néanmoins en savoir un petit peu plus avant de retrousser vos manches et de vous plonger les mains dans le cambouis, nous vous conseillons, dans la même collection et chez le même éditeur, la lecture de *HTML 4 pour les Nuls*, d'Ed Tittel, Natanya Pitts et Chelsea Valentine.

Pourquoi se casser la tête avec HTML ?

De plus en plus d'outils s'efforcent de cacher toute la cuisine HTML aux yeux de l'auteur Web (et souvent y parviennent) en vous permettant d'écrire tant et plus de pages Web sans savoir une once de HTML. Mais il y a plusieurs raisons de connaître quelques éléments de HTML :

- **Tout le monde y passe.** Mauvaise raison. Voyons la suivante.

- **Pour comprendre comment fonctionne le Web.** Ce savoir vous sera utile si vous avez l'intention de publier beaucoup de pages ou même si vous êtes un acharné du surf sur le Web. Certaines des limitations du Web comme "ce que vous voyez n'est pas ce que l'auteur a voulu" sont difficiles à comprendre si vous ignorez tout de HTML.

- **Pour être à même d'utiliser des outils HTML.** Beaucoup d'outils HTML gratuits vous permettent de saisir directement des balises pour apporter des retouches à une page.

- **Pour travailler directement en HTML.** Beaucoup de professionnels de HTML, fatigués de manipuler des balises à la main, commencent à utiliser des outils qui leur permettent d'ignorer HTML. D'autres ne jurent que par HTML. Tous maudissent HTML un jour ou l'autre. Mais le seul moyen de choisir entre ces attitudes consiste à connaître au moins un peu HTML.

Au travail avec HTML

Un document HTML n'est autre qu'un fichier texte ordinaire contenant des balises HTML. Un document de texte ordinaire est un document qui ne contient que des caractères pouvant tous être saisis au clavier. Les indications de formatage qui s'y trouvent sont directement lisibles par n'importe qui. Les documents issus de traitements de texte contiennent des indications de formatage spéciales qui ne peuvent être comprises que par le logiciel qui les a créés et ne sont même pas lisibles directement. Le principe de formatage des documents HTML consiste à utiliser des marqueurs tels que ⟨B⟩ et ⟨/B⟩ que nous avons mentionnés au Chapitre 1.

La croissance désordonnée de HTML

HTML est un langage de marquage qui suit un ensemble de règles stipulées dans une spécification plus complexe : SGML (*Standard Generalized Markup Language*, c'est-à-dire *Langage de marquage généralisé standard*). HTML a évolué depuis sa création. La dernière version est actuellement la 4.0, mais tous les navigateurs et outils logiciels ne la reconnaissent pas encore de façon exhaustive. Beaucoup d'utilisateurs n'ont jamais changé de navigateur depuis qu'ils ont acheté leur ordinateur, ayant conservé celui qui avait été installé dans la machine. De ce fait, il y a encore en service de nombreux exemplaires de vieux navigateurs. Il y a aussi des utilisateurs (en nombre plutôt réduit, actuellement, en France) qui accèdent au Web au moyen de consoles spécialisées (les *Web-TV*) qui ne reconnaissent aucune des spécificités des plus récentes versions des navigateurs comme les frames et DHTML (*Dynamic HTML*). Si vous voulez pouvoir être vu dans les meilleures conditions par le plus grand nombre de visiteurs possible, nous vous conseillons d'en rester aux balises de la version 3.2 autour de laquelle s'est établi le plus large consensus.

Comment voir le contenu d'un document HTML

Chaque fois que vous irez sur le Web, vous rencontrerez des documents HTML. Pour voir ce que contient un de ces documents, dans votre navigateur, utilisez la commande <u>A</u>ffichage/Source (ou toute autre commande ayant un sens voisin, selon le navigateur que vous utilisez). Tout le contenu du document, balises comprises, va alors s'étaler sous vos yeux. Cette intéressante possibilité induit la tentation de regarder ce qui se trouve à l'intérieur des présentations les plus intéressantes et de sauvegarder leur contenu sur son disque dur afin de les réutiliser comme modèle pour ses propres présentations.

Si cet emprunt est une bonne idée pour des documents simples, pour ceux qui ont une mise en page sophistiquée et sont donc marqués par le génie créateur de leur auteur, il convient de demander au préalable à celui-ci l'autorisation de vous en inspirer. Pour cela, contactez l'auteur ou le Webmaster dont l'adresse *e-mail* figure dans la page et dites-lui ce que vous comptez faire de son œuvre. Vous serez étonné de voir combien vous donneront leur accord sans même vous extorquer la promesse de leur présenter votre premier-né.

Création de documents HTML

Pour créer des documents HTML, vous pouvez utiliser un éditeur de texte ordinaire, un traitement de texte ou un éditeur HTML spécialisé. Chaque méthode a ses avantages et ses inconvénients :

- **Traitement de texte.** Les versions récentes de nombreux traitements de texte ont une option de sauvegarde de ce que vous venez de saisir sous forme HTML. Ces logiciels contiennent généralement beaucoup d'outils de mise en page ainsi qu'un vérificateur d'orthographe et des moyens de recherche et de remplacement évolués. Mais le formatage direct à l'écran (mise en gras ou en italique, par exemple) ne sera pas traduit de la même façon dans votre page Web.

- **Editeur de texte.** Un éditeur de texte est un programme qui édite du texte ordinaire comme celui qui est envoyé par la plupart des logiciels de courrier électronique : pas de police de caractères spéciale, pas de gras ni d'italique, aucun style de paragraphe. Lorsque vous sauvegardez un fichier à l'intérieur d'un éditeur de texte, il est stocké tel quel, sans adjonction d'aucune marque supplémentaire. Bien que la plupart des éditeurs de texte soient dépourvus des outils pratiques que proposent les traitements de texte, de nombreux experts en HTML ne jurent que par eux. (Vous pouvez également créer un fichier HTML avec un traitement de texte pourvu que vous sauvegardiez votre saisie sous forme de texte pur, en perdant le formatage.)

- **Outils HTML spécialisés.** Un éditeur HTML vous cache tous les détails de HTML. Encore faut-il apprendre à s'en servir et, en réalité, il y en a peu qui dissimulent absolument tout ce qui concerne HTML. C'est pourquoi vous devez néanmoins apprendre quelques rudiments de HTML, même si vous souhaitez utiliser ce type d'outil. De cette façon, vous utiliserez au mieux l'éditeur et vous saurez comment effectuer des corrections si le résultat obtenu ne vous convient pas entièrement.

Les signets peuvent constituer une page Web

Si vous utilisez Netscape Navigator ou n'importe quel autre navigateur qui vous permette de conserver trace de l'URL des sites que vous visitez sous forme de document HTML, vous pouvez très facilement avoir immédiatement une page Web. Faites tout simplement une copie sous un autre nom du fichier des signets. Il porte le nom de BOOKMARK.HTM (sur PC) ou BOOKMARKS.HTML (sur Mac).

Lancez Netscape Navigator puis cliquez sur Fichier/Ouvrir ou tapez <Ctrl>+<O> et, dans la boîte de saisie qui s'affiche, choisissez le nom du fichier que vous venez de créer par copie. La Figure 7.1 vous montre en superposition ce qu'interprète le navigateur et le document lui-même (affiché en cliquant sur Affichage/Source du document).

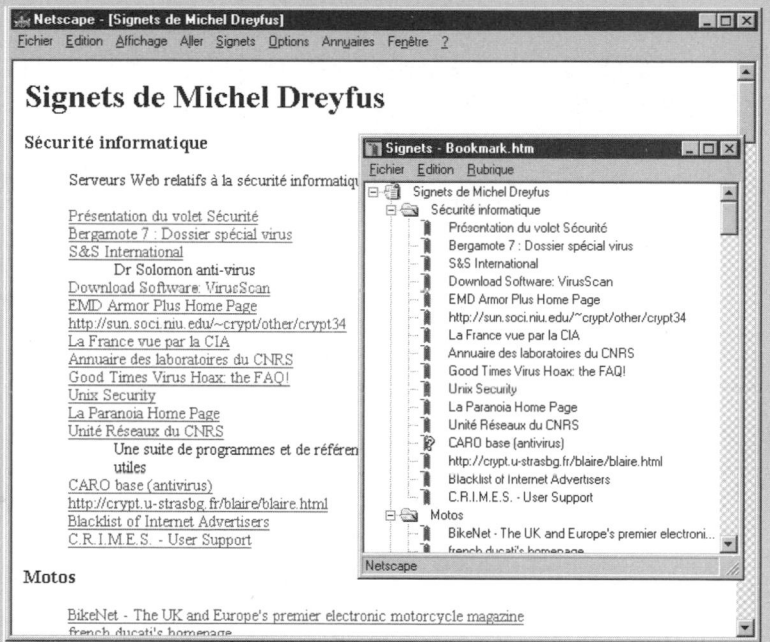

Figure 7.1 : Les signets se présentent exactement comme un document HTML.

Faites preuve d'astuce : dimensionnez et disposez les fenêtres de votre éditeur de texte et celle de votre navigateur sur votre écran de façon à pouvoir les regarder en même temps. Ainsi, vous pourrez très rapidement juger les modifications que vous venez d'effectuer dans votre document HTML.

Ne vous arrêtez pas là. Voyez comment se présente votre document HTML dans plusieurs navigateurs avant de le publier sur le Web. Vous aurez généralement la possibilité de télécharger un navigateur depuis le site de son éditeur. Cependant, ces logiciels sont très souvent de grande taille. Alors, attention au temps de connexion qui sera nécessaire !

HTML : une affaire de bon sens

Presque tout ce qui se rapporte à HTML est affaire de bon sens. Lorsque vous aurez vu des balises HTML plusieurs fois, la plupart des règles vous sembleront évidentes et vous n'aurez guère de difficultés à vous les rappeler.

Quelques règles simples

Une balise isolée est aussi appelée *marqueur*. HTML n'est-il pas un langage de *marquage* ?

- **La plupart des balises vont par paire.**

  Si, par exemple, vous voulez afficher du texte en gras, vous allez le placer entre une balise <B> et une balise </B>. Surtout, n'oubliez pas la balise terminale (la même que la balise initiale, mais avec un slash "/" après le chevron ouvrant), faute de quoi, tout le texte qui suit la balise initiale continuerait à être affiché en gras. On appelle parfois *conteneur* l'ensemble de ces deux balises parce qu'elles portent sur les informations qu'elles *contiennent*.

- **Les balises sont généralement écrites en MAJUSCULES.**

  C'est une convention et on pourrait fort bien décider de faire le contraire, mais de cette façon, elles ressortent mieux dans le texte. Ce qu'il y a à l'intérieur, leurs *attributs*, obéit éventuellement à d'autres règles. C'est ainsi que l'adresse d'un lien (son URL) dans un ancrage sera généralement entièrement écrite en minuscules, comme ceci :

```
<A HREF="textver.htm">Version en texte pur</A>
```

  Comme vous le voyez dans cet exemple, les noms de fichiers sont généralement écrits en minuscules, ce qui permet de les repérer plus facilement. Le texte écrit entre les balises peut être écrit indifféremment en majuscules ou en minuscules.

Les machines UNIX (un système d'exploitation d'un type particulier) différencient les minuscules des majuscules. Les noms de fichiers `MonFich.txt` et `monfich.txt` désignent deux fichiers distincts. Par contre, le PC et le Macintosh ne s'en soucient pas : les deux noms que nous venons de citer désignent le même fichier. Comme un grand nombre de serveurs Web sont réalisés avec des machines UNIX, vous devez impérativement tenir compte de cette règle lorsque vous publiez vos fichiers. Par prudence, évitez donc d'utiliser des majuscules dans les noms de fichiers.

- **HTML ignore les retours chariot et les tabulations.**

  Une des choses qui intriguent le plus les débutants, c'est que les fins de paragraphes (les "retours chariot") que n'importe quel éditeur ajoute à votre texte quand vous appuyez sur la touche <Entrée> sont ignorés par tous les navigateurs. Ceux-ci répartissent au mieux les lignes de texte dans l'espace dont ils disposent dans leur fenêtre. Et ils ne vont à la ligne que lorsqu'ils rencontrent la balise ⟨BR⟩ ou la balise ⟨P⟩ (et, dans ce dernier cas, ils insèrent même une ligne vierge). Ils font de même pour certaines balises qui impliquent un affichage sur une nouvelle ligne comme celles qui servent à faire des titres (⟨H1⟩ à ⟨H6⟩).

- **Vous devez insérer des balises <P> entre chaque paragraphe.**

  Peu importe le nombre d'appuis que vous aurez pu faire sur la touche <Entrée> en saisissant votre texte, car celui-ci apparaîtra comme un magma informe à moins que vous n'ayez inséré des balises ⟨P⟩ entre chaque paragraphe.

- **Tous les navigateurs n'affichent pas de la même façon un document HTML.**

  HTML ne vous donne pas de moyens de contrôle poussés sur la mise en page de votre document. (Les versions récentes de HTML permettent un contrôle plus précis, mais ces nouvelles spécifications sont ignorées des anciens navigateurs, c'est pourquoi nous vous suggérons d'éviter de les utiliser.) En outre, différents navigateurs interpréteront de façon différente les mêmes balises. Par exemple, un titre de niveau supérieur (spécifié par les balises ⟨H1⟩ et ⟨/H1⟩) pourra apparaître plus gros avec un navigateur qu'avec un autre.

- **Certaines balises sont ignorées par certains navigateurs.**

  Certains navigateurs tels que Netscape Navigator reconnaissent des balises que d'autres ignorent. Et réciproquement. C'est la raison pour laquelle nous vous avons déjà recommandé de vous en tenir aux balises spécifiées par HTML 3.2 qu'actuellement tous les navigateurs (sauf peut-être les très anciens) reconnaissent. C'est ce que nous ferons dans ce livre.

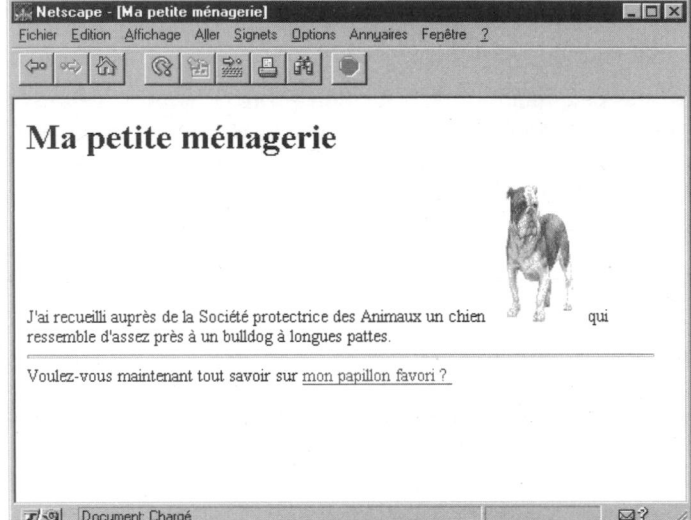

Figure 7.2 :
Page Web
affichée
normale-
ment.

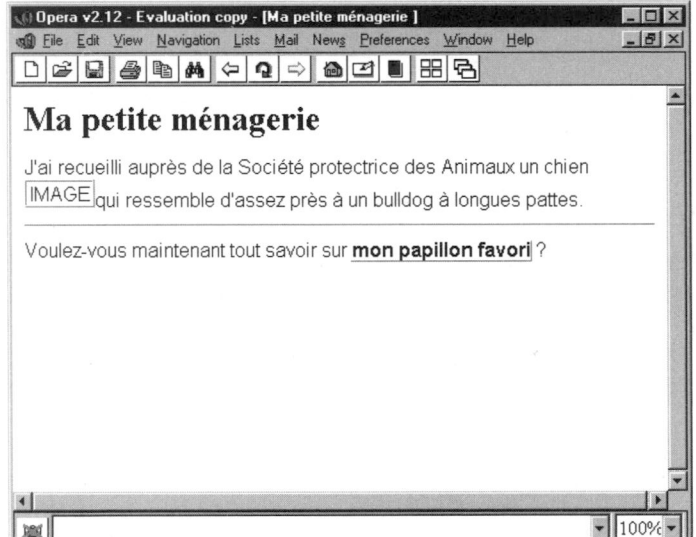

Figure 7.3 :
Page Web
affichée
sans les
images.

- **Les utilisateurs peuvent configurer leur navigateur différemment.**

   Comme si les différences d'interprétation entre navigateurs n'étaient pas suffisantes, les utilisateurs peuvent configurer différemment leur navigateur. Ceux qui disposent d'un grand écran verront les documents dans une fenêtre de taille supérieure. Mais comme beaucoup d'entre eux s'assoient loin de leur moniteur, ils peuvent aussi choisir d'afficher le texte avec une police de caractères de corps supérieur, ce qui rétablira un certain équilibre. Beaucoup d'utilisateurs affichent toutes les images contenues dans une présentation alors que d'autres, pour une raison ou pour une autre, désactivent cet affichage. Toutes ces manies peuvent faire apparaître le même document de façon très différente, comme on peut le voir sur les Figures 7.2 et 7.3.

Dix commandes HTML importantes plus une

Voici un exemple très simple de page Web dont la Figure 7.4 montre le résultat affiché par un navigateur :

```
<HTML>

<!--
Le texte placé entre <des chevrons> est une balise HTML et
il n'est pas affiché. La plupart des balises, comme <HTML> et
</HTML> qui encadrent la totalité du contenu d'une page, sont
agencées par paires. D'autres comme <HR>, qui sert à placer un
filet horizontal, interviennent seules. Les commentaires comme le
texte que vous êtes en train de lire, ne sont pas affichés. Les
informations placées entre les balises <HEAD> et </HEAD> tags ne
sont pas non plus affichées. Les informations placées entre les
 balises <BODY> et </BODY> sont, elles, affichées.
-->

<HEAD>
<TITLE>Placez ici un titre qui ne sera pas affiché </TITLE>
</HEAD>

<!-- Les informations placées entre les balises BODY et /BODY
sont affichées.-->
<BODY>

<H1>Placez ici le titre principal, généralement identique à
celui qui est utilisé comme titre de page.</H1>
Tapez ici du texte, par exemple une présentation de vous-même et
de ce que vous faites. Mettez en <B>gras</B> les points
importants. Placez le tout dans une liste. <P>
<UL>
<LI>Premier article de la liste
<LI>Second article <I>en italique</I>
</UL>
Améliorez la présentation en y incorporant une image. <P>
<IMG SRC="rose.gif">
```

```
<P>
Puis ajoutez un lien vers votre <A HREF="http://www.monfavori.fr/">
site Web favori</A>.
<P>
Insérez un filet horizontal en bas de la page. <P>
<HR>
Terminez par un lien vers <A HREF="page2.htm">une autre page</A>
de votre présentation.
<!-- N'oubliez pas la notice de copyright. -->
<BR>
&#169; First Interactive 2000
</BODY>
</HTML>
```

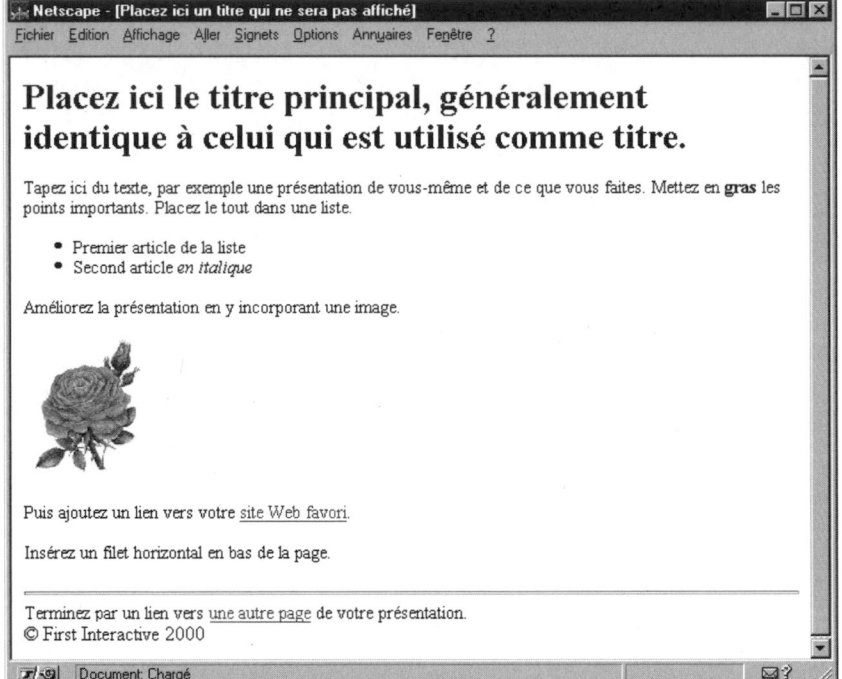

Figure 7.4 : Affichage d'une page exemple très simple.

Dans ce texte, pour plus de clarté, les caractères accentués ont été représentés tels quels, mais nous verrons un peu plus loin que, dans un véritable document HTML, ils devraient être codés sous forme d'*entités de caractères*.

Nous allons étudier de plus près les balises qui figurent dans cet exemple. Comme vous allez le voir, il n'est pas nécessaire de connaître un grand nombre de balises pour créer une page Web. Le Tableau 7.1 présente quelques-unes des balises les plus importantes accompagnées d'une brève description de leur rôle. Vous trouverez, plus loin dans ce même chapitre, des explications plus détaillées.

Tableau 7.1 : Quelques balises parmi les plus usitées.

Balise	Emplacement
`<HEAD> </HEAD>`	Autour des balises `<TITLE> </TITLE>`, au début du document.
`<TITLE> </TITLE>`	Autour d'un court titre décrivant le document qui ne sera pas affiché dans la fenêtre du navigateur mais dans sa barre de titre.
`<BODY> </BODY>`	Après la balise `</HEAD>`. Vous y mettrez tout le reste du document.
`<H1> </H1>, <H2> </H2>, ...`	Pour définir le titre principal (`<H1>`) ou des sous-titres de niveaux décroissants (de 1 à 6) dans le document.
`<B> </B>`	Pour délimiter le texte que vous voulez afficher en gras.
`<I> </I>`	Pour délimiter le texte que vous voulez afficher en *italique*.
` `	Pour causer une rupture de ligne non suivie d'une ligne vierge dans le cours d'un paragraphe (en dehors d'un titre ou sous-titre).
`<P> </P>`	Pour causer une rupture de ligne suivie d'une ligne vierge dans le cours d'un paragraphe (en dehors d'un titre ou sous-titre). La balise terminale `</P>` est facultative. C'est sans doute (avec la balise `<A>`) la balise la plus fréquemment utilisée.
`<HR>`	Pour afficher un filet de séparation horizontal.
`<A HREF="http://www.unsite.fr"Autre chose> </A>`	Pour définir un appel de lien (également appelé *ancrage*) interne ou externe. On trouve à l'intérieur le texte sur lequel cliquera l'utilisateur pour charger la nouvelle page. Ce texte est généralement affiché en couleur (le plus souvent, ce sera en bleu) et souligné.
`<IMG SRC="papillon.gif">`	A l'endroit où on veut afficher une image. Celle-ci doit être en format GIF ou JPEG. L'attribut `SRC` indique l'emplacement de son fichier sur le disque dur du serveur.

Toutes ces balises ont été employées dans l'exemple précédent.

Création d'une page Web avec HTML

Vous allez enfin créer votre première page Web avec HTML. Tout le secret d'une bonne utilisation de HTML réside dans le choix de la balise la plus appropriée. Maintenant que vous n'ignorez plus ce qu'est une balise, qu'avez-vous besoin de savoir de plus ? Peut-être comment on peut les classer :

- **Balises contenant des *méta-informations* sur le document.** Les *méta-informations* sont des informations, telles que le titre du document placé dans la section d'en-tête (⟨HEAD⟩), qui ne sont pas affichées, mais utilisées par certains outils du Web comme les moteurs de recherche pour savoir de quoi traite votre document.

- **Balises de mise en forme du texte.** Elles modifient simplement la présentation du texte affiché par le navigateur, comme ⟨B⟩ ⟨/B⟩ ou ⟨I⟩ ⟨/I⟩.

- **Balises de liens.** Elles créent un lien vers d'autres informations qui seront chargées par le navigateur. Nous y viendrons un peu plus loin.

Une fois créé et sauvegardé, le document HTML est prêt à être utilisé.

Créons un fichier vierge pour le document HTML

Un fichier HTML ne doit contenir que du texte pur et être absolument dépourvu de toute indication de formatage comme c'est le cas, par exemple, pour les documents élaborés avec Word pour Windows. Son nom doit avoir l'extension **.htm** ou **.html**.

Voici comment créer un fichier vide destiné à contenir du texte pur et dans lequel vous allez placer votre code HTML.

1. **Lancez votre éditeur de texte ou votre traitement de texte.**

2. **Ouvrez un nouveau document.**

3. **Sauvegardez ce document vide de façon à lui donner tout de suite un nom.**

   En général, c'est l'entrée de menu En<u>r</u>egistrer sous... du menu <u>F</u>ichier qui convient pour cette opération. Choisissez Texte comme type de fichier.

Ne choisissez pas Texte avec retours chariot si votre logiciel vous le propose, car ça ne ferait que compliquer les choses.

4. **Donnez un nom au document.**

   Et tapez **.htm** à la suite de ce nom.

5. **Sauvegardez le document.**

   En général, il vous suffit de cliquer sur le bouton Enregistrer ou d'appuyer sur <Entrée>.

Maintenant que vous avez créé un document HTML vierge, il ne vous reste plus qu'à le garnir !

Au travail !

Il faut vous y faire : votre document va commencer par quelques balises dont le contenu ne sera pas affiché. Ce sont ces *méta-informations* dont nous vous avons parlé plus haut.

- `<HTML>` `</HTML>` : Le conteneur ainsi défini renferme tout ce qui va se trouver dans votre document. Les deux balises occupent respectivement les première et dernière lignes.

- `<HEAD>` `</HEAD>` : Ce conteneur définit la section d'en-tête du document, celle dans laquelle on trouvera principalement le conteneur de titre (`<TITLE>`).

- `<TITLE>` `</TITLE>` : Ce conteneur renferme le titre du document, titre qui ne sera pas affiché dans la fenêtre de votre navigateur mais dans la barre de titre de sa fenêtre.

- `<BODY>` `</BODY>` : Ce conteneur renferme tout le reste du document HTML, c'est-à-dire tout ce qui sera affiché par le navigateur.

Certains éditeurs HTML spécialisés composent automatiquement une structure contenant ces balises lorsque vous créez un nouveau fichier, de sorte que vous n'avez pas à les taper vous-même. Cependant, vous pouvez avoir besoin de renseigner la balise `<TITLE>` pour donner à votre page le titre que vous souhaitez voir affiché.

Voici comment se présentent dans notre document les quatre balises que nous venons de décrire :

```
<HTML>
<HEAD>
<TITLE>Ma petite famille</TITLE>
</HEAD>
<BODY>
Le contenu de votre document viendra ici.
</BODY>
</HTML>
```

Les outils habituels du Web utilisent couramment ces balises. L'option de recherche avancée d'AltaVista permet aux utilisateurs de ce moteur de recherche d'orienter leur recherche sur les mots qui sont dans la balise <TITLE>. Pour cela, il suffit de saisir "title:" suivi du texte que vous recherchez dans le titre. Rappelons que l'URL d'AltaVista est http:// www.altavista.com ou http://www.altavista.fr (antenne française).

Netscape Navigator et Internet Explorer utilisent le contenu de la balise <TITLE> comme description pour leur menu Signet. (Favoris pour Internet Explorer). Il est également affiché dans la barre de titre de la fenêtre du navigateur.

Pour vous faciliter le travail si vous n'utilisez pas un éditeur HTML spécialisé, créez un fichier ne contenant que les balises visibles dans l'exemple précédent et sauvegardez-le, par exemple, sous le nom de modele.htm. Quand vous voudrez créer un nouveau document, vous chargerez modele.htm et remplirez les blancs, puis vous le sauvegarderez à nouveau, mais cette fois, sous son nom définitif.

Nous n'allons pas détailler une par une les opérations de création de ce fichier, puisqu'elles se ramènent à décrire l'utilisation de n'importe quel éditeur de texte et qu'il n'y en a pas deux qui aient exactement les mêmes commandes.

Souvenez-vous que </HTML> doit toujours être la dernière balise (et la dernière ligne) de tout document HTML.

Un titre et quelques balises

La plupart des documents HTML commencent par un titre qui apparaît en haut de la page. Il est défini comme tel par un conteneur <Hn>, avec *n* compris entre 1 et 6 selon l'importance logique du titre. Beaucoup de documents se contentent d'un seul titre <H1>. On descend rarement plus bas que le niveau <H4>. Ensuite vient le texte proprement dit du document où certains mots ou groupes de mots peuvent être affichés en **gras** ou en *italique*.

Il ne faut pas abuser du gras ou de l'italique. De la même façon que les novices du traitement de texte utilisent trois polices de caractères différentes par ligne, les débutants en HTML ont tendance à abuser du gras et de l'italique. Au moment de la prévisualisation de votre texte, faites attention à ces détails et, en cas de doute, bannissez gras et italique. Vos visiteurs vous diront merci.

Voici un exemple de la façon dont vous pouvez saisir le contenu d'une page Web élémentaire :

1. **A la suite de la balise** ⟨BODY⟩ **et avant la balise** ⟨/BODY⟩**, placez un titre de plus haut niveau que vous encadrerez avec** ⟨H1⟩ **et** ⟨/H1⟩**.**

   Ce premier titre est souvent identique à celui qui a été utilisé pour ⟨TITLE⟩.

2. **Tapez ensuite du texte.**

   Pour que votre page puisse être exploitée au mieux par les moteurs de recherche du Web, ce premier paragraphe doit être un **très court** résumé de ce qui va suivre.

3. **A la fin de chaque paragraphe, placez un marqueur** ⟨P⟩**.**

   Peu importe le nombre de fois que vous appuierez sur <Entrée> dans votre document, car, comme nous l'avons dit, les navigateurs n'en tiendront pas compte. D'où la nécessité d'utiliser ⟨P⟩.

4. **Encadrez quelques mots du texte que vous venez de taper avec** ⟨B⟩ **et** ⟨/B⟩ **pour qu'il soit affiché en gras.**

   C'est ici simplement à titre d'exemple. Dans la réalité, le gras doit être utilisé avec circonspection.

5. **Encadrez quelques mots du texte que vous venez de taper avec** ⟨I⟩ **et** ⟨/I⟩ **pour qu'ils soient affichés en italique.**

   Toujours à titre d'exemple. Dans la réalité, l'italique, comme le gras, doit être utilisé avec circonspection.

6. **Ajoutez maintenant un filet de séparation horizontal.**

   Autrement dit, tapez ⟨HR⟩.

   Comme vous l'avez fait pour les titres du document, isolez ce marqueur sur une seule ligne de façon à pouvoir le localiser plus facilement ensuite.

7. **Vérifiez maintenant le texte que vous venez de taper.**

   En particulier, faites bien attention aux balises de fermeture (celles qui contiennent un slash).

   La meilleure façon d'être sûr que vous n'avez pas fait d'erreurs consiste à imprimer votre document et à apparier chaque couple de balises avec un crayon.

8. **Sauvegardez votre document.**

   Si vous avez utilisé un traitement de texte, faites bien attention à effectuer la sauvegarde sous forme de texte pur, sans formatage.

Et si nous ajoutions une petite liste ?

Un des meilleurs moyens d'aérer une page Web est d'y placer une liste. HTML vous permet de constituer plusieurs types de listes dont seulement trois sont réellement utilisés : listes à puces, listes numérotées et listes de définitions. Les articles des listes sont indentés d'une quantité qui dépend du navigateur qu'utilisera le lecteur.

- **Listes à puces** (dites aussi *listes non numérotées*). Chaque article est précédé d'une marque (généralement en forme de gros point), un peu comme celle que vous avez sous les yeux en ce moment. Les listes à puces sont placées dans un conteneur ⟨UL⟩.

- **Listes numérotées** (dites aussi *listes ordonnées*). Au lieu d'une puce, chaque article est précédé d'un numéro. Ces numéros commencent par défaut à 1 et vont croissant. Les listes numérotées sont placées dans un conteneur ⟨OL⟩.

- **Listes de définitions** (dites aussi *listes de glossaire*). Ces listes présentent un terme puis sa définition. Le terme vient à la place de la puce ou du chiffre des listes précédentes. La définition suit, en retrait, et à la ligne suivante. Les listes de définitions sont placées dans un conteneur ⟨DL⟩.

Voici, à titre d'exemple, comment constituer une liste à puces (pour une liste numérotée, ce serait à peu près pareil : il suffirait de remplacer ⟨UL⟩ et ⟨/UL⟩ par ⟨OL⟩ et ⟨/OL⟩) :

1. **Placez un marqueur ⟨UL⟩ en début de ligne.**

2. **A la ligne suivante, tapez** ⟨LI⟩.

3. **Sur la même ligne, tapez le texte de cet article de liste.**

   Pourquoi pas "Corbeau" ? (Sans les guillemets, bien sûr.)

4. **Répétez les étapes 2 et 3 pour chacun des articles suivants.**

   Par exemple : " Oiseau des îles" et "Paon du Japon" (toujours sans les guillemets).

   Attention : la balise ⟨LI⟩ s'emploie toute seule. Il n'y a pas de balise terminale.

5. **Il ne vous reste plus qu'à refermer la liste en tapant** ⟨/UL⟩ **tout seul sur la ligne suivant le dernier article.**

Pour créer une liste de définitions, voici comment procéder :

1. **Placez un marqueur** ⟨DL⟩ **en début de ligne.**

2. **A la ligne suivante, tapez** ⟨DT⟩.

3. **Sur la même ligne, tapez le mot que vous voulez définir.**

4. **A la ligne suivante, tapez** ⟨DD⟩.

5. **Sur la même ligne, tapez la définition du mot précédent.**

6. **Répétez les étapes 2 à 5 pour les articles (couples de mots et leur définition) suivants.**

   Ici non plus, il ne faut pas utiliser de balise de fermeture pour chacun des éléments du couple constituant l'article.

7. **Terminez la liste en tapant** ⟨/DL⟩ **tout seul sur la ligne suivant le dernier article.**

La Figure 7.5 vous présente un exemple de chacun de ces trois types de listes avec le code HTML correspondant.

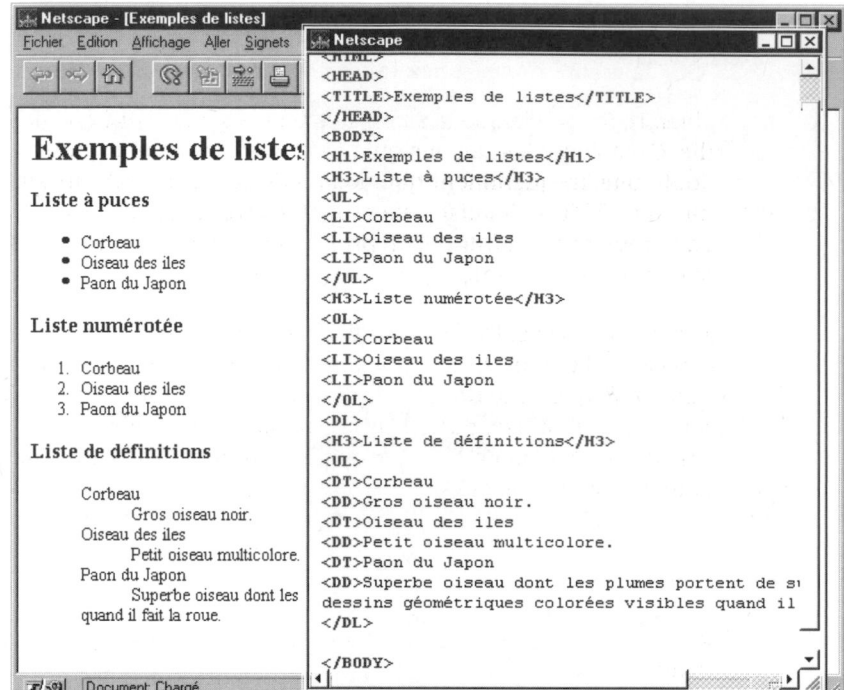

Figure 7.5 :
Exemples de
listes HTML.

HTML et les langues européennes[1]

HTML ne connaît que l'alphabet ASCII standard qui est limité à 128 caractères. Si cela ne gêne en rien les populations anglophones, il n'en est pas de même dans les pays européens dans les langues desquels accents et autres caractères diacritiques viennent mettre un peu de piment. HTML a prévu un moyen de remédier à cette lacune par l'emploi d'une notation particulière appelée *entités de caractères*. Pour cela, on utilise une courte description du caractère à représenter encadrée à gauche par "&" et à droite par ";".

Ainsi, en HTML, la phrase suivante :

```
L'élève du château suit sans ambiguïté les propos de son maître.
```

s'écrirait :

---

1. Cette section ne figure pas dans l'édition originale du livre. *(N.d.T.)*

```
L'&eacute;l&egrave;ve du ch&acirc;teau suit sans
ambigu&iuml;t&eacute; les propos de son ma&icirc;tre.
```

Il faut bien reconnaître que la saisie des textes s'en trouve considérablement alourdie. C'est l'une des raisons qui nous conduisent, nous autres Européens, sans doute plus fréquemment que nos collègues d'outre-Atlantique, à utiliser des éditeurs HTML spécialisés effectuant les traductions nécessaires à la volée, au moment de la frappe, de préférence à des éditeurs de texte classiques avec lesquels nous devrions tout détailler.

Si vous n'utilisez pas cette façon spéciale d'écrire les caractères accentués, tout se passera bien lorsque le visiteur de votre présentation Web utilisera la même machine que celle dont vous vous êtes servi pour la créer. Mais ce ne sera pas le cas s'il utilise, par exemple, un Macintosh alors que vous avez créé vos pages avec un PC, car la représentation interne des caractères est différente. Certains navigateurs sauront s'en arranger, mais pas tous. Par ailleurs, certains navigateurs... exotiques (c'est-à-dire autres que les deux ténors : Netscape Navigator et Internet Explorer) rechigneront à accepter des caractères ne faisant pas strictement partie de l'alphabet ASCII standard.

Le Tableau 7.2 vous présente quelques-unes des entités les plus usitées dans notre langue :

Tableau 7.2 : Entités de caractères fréquemment utilisées en français.

Caractère	Entité de caractère
à	à
â	â
ç	ç
é	é
è	è
ê	ê
ë	ë
î	î
ô	ô
ù	ù
û	û

Les ancrages

Dans cette section, nous allons vous montrer comment utiliser l'hypertexte pour créer des liens entre documents HTML. Comme dans la vie réelle, en HTML, chaque lien a deux extrémités : celle d'où l'on part et celle où l'on aboutit.

Un ancrage constitue le début d'un lien. Il apparaît dans un document sous forme de texte souligné et affiché d'une couleur différente (par défaut en bleu) ou d'une image entourée d'une bordure colorée. Lorsque vous cliquez sur un ancrage, cela provoque le chargement d'une nouvelle page (placée à l'autre extrémité du lien) dont le contenu vient remplacer celui qui se trouvait auparavant dans la fenêtre de votre navigateur. Pour revenir à l'ancienne page, vous devez utiliser le bouton "vers l'arrière" (ou page précédente) de votre navigateur.

Un ancrage demande deux informations :

- Le texte ou l'image qui va servir d'appel de lien. C'est à cet endroit que cliquera l'utilisateur.

- L'adresse de la nouvelle page à charger.

Pour certains, les ancrages constituent la pierre d'achoppement de HTML. Nous espérons qu'il n'en sera pas de même pour vous et que, grâce à nos pertinentes explications, vous allez découvrir combien leur utilisation est simple. Voici un exemple d'ancrage :

```
<A HREF="http://www.monchien.fr">Centre de dressage</A>
```

Décomposons :

- `<A>` ... `</A>` : c'est le conteneur de l'ancrage qui va entourer le texte qui servira d'appel pour la nouvelle page à charger.

- `HREF` : c'est l'*attribut* qui indique que ce qui va suivre sera l'adresse de la nouvelle page à charger.

- "référence hypertexte" : c'est l'adresse — placée entre guillemets — de la nouvelle page à charger. Ici : `"http://www.monchien.fr"`.

Peu importe le serveur Web sur lequel se trouve la nouvelle page : que ce soit le même que pour la page précédente ou un autre serveur situé n'importe où, l'adresse indiquée (l'URL) fournit tous les renseignements nécessaires pour que le navigateur puisse retrouver la page et la charger. Cette adresse peut se simplifier lorsque la nouvelle page se trouve au même endroit (sur le même serveur) que celle qui contenait l'ancrage.

Lorsque la page à charger est sur le même serveur que la page d'appel, les adresses peuvent se présenter sous deux formes :

- **Adresse absolue** : elle spécifie le chemin d'accès complet de la nouvelle page par rapport au répertoire racine du serveur et commence par un slash (/).

- **Adresse relative** : elle spécifie le chemin d'accès complet de la nouvelle page par rapport au répertoire où se trouvait la page de l'appel sur le serveur et ne commence pas par un slash (/). Elle peut commencer par . . pour indiquer le répertoire de niveau immédiatement supérieur. (Revoir éventuellement ce que vous avez certainement appris sur la gestion de fichiers sous Windows.)

Tableau 7.3 : Exemples de liens hypertexte.

Destination	Ancrage
Document situé sur un serveur différent	`<A HREF="http://www.machin.fr/autruche.htm">La vie des autruches</A>`
Document situé sur le même serveur et dans le même répertoire	`<A HREF="autruche.htm"> La vie des autruches</A>`
Document situé sur le même serveur mais dans un autre répertoire (adresse relative)	`<A HREF="animaux/autruche.htm"> La vie des autruches</A>`
Document situé sur le même serveur mais dans un autre répertoire (adresse absolue)	`<A HREF="/monsite/animaux/autruche.htm"> La vie des autruches</A>`

Si la page actuelle se trouve dans le répertoire /monsite/toto, et que la nouvelle page (nouvo.htm) figure dans le répertoire /monsite/toto/alpha, l'adresse relative s'écrira :

```
alpha/nouvo.htm
```

Si vous aviez voulu indiquer l'adresse d'un document HTML appelé otre.htm situé dans le répertoire /monsite/essais, vous auriez écrit :

```
../essais/otre.htm
```

Pour les présentations Web simples que vous concevrez, placez tous vos fichiers dans le même répertoire : cela simplifiera grandement l'écriture des liens et vous évitera de nombreuses erreurs.

Le Tableau 7.3 présente quelques exemples d'ancrages.

Ecrivez un lien

Pour être sûr d'avoir bien compris, vous allez maintenant passer à la pratique.

1. **Ouvrez un document HTML existant.**

2. **Placez-vous dans ce document à l'endroit où vous voulez ajouter un appel de lien.**

3. **Commencez par taper** `<A HREF="`.

4. **Tapez maintenant l'adresse de la page à charger.** Supposons que son nom soit `suivante.htm`.

    Si cette page se trouve dans le même répertoire (comme nous venons de vous le recommander), tapez simplement `suivante.htm`.

    Si cette page se trouve sur un autre serveur (possible, mais à éviter), vous devez indiquer l'adresse de ce serveur suivie du chemin d'accès complet (absolu) de la page. Par exemple : `http://www.otreserv.fr/toto/html/suivante.htm`.

    Si vous n'indiquez aucun nom de fichier, le navigateur cherchera par défaut un fichier `index.htm` ou `index.html`.

5. **Refermez le marqueur** `<A>` **initial en tapant un guillemet (") suivi d'un chevron fermant (>).**

6. **Tapez maintenant le texte d'appel : celui sur lequel cliquera le visiteur.** Par exemple : `Suite de mes aventures`.

7. **Refermez le conteneur d'ancrage en tapant** `</A>`.

Les liens à la loupe

Et si vous voulez aller à un endroit différent de la même page ? Cela pourrait être le cas si cette page est longue et que vous voulez que votre visiteur puisse se déplacer rapidement à l'intérieur sans avoir à jouer avec l'ascenseur vertical du navigateur.

Dans ce cas, vous devez définir un point de référence dans la page (ou plusieurs si vous voulez pouvoir aller à différents endroits de cette page). En outre, l'appel du lien revêtira une forme différente, plus simple puisque la page où on doit aboutir est déjà chargée.

Voici, par exemple, comment atteindre le paragraphe de la même page contenant la conclusion d'un rapport :

```
Pour savoir <A HREF="#Conclusions">le fin mot</A> de l'histoire
```

Le second ancrage, là où doit aboutir le lien, devra être repéré par une *étiquette* qui sera constituée par l'ancrage suivant :

```
<A NAME="Conclusions"></A>
```

Ce point de référence ne sera pas affiché sur l'écran : c'est une *référence interne*. Il doit néanmoins comporter un marqueur de fermeture </A> et on ne doit rien écrire entre les deux marqueurs.

Une faute courante consiste à répéter le caractère dièse (#) sur l'ancrage marquant le point de référence. Tâchez d'éviter de la commettre.

Remarquons que ce point de référence interne pourrait être utilisé dans une adresse complète si, au lieu d'afficher un document à partir de son début, vous vouliez que ce soit une autre partie qui soit immédiatement visible dans la fenêtre du navigateur. Dans ce cas, vous écririez par exemple :

```
Pour savoir
<A HREF="http://www.bidule.fr/alfred/savie.htm#Conclusions">
le fin mot</A> de l'histoire
```

Le nom du point de référence (attribut NAME) doit être écrit exactement de la même façon que son appel (attribut HREF), majuscules et minuscules compri-ses. La seule différence est l'absence de tout caractère dièse (#) dans le nom du point de référence.

Il est assez fréquent de créer des ancrages à l'intérieur d'un même document. Beaucoup de sites Web proposent des documents d'une certaine longueur en tête desquels ils placent une sorte de table des matières comportant une liste de références internes (c'est ce qu'on appelle un *menu de liens*). En cliquant sur l'une d'elles, le visiteur aboutit directement au paragraphe qui l'intéresse.

Avec quoi peut-on établir un lien ?

Avec beaucoup de types de médias et pas seulement avec d'autres fichiers HTML. Une image, un fichier contenant de la musique numérisée, une animation, un clip vidéo... sont des "objets" qu'on peut fort bien charger dans un navigateur et que celui-ci saura généralement interpréter correctement, pour peu qu'il dispose d'*assistants* logiciels (*plugins*) pour certains types de fichiers. Tous les navigateurs savent interpréter automatiquement les fichiers contenant du texte ou des images en format GIF ou JPEG. C'est pourquoi nous n'emploierons que ce type de liens dans le reste de ce livre.

Contemplez votre chef-d'œuvre

Et voici arrivé le moment que vous attendiez avec une impatience mal dissimulée. Si vous avez bien suivi nos explications, vous êtes maintenant en possession d'un petit document HTML prêt à être utilisé. Pour voir comment il s'affiche, vous allez utiliser votre navigateur. Non seulement vous pourrez voir le contenu de ce document, mais vous pourrez aussi suivre tous les liens *internes* qu'il contient éventuellement. (Pour les liens externes, il faudrait que vous établissiez préalablement la connexion avec votre fournisseur d'accès à l'Internet.)

Mais comme votre document HTML n'est pas placé sur un véritable serveur Web (puisqu'il est toujours sur votre propre disque dur), vous serez le seul à pouvoir l'examiner : les gens de l'extérieur n'y auront évidemment pas accès.

Voici comment vous allez procéder sous Windows avec votre navigateur :

1. **Lancez votre navigateur.**

2. **Dans le menu Fichier, cliquez sur Fichier/Ouvrir (ou, plus simplement, tapez <Ctrl>+<O>).**

3. **Une boîte de sélection de fichier s'affiche.**

    Sélectionnez le répertoire où se trouve votre page et double-cliquez sur le nom du fichier HTML que vous voulez examiner.

4. **Regardez si votre page, maintenant affichée, est conforme à ce que vous espérez et voyez si vous ne voulez pas y ajouter quelque chose.**

   Par exemple, si la moitié de *votre document est en italique* et que `le reste est souligné` comme s'il faisait partie d'un lien, il y a sans doute une balise qui n'est pas (ou mal) refermée.

5. **Ouvrez alors le document HTML dans votre éditeur de texte et corrigez-le.**

6. **Sauvegardez le document modifié.**

7. **Au moyen de la commande Recharger (Netscape Navigator) ou Actualiser (Internet Explorer), rechargez le document modifié dans votre navigateur.**

8. **Répétez les étapes 4 à 7 jusqu'à ce que tout vous semble correct.**

Les étapes suivantes

Dans ce chapitre, nous n'avons exposé que les rudiments de HTML. Pour créer de véritables pages Web, vous devez en apprendre davantage sur ce "langage".

Si vous utilisez l'un des outils logiciels comme ceux qui seront décrits dans la cinquième partie, il n'est pas nécessaire de vous impliquer de trop près dans HTML. Mais pour corriger un petit détail, la connaissance de HTML est souvent indispensable.

L'Annexe C contient une liste des balises HTML qui constitue un guide de référence rapide. Vous y trouverez toutes les balises reconnues par HTML 3.2, en compagnie de quelques autres, d'usage courant. Pour de plus amples détails, consultez *HTML 4 pour les Nuls*, dans la même collection, chez le même éditeur.

Chapitre 8
Le poids des images

....

Dans ce chapitre :

▶ Comment utiliser des images.

▶ Comment tirer le meilleur parti de vos images.

▶ Comment créer des images de qualité.

....

*U*n des facteurs qui ont contribué au succès du Web, c'est indubitablement le mariage du texte avec l'image. Bien avant que le Web n'existe, les échanges d'informations sur l'Internet se faisaient au moyen de texte : courrier électronique, news de Usenet, forums des BBS. On peut dire que Gopher a été un précurseur du Web (en mode texte, uniquement), mais ce qui a réellement fait décoller le Web (et, du même coup, condamné Gopher), c'est l'avènement de l'image, apparue avec le premier navigateur Mosaic.

L'image, c'est le sel du Web, cc qui l'a popularisé. Grâce à l'image, vous pouvez donner à votre site Web un certain *look and feel* qui personnalisera vos pages. Aussi faut-il en utiliser peu ou prou dans vos pages. Une page sans images n'attirera pas grand monde. De la même façon, vous pouvez agrémenter une page Web avec du multimédia, audio, vidéo (animations), qui devient de jour en jour plus courant.

Dans ce chapitre, nous allons étudier les aspects pratiques de l'utilisation des images et expliquer comment créer certains "effets spéciaux".

Pour réussir dans la tâche un peu complexe qui consiste à incorporer des images dans une page Web, vous devez connaître quelques rudiments de HTML et avoir une petite expérience des pages Web. Commencez par créer une page simple comme nous vous l'avons expliqué aux Chapitres 3, 5 et 6 avant de vous lancer dans le graphique. Et si HTML est pour vous lettre morte, lisez ou relisez le Chapitre 7 avant d'aborder celui-ci.

Si vous avez l'intention d'utiliser des images et/ou du multimédia dans vos pages Web, envisagez l'acquisition d'un des outils logiciels d'édition Web que nous décrirons dans la cinquième partie. Ils sont conçus spécialement pour prendre en charge le côté ingrat de tâches complexes telles que la mise en place correcte et le bon dimensionnement des images et du multimédia.

Les images

Le choix et le mélange des images dans le texte d'une page Web ne sont pas aussi faciles qu'on pourrait le croire. Nous n'aborderons pas ici les techniques de mise en page graphique, mais nous insisterons sur les conséquences que peut avoir l'utilisation des images sur la façon dont vos visiteurs perçoivent votre page.

Images et vitesse de chargement

Un des problèmes permanents du Web est la vitesse de chargement des pages, c'est-à-dire le temps qu'elles mettent à se charger et à s'afficher complètement. C'est particulièrement vrai lorsqu'une page contient beaucoup d'images. Si intéressantes qu'elles puissent être, elles ralentissent, parfois de façon notable, le chargement des pages. Beaucoup de facteurs interviennent ici ; nous allons détailler les trois principaux :

- **Vitesse d'accès.** Tous les utilisateurs ne se connectent pas à l'Internet de la même façon et, en particulier, le débit de leurs connexions peut varier dans d'appréciables proportions, indépendamment du serveur lui-même. Lorsque vous testez votre page Web toute fraîche en local, sans connexion, tout se passe le mieux du monde. Mais lorsque votre visiteur va télécharger cette même page depuis l'Internet en utilisant un modem à 28 800 bps (bits par seconde), tout va changer. Surtout s'il opère à une heure de pointe où la charge des réseaux est importante.

- **Bonnes et moins bonnes images.** Si vous avez l'intention de faire perdre du temps à vos visiteurs dans le chargement de vos images, faites en sorte qu'elles soient de la meilleure qualité possible. Si une image est mauvaise, les gens n'accepteront pas d'attendre aussi longtemps que si elle est excellente. Une bonne image, cela peut être une image réactive utilisée comme moyen de navigation pour explorer la totalité d'un site. Une mauvaise image, cela peut être une bannière qui vous dit "Hello" en Technicolor DeLuxe.

- **Niveaux de frustration.** Les mêmes utilisateurs qui attendent tranquillement le chargement de votre page en buvant leur café matinal seront tentés d'arrêter les frais s'ils lancent la même opération à un moment de la journée où les réseaux sont très encombrés.

Alors, que pouvez-vous faire pour prendre en compte ces facteurs, tout spécialement lorsqu'ils produisent des effets cumulatifs ralentissant le temps de chargement de votre page au point d'en dégoûter les visiteurs de bonne volonté ? Etre astucieux et essayer par tous les moyens (la compression, en particulier) de réduire la taille de vos fichiers d'images. Pour cela, prenez conseil auprès des gens compétents — dans ce livre ou de vive voix — et consultez les sites Web spécialisés dans les images afin de faire le meilleur choix et de ne retenir que les plus intéressantes d'entre elles. Vous pouvez aussi parsemer votre page de petites images plutôt que d'y placer une seule image de grande taille. Dans ce chapitre, nous allons détailler ces solutions.

Le Tableau 8.1 montre le temps approximatif nécessaire pour transférer 100 Ko d'informations. Une page de texte ne dépasse généralement pas quelques Ko, alors que la taille d'une image se chiffre plutôt en dizaines de Ko. Par exemple, une image au format GIF moyennement complexe, occupant un quart d'écran, "pèse" quelque 50 Ko. Faites le total de la taille de chacun des éléments qui composent votre page, et comparez le résultat avec les chiffres du Tableau 8.1 pour avoir une idée de ce que ressentira votre visiteur et de la dose de patience dont il devra éventuellement faire preuve.

Tableau 8.1 : Temps nécessaire pour télécharger 100 Ko.

Vitesse d'accès	Description	Temps
14,4 Kbps	Modem très ancien	1 minute
28,8 Kbps	Modem un peu ancien	30 secondes
56 Kbps	Modem actuel (V90)	20 secondes[1]
Numéris ou ADSL	Ligne téléphonique numérique	2 secondes
Câble télévision	Télédistribution d'images animées	Moins d'une seconde
Ethernet	Réseau local	Moins d'une seconde

1. Un modem V90 ne reçoit jamais réellement des informations à 56 Kbps, mais, au mieux, à un peu moins de 50 Kbps. *(N.d.T.)*

Les formats d'images GIF et JPEG

Il existe de nombreux *formats* d'images. C'est sous ce terme qu'on désigne la façon dont sont arrangés dans le fichier les éléments qui représentent les pixels de l'image. Par bonheur, en ce qui concerne le Web, on n'y rencontre principalement que deux formats : GIF et JPEG, et il n'est pas vraiment nécessaire d'entrer dans la structure interne de chacun des deux pour les utiliser[2].

GIF (*Graphics Interchange Format* : format d'échange d'images) est sans doute le format actuellement le plus utilisé. Créé par CompuServe, il s'est très vite répandu sur l'Internet et le Web. Tous les navigateurs qui supportent les images l'acceptent.

Les images GIF ne peuvent pas comporter plus de 256 couleurs, ce qui fait qu'elles conviennent principalement aux images n'ayant que relativement peu de couleurs, c'est-à-dire celles qui ont été créées avec un outil logiciel de dessin. Les images photographiques risqueront de perdre un peu de la subtilité de leurs teintes.

Formats d'image standards

Les navigateurs récents sont capables de manipuler de façon native trois types d'informations : le texte, les images en format GIF et les images en format JPEG. (On prononce d'ordinaire "GIF" avec un "g" doux comme dans "gifle" et non un "g" dur comme dans "guignol".) Les autres formats de représentation ne sont pas reconnus d'emblée, et il est nécessaire de disposer d'un *assistant logiciel* pour les afficher ou les entendre (s'il s'agit d'un fichier audio). Le fichier d'image est toujours séparé du fichier HTML contenant le texte. Cela peut parfois entraîner des problèmes lorsque, par exemple, on place texte et images dans des répertoires distincts.

JPEG (*Joint Photographic Experts Group* : groupe d'experts en photo) est un format qui met en œuvre des algorithmes de compression complexes pour diminuer l'encombrement des images. A l'heure actuelle, il est automatiquement reconnu par la plupart des navigateurs à l'instar du format GIF. C'est le format de prédilection pour les images photographiques dont il préserve la délicatesse des nuances.

---

2. Pour des raisons de copyright, il est maintenant conseillé d'abandonner le format GIF au profit du format PNG, entièrement libre de droits et reconnu par les dernières versions de Netscape Navigator et d'Internet Explorer. *(N. d. T.)*

Quel est le meilleur des deux formats ? De nombreuses controverses sont apparues sur ce sujet. Tout dépend de la nature des images ainsi traitées. Avec GIF, il n'y a aucune perte d'information, sauf en ce qui concerne le nombre de couleurs, réduit à 256. En revanche, avec JPEG, certains détails peuvent être perdus lors de la compression, d'autant plus que le taux de compression est élevé. Pour les images photographiques, JPEG donne des fichiers qui sont généralement de taille inférieure à leur équivalent en format GIF. En outre, il n'est pas limité en nombre de couleurs reproduites. Par contre, le décodage des images par le navigateur est un peu plus lent.

Les Figures 8.1, 8.2 et 8.3 représentent la même image (le portrait de Jean-Sébastien Bach) en formats BMP, GIF et JPEG, vue au moyen du logiciel de visualisation ACDSee. On ne discerne pratiquement pas de perte de qualité. Tout au plus une légère différence de couleur avec le format GIF qui n'autorise que 256 couleurs alors que les deux autres profitent de 16 millions de couleurs. Nous avons indiqué entre parenthèses la taille de l'image dans chacun des formats proposés.

Figure 8.1 :
Jean-
Sébastien
Bach en
format BMP
(517 Ko).

Figure 8.2 :
Jean-Sébastien Bach en format GIF (128 Ko).

Les images GIF contenant de nombreux aplats de teinte uniforme tendent à être de plus petite taille ; c'est le meilleur format pour les séparateurs colorés ou les icônes, autrement dit les images créées au moyen d'outils de dessin simples. Par contre, il faut préférer le format JPEG pour les photos et les dessins très fouillés.

Les fichiers GIF offrent d'autres avantages comme la *transparence* et l'*entrelacement*. La *transparence*, c'est la possibilité de choisir une des couleurs (généralement celle du fond) et de la rendre transparente de façon qu'on puisse voir ce qu'il y a derrière, sur la page. L'*entrelacement* consiste à sauvegarder une image d'une façon particulière, afin qu'elle se charge progressivement dans son ensemble, les détails s'affinant peu à peu au fur et à mesure de la transmission. Nous allons y revenir dans une prochaine section de ce chapitre. La Figure 8.4 montre la différence entre une image GIF normale et la même, transparente (l'arrière-plan a été choisi à dessein très présent).

Figure 8.3 :
Jean-
Sébastien
Bach en
format JPEG
(31 Ko).

Figure 8.4 :
Images GIF
normale et
transpa-
rente.

Pour ces raisons, on préfère généralement utiliser JPEG pour des photos et GIF pour tout le reste. Lorsque vous aurez acquis davantage d'expérience, vous pourrez faire des essais avec ces deux formats et choisir celui qui vous semble être le meilleur dans chaque cas.

De nouvelles versions de JPEG offrant les mêmes avantages que GIF commencent à apparaître, mais tous les outils graphiques ne sont pas encore capables de les exploiter. De même pour les navigateurs. Mieux vaut donc continuer à utiliser les images au format GIF lorsqu'on souhaite réaliser des images transparentes.

Certaines couleurs sont mal rendues sur des ordinateurs dont la carte vidéo est réglée pour afficher seulement 256 couleurs. Pour éviter cet inconvénient, on peut se limiter à l'ensemble des 216 couleurs qui sont toujours correctement rendues avec n'importe quel navigateur et sur n'importe quelle machine. Vous trouverez une liste de ces couleurs à l'URL :

```
http://www.bagism.com/colormaker
```

Comment et où se procurer des images ?

Lorsqu'on veut illustrer une page Web, on a le choix entre chercher des images qui conviennent au sujet ou les créer soi-même. Quelle que soit la solution retenue, il n'y a pas de grandes difficultés à surmonter.

La façon la plus simple de se procurer des images est d'acquérir des collections de *cliparts* qui sont assez largement proposées sur CD-ROM. Il en existe un certain nombre libres de tous droits. Vous pouvez aussi en rechercher sur le Web, mais cela risque de vous prendre beaucoup de temps. S'il vous faut juste une ou deux images, le jeu n'en vaut pas la chandelle. Vous pourrez trouver des images à l'URL suivante :

```
http://www.maths.tcd.ie/pub/images/images.html
```

Pour des trames de fond de page, voyez :

```
http://www.webreference.com/authoring/graphics/backgrounds.html
```

Enfin, pour les photos, voici les URL de trois pages où vous pourrez en trouver facilement :

```
http://www.weststock.com
http://www.eyewire.com
http://www.filmworks.com
```

Il existe bien d'autres sites sur les images et leur conversion. Commencez par ceux que nous venons de mentionner et étendez ensuite vos recherches jusqu'à ce que vous trouviez ce qu'il vous faut.

AltaVista vous permet de lancer une recherche sur des images. C'est l'un des meilleurs moyens d'en trouver qui vous conviennent, mais, malheureusement, elles risquent de ne pas être libres de droits, et en les "empruntant" vous vous rendriez coupable d'une violation de copyright.

Pour peu que vous ayez un bon coup de crayon (pardon, de souris), vous pouvez aussi créer vos images à l'aide d'un logiciel de dessin. Il n'est pas nécessaire d'utiliser pour cela des programmes très élaborés, même les plus simples vous suffiront en général. Les professionnels du graphisme utilisent des outils logiciels de haut niveau, mais ils ont les compétences et l'expérience indispensables pour en tirer parti. Avec Windows est livré MsPaint, qui suffit dans bien des cas. Quel que soit l'outil que vous utiliserez, la principale limite sera finalement votre imagination.

Les professionnels utilisent des logiciels de haut niveau comme Photoshop ou Illustrator, tous deux édités par Adobe. Si vous n'avez pas le talent nécessaire pour créer vos images, essayez de trouver un de vos amis plus doué que vous ou, si vous en avez les moyens, sous-traitez la création de vos images à des graphistes professionnels.

Un autre moyen de se procurer des images consiste à utiliser un scanner pour numériser des dessins ou des photos sur papier. Depuis quelques années, ces appareils ont connu une importante baisse de prix et on en trouve maintenant de bonne qualité pour moins de 1 000 francs qui permettent de traiter des images au format A4. Tous ne permettent pas de sauvegarder les images en format GIF ou JPEG. Dans ce cas, vous devrez utiliser ensuite un logiciel de conversion de format comme Seattle Filmworks (http://www.filmworks.com) ou, plus simplement, LViewPro (http://www.lview.com).

Enfin, il faut citer les appareils photo numériques, qui restent encore relativement chers lorsqu'on recherche une définition suffisante et un rendu des couleurs correct (de 5 000 à plus de 10 000 francs pour avoir des images de bonne qualité au format 1 024 x 768) mais dont le prix ne fait que baisser.

Vos images devront être dans l'un des formats qui conviennent au Web. La plupart des programmes de dessin vous permettent de sauvegarder vos œuvres en GIF ou en JPEG[3]. Si ce n'est pas le cas, le plus simple est de recourir à des programmes de conversion de formats comme LViewPro. Vous trouverez d'autres références d'outils de conversion à l'Annexe D.

---

3. Ce n'est malheureusement pas le cas de MS Paint qui ne sait faire de sauvegarde que dans les formats BMP ou PCX, lesquels ne conviennent absolument pas au Web. *(N.d.T.)*

Pour en savoir plus sur les images

Si vous lisez bien l'anglais, vous trouverez des informations intéressantes sur les formats d'images dans la FAQ intitulée "Graphics File Formats" qui se trouve à l'URL :

```
http://www.dcs.ed.ac.uk/~mxr/gfx/utils-hi.html
```

A partir de cette page, des liens vous conduiront vers des informations techniques sur GIF, JPEG et autres formats.

Pour une description détaillée de la façon pratique d'utiliser les images, voyez :

```
http://home.netscape.com/assist/net_sites/
    impact_docs/index.html
```

Lorsque vous éditez une image, ne la sauvegardez pas en JPEG, car, à force de la sauvegarder et de la rouvrir entre chaque retouche, vous risqueriez d'en dégrader progressivement la qualité jusqu'à un niveau inacceptable.

Attention au copyright !

Que vous résidiez aux Etats-Unis ou en France, vous n'avez pas le droit d'utiliser n'importe quelle image pour illustrer vos pages. La plupart des illustrations que vous pourrez trouver dans la presse écrite ou sur le Web sont en effet protégées par un copyright. Il faut donc demander l'autorisation de les réutiliser en précisant dans quel type de présentation Web (personnelle ou d'entreprise) vous avez l'intention de vous en servir. Dans le premier cas, l'autorisation vous sera assez souvent accordée sans rien payer. Pour des besoins professionnels, cette autorisation vous sera toujours accordée pour peu que vous acceptiez de payer les droits de reproduction qui vous seront demandés.

Trois erreurs à éviter

Evitez de commettre les trois erreurs suivantes :

- **Pas du tout d'image.** Vos pages vont être ennuyeuses. Mais puisque vous êtes en train de lire ce chapitre, nous supposons que vous avez déjà l'intention d'éviter cette erreur.

- **Trop d'images.** C'est une faute courante chez les débutants. Mais certains auteurs expérimentés la commettent également.

- **Pas de texte de remplacement.** N'oubliez pas que certains utilisateurs peuvent avoir désactivé le chargement des images dans leur navigateur et pensez à prévoir un texte de remplacement (attribut ALT) pour chaque image.

Faites une expérience : lancez votre navigateur et désactivez le chargement des images (sous Windows, avec Netscape 4.x, supprimez la coche placée devant Edition/Préférences/Avancées/Charger les images automatiquement). Chargez alors votre propre page Web. Si vous ne pouvez pas dire ce qui se trouve sur la page ou que les appels de liens effectués par des images sont invisibles, il va falloir que vous revoyiez sa conception. Pour que l'expérience soit complète, faites la même chose sur d'autres présentations, après vous être connecté à l'Internet.

Dans ce cas, la façon habituelle de modifier la conception d'une page consiste à y inclure un menu de liens ne comportant que du texte au même endroit que le menu graphique. Certains sites vont jusqu'à prévoir deux jeux de pages : un avec des images et l'autre sans, le visiteur choisissant alors celui qui lui convient. Mais tout cela, c'est un peu de l'histoire ancienne, car le nombre de gens n'affichant pas les images ne cesse de décroître. Le surcroît de travail qui en résulterait, ainsi que la difficulté d'avoir deux versions différentes au contenu informatif strictement identique, ne justifie certainement pas un tel souci.

Voici un exemple de la façon de doubler un menu graphique par son équivalent en texte pur :

```
<IMG SRC="menunav.gif" ALT="Menu de navigation"><P>
[ <A HREF="ausujet.htm"> Au sujet de...</A> |
<A HREF="accueil.htm">Page d'accueil</A> |
<A HREF="liens.htm"> Mes liens favoris</A> |
<A HREF=carte.htm>Carte du site</A> |
<A HREF="cherche.htm">Recherche</A> ]
```

La Figure 8.5 montre ce même fragment affiché en haut après avoir désactivé le chargement des images et en bas normalement.

Figure 8.5 :
Bonne
utilisation de
menu à base
de texte.

Voici les plus importantes règles à observer pour permettre la navigation avec ou sans image dans une page Web :

- Lors de la conception puis de la création de votre page, essayez de vous représenter à quoi elle ressemblera avec ou sans chargement des images.

- Testez votre page après avoir désactivé le chargement des images.

- Testez votre page avec différents navigateurs.

- Pensez à inclure un attribut ALT dans toutes les images pour suppléer leur éventuelle absence. (Vous trouverez tous les détails sur les balises dans le Chapitre 7 et l'Annexe C.)

- Prévoyez des menus à base de texte en plus des menus avec images et des images réactives.

- Si vous voulez vraiment plaire à tout le monde, proposez deux versions de votre site : avec et sans images.

HTML et les images

Trois types d'images produisent des effets différents dans une page :

- **Accents.** De petites images destinées à attirer l'attention sur des points précis ("Nouveau", "Top 10", etc.).

- **Icônes.** De petites images qui servent de liens vers d'autres pages. On clique dessus et la nouvelle page est chargée.

- **Vignettes.** Ce sont des réductions au format d'un timbre-poste sur lesquelles le visiteur peut cliquer pour voir la même image en grandeur réelle (pouvant aller jusqu'à occuper la totalité de l'écran).

Alors que le premier type se contente d'afficher une image, les deux autres combinent la balise d'image ⟨IMG⟩ avec celle de lien ⟨A⟩ pour créer un appel de lien graphique. Nous allons voir en détail comment cela fonctionne.

Vous trouverez à l'Annexe C tous les détails concernant les attributs (options) de ces balises. Vous pouvez aussi consulter *HTML 4 pour les Nuls* d'Ed Tittel, Natanya Pitts et Chelsea Valentine, dans la même collection et chez le même éditeur.

La balise <IMG>

Voici ce qu'il faut faire pour afficher une image :

1. **Trouvez ou créez l'image que vous souhaitez utiliser.**

   Les images que vous allez insérer dans votre page doivent être suffisamment petites pour ne pas ralentir le chargement de votre page. Ne dépassez pas la taille d'une carte de visite. Nous avons donné plus haut plusieurs adresses sur l'Internet où l'on peut trouver des images toutes prêtes.

2. **Dans votre document HTML, insérez une balise ⟨IMG⟩ à l'intérieur de laquelle vous ajouterez l'attribut SRC= suivi du nom du fichier.**

   Pour une image située dans le même répertoire que le document HTML, indiquez son seul nom :

```
<IMG SRC="monimage.gif">
```

Pour une image située sur un autre serveur Web, indiquez son URL complète :

```
< IMG SRC="http://www.serveur.fr/images/sonimage.gif">
```

Cette dernière façon de faire est à déconseiller formellement, car vous ne savez jamais ce qui peut se passer sur un autre site. Par exemple, il peut disparaître ou son légitime possesseur supprimer certaines images. La règle à suivre consiste à **importer** la ou les images qui vous intéressent dans votre propre site avec, bien entendu, l'accord de leur propriétaire.

3. **Ajoutez l'attribut** ALT= **suivi du texte qui devra s'afficher si le visiteur ne charge pas les images.**

```
<IMG SRC="tetrodon.gif" ALT="Poisson des mers chaudes">
```

Image + ancrage = appel de lien

Comme nous l'avons dit dans la première partie de cette section, un des meilleurs moyens d'agrémenter une page Web à bon compte, et ce sans allonger notablement son temps de chargement, est d'utiliser des petits éléments graphiques comme des icônes pour représenter les appels de liens ou inviter le visiteur à afficher l'image présentée en vraie grandeur.

Pour créer un appel de lien graphique, insérez une balise ⟨IMG ...⟩ à l'intérieur d'une balise ⟨A ...⟩. Si, à la suite du conteneur d'image, vous placez du texte, votre visiteur pourra cliquer à son gré sur le texte ou sur l'image. Voici le détail des opérations à réaliser :

1. **Commencez par placer une balise** ⟨IMG⟩ **dans votre document HTML pour afficher l'image d'appel de lien :**

```
<IMG SRC="monimage.gif">
```

2. **Ajoutez maintenant une balise d'ancrage spécifiant le lien :**

S'il s'agit d'un appel de lien, encadrez cette balise d'image par l'adresse de la page à charger, en faisant figurer son seul nom de fichier si elle se trouve sur votre serveur ou sous forme d'URL si elle est située sur un autre serveur :

```
<A HREF="suite.htm"> ... </A>
```

Ce qui donne :

```
<A HREF="suite.htm"><IMG SRC="monimage.gif"></A>
```

La technique de la vignette

Si vous voulez proposer à votre visiteur une petite image (une vignette) sur laquelle il devra cliquer pour voir la même image en vraie grandeur, vous procéderez de la même façon :

1. **Commencez par placer une balise** `<IMG>` **dans votre document HTML pour afficher l'image de la vignette :**

```
<IMG SRC="petitima.gif">
```

2. **Ajoutez maintenant une balise d'ancrage spécifiant l'image en vraie grandeur :**

```
<A HREF="grandima.gif"> ... </A>
```

Ce qui donne :

```
<A HREF="grandima.gif"><IMG SRC="petitima.gif"></A>
```

La Figure 8.6 montre un exemple d'utilisation de vignettes dont la taille est de 77 x 58 pixels (2 615 octets) pour charger l'image de grande taille (640 x 480, 329 406 octets) présentée Figure 8.7. Voici le fragment du code HTML qui utilise ces balises (pour plus de clarté, les caractères accentués ont été conservés tels quels) :

```
Les fleurs de l'hortensia sont normalement de couleur
<A HREF="hortensi.jpg">rose <IMG SRC="petithor.jpg"></A>
mais certaines variétés peuvent subir des variations de teinte
selon le type de sol dans lequel elles sont plantées.
Le <A HREF="hortbleu.jpg">bleu <IMG SRC="petibleu.jpg"></A>
est la couleur qu'on obtient le plus facilement.
```

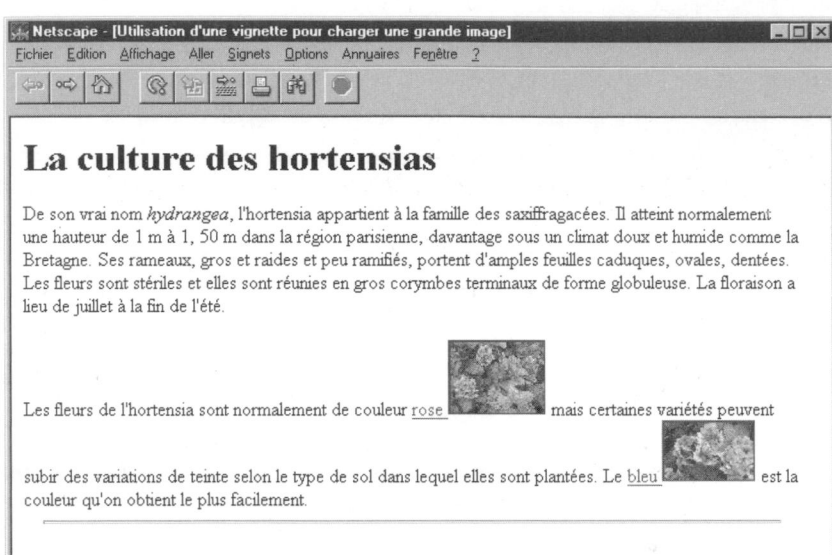

L'image en vraie grandeur va remplacer le contenu actuel de votre page. Pour revenir à la page où se trouvait la vignette, le visiteur devra donc utiliser le bouton de la barre de menus lui permettant de revenir à la page précédente.

La balise ⟨IMG⟩ dispose de deux options servant à spécifier la taille d'affichage de l'image. Nous disons bien **d'affichage**, car cela ne modifie évidemment en rien la taille de l'image qui sera transmise par le serveur. Il s'agit des attributs WIDTH (largeur) et HEIGHT (hauteur). L'avantage de ces attributs est de permettre au navigateur de continuer d'afficher le texte qui avoisine l'image sans attendre que celle-ci soit complètement chargée.

Les auteurs Web expérimentés utilisent la balise ⟨TABLE⟩ pour réaliser une mise en page soignée du texte et des images au moyen de tableaux dépourvus de bordures. Cependant, selon les dimensions de l'écran utilisé par les visiteurs, ce qui va paraître fantastique à certains risquera de sembler hideux à d'autres. Pour plus de détails sur cette astuce, visitez le site dont l'URL est :

```
http://www.killersites.com/1-design/jpeg.html
```

D'autres propriétés du format GIF

Les images en format GIF sont très répandues sur le Web, principalement en raison de leur taille réduite et de trois fonctionnalités que nous allons détailler :

- **Images GIF transparentes.** Nous en avons déjà parlé dans une section précédente et montré sur la Figure 8.4 en quoi consistait cette propriété. Elles sont très utilisées en raison de la façon discrète dont elles peuvent ainsi s'incorporer dans une page Web.

- **Images GIF entrelacées.** L'utilité de l'entrelacement est moins évidente, mais il faut néanmoins savoir de quoi il s'agit à cause des avantages qu'apporte cette fonctionnalité pour le chargement d'images complexes. L'image est décomposée en quatre groupes de lignes qui vont s'afficher successivement. Le premier groupe part de la première ligne et comprend les lignes 1, 5, 9, 13... Le deuxième groupe part de la deuxième ligne et comprend les lignes 2, 6, 10, 14..., et ainsi de suite pour les deux groupes restants. L'image semble alors se charger en basse résolution et s'affiner progressivement.

- **Images GIF animées.** On s'est aperçu avec surprise que la spécification GIF 89a permettait de réaliser de petites animations. Pour cela, il faut créer une suite d'images décomposant le mouvement puis les regrouper dans un même fichier à l'aide d'outils spécialisés comme GIFANIM. *Voilà* !⁴ Animation instantanée.

Les images sont gourmandes en temps

Nous avons déjà souligné combien il était important d'éviter de lasser la patience de vos visiteurs en leur imposant le chargement d'images de trop grande taille. Mais qu'en est-il du temps passé à les créer par l'auteur Web ?

Créer des images et les éditer semble très amusant, mais même la création d'un simple histogramme peut vous prendre des heures et des heures à chercher les meilleures couleurs, les meilleures polices de caractères et la meilleure taille. On ne voit plus le temps passer. Pour un particulier, c'est une façon de s'amuser comme une autre, mais si vous faites ce travail dans le cadre de votre entreprise, votre page Web va revenir bien cher à votre patron.

Quel est le remède ? Des images de taille et de complexité raisonnables. Avec l'expérience, vous y passerez moins de temps et vous pourrez ensuite vous attaquer à des images plus complexes. Vous pouvez aussi, pour des présentations personnelles, sous-traiter la création des images à des professionnels du graphisme qui sont capables de faire en beaucoup moins de temps que vous, et souvent pour un coût acceptable, des images de meilleure qualité.

Voici comment réaliser une image GIF transparente en utilisant l'excellent shareware LViewPro sous Windows ou Transparency avec un Mac. Nous allons détailler la façon d'opérer sous Windows :

1. **Choisissez une image dont le fond présente de grandes zones de teinte uniforme et chargez-la en cliquant sur <u>F</u>ile/<u>O</u>pen.**

   Vous trouverez des conseils (en anglais) sur la façon de choisir une zone à rendre transparente à l'URL :

   ```
   http://www66.coled.umn.edu/Cookbook/Transparent/Transparent.html
   ```

Si le fond de l'image comporte des petits détails, une fois qu'il sera rendu transparent, l'image aura l'air d'être "mangée aux mites".

---

4. En français dans le texte. *(N.d.T.)*

2. **Cliquez sur Retouch/Background color.** Une boîte de dialogue reproduisant la palette de l'image s'affiche.

3. **Cliquez sur le bouton Dropper.** La boîte de dialogue se referme et le pointeur de la souris se change en un petit compte-gouttes.

4. **Cliquez avec l'extrémité de ce compte-gouttes sur le fond d'image à rendre transparent.**

5. **Sauvegardez l'image (File/Save as...) en choisissant GIF 89a dans la boîte de sélection Type.**

Pour apprendre la façon dont les images GIF animées ont été inventées et obtenir des liens vers des exemples et des ressources, consultez les URL :

```
http://www.webreview.com/96/02/09/tech/edge
http://builder.com/Graphics/Webanim
```

Les images réactives

Les images réactives (*clickable image maps*) peuvent être constituées à partir de n'importe quel format d'image (GIF, JPEG ou PNG). Il s'agit d'une image de taille suffisante, décomposée en zones clairement repérables qui sont affectées chacune à un appel de lien différent. On appelle ces zones *zones sensibles* (*hot spots*). En cliquant sur l'une d'elles, on charge la page correspondante. La Figure 8.8 montre comment se présente un menu de navigation fait d'une image réactive composée à partir d'une image découpée en cinq parties.

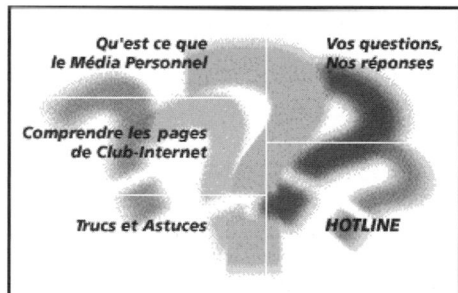

Figure 8.8 :
Un menu de navigation fait d'une image réactive.

La création d'une image réactive se fait assez facilement en utilisant sous Windows des outils logiciels tels que MapEdit ou MapThis. En gros, il y a deux processus possibles :

- Les images réactives *server side*, les plus anciennes, nécessitent de recourir au serveur pour rechercher dans un fichier, qui y a été placé à cette intention, l'URL correspondant aux coordonnées du clic de souris. Deux implémentations existent : CERN et NCSA, incompatibles entre elles.

- Les images réactives *client side*, innovation de Netscape, dans lesquelles le fichier de cartographie est directement incorporé au document HTML, supprimant ainsi toute nécessité de dialogue client-serveur, ce qui diminue à la fois la charge de l'Internet et le temps de réponse.

Pour plus de détails, consultez le site Web situé à l'URL :

```
http://www.gifwizard.com
```

Chapitre 9
Plus loin avec le multimédia

*L*e Web a le potentiel de devenir le réseau le plus approprié au multimédia. Il ne reste plus qu'à résoudre deux petits problèmes, mais cela risque de demander une dizaine d'années ou davantage.

Le premier de ces problèmes, c'est la *bande passante*, c'est-à-dire la vitesse à laquelle les informations peuvent y transiter. Pas seulement la connexion courante par ligne téléphonique à 56 Kbps utilisée par la plus grande partie des ordinateurs personnels, mais aussi la structure globale des réseaux qui constituent l'Internet, laquelle n'est pas encore prête pour un multimédia généralisé.

Le second problème, c'est la créativité. Il faut une foule de gens pour mettre sur pied le moindre show à la télé, depuis les cadreurs et les metteurs en scène jusqu'aux vedettes elles-mêmes. Pour créer votre propre spectacle multimédia, c'est vous qui allez devoir remplir tous ces rôles.

Mais l'opportunité est fantastique, car le multimédia est bien plus attractif que des images et du texte, statiques actuellement dans les pages Web. Les solutions qui permettent d'ajouter du multimédia à vos pages avec une bande passante réduite commencent à devenir facilement disponibles.

Aussi, attendez-vous à voir et à entendre de plus en plus de multimédia sur le Web. Pourquoi ne pas commencer par en mettre vous-même dans vos pages, maintenant ?

La télé et le PC

Considérée comme un moyen de divertissement, la télé bat nettement le PC. Pour en comprendre la raison, il suffit d'un simple calcul. Une page de texte ordinaire occupe à peu près 2 kilo-octets. Supposons que cette page mette une seconde pour se charger. La bande passante globale nécessaire, depuis le serveur jusqu'à l'utilisateur, est donc de 16 Kbps, puisqu'un octet vaut 8 bits. Une ligne de téléphone avec modem ordinaire est donc environ trois fois plus rapide.

Maintenant ajoutons des images. La plupart des "bons" sites Web ne dépassent pas une cinquantaine de kilo-octets par page pour que cette dernière s'affiche dans un temps raisonnable. Cela nous donne une bande passante nécessaire de 400 Kbps, toujours pour le même temps de réponse. Nous sortons déjà des possibilités du modem traditionnel. Il nous faut maintenant le câble, Numéris ou l'ADSL, toutes techniques qui ne sont pas encore très répandues et qu'on ne peut guère trouver qu'autour des grandes agglomérations.

Franchissons une nouvelle étape avec le vrai multimédia. Une seconde de spectacle de télévision se compose de 25 images ayant une résolution d'environ 560 x 420 pixels, soit un peu plus de 200 000 pixels. Nous atteignons un total légèrement inférieur à 6 mégaoctets, soit une bande passante de 40 Mbps (megabits par seconde), ce qui sort tout à fait des possibilités des réseaux de transmission actuels. Et ce, rien que pour l'image, sans tenir compte du son ! On voit bien que le vrai multimédia auquel nous a habitué la télé n'est pas à la portée du PC familial.

Pour contourner ces difficultés, on peut utiliser différentes astuces. La compression est l'une des principales, car elle diminue très sensiblement la taille des fichiers nécessaires. Mais la taille de l'écran d'affichage diminue encore plus vite. On utilise aussi des techniques de *streaming*, c'est-à-dire d'envoi d'informations en continu avec utilisation d'un tampon de réception destiné à amortir les à-coups et les aléas de la transmission. L'expérience montre cependant l'insuffisance de ce palliatif : ce que l'on reçoit étant entrecoupé de "respirations" dues aux différents goulets d'étranglement qui existent depuis le serveur jusqu'à son client (votre PC).

Actuellement, le multimédia sur le Web est dans l'état où se trouvait le Web lui-même il y a quelques années, lorsque nous écrivions la première édition de ce livre[1]. Il reste beaucoup de problèmes techniques à résoudre, ce qui rend difficile l'usage du multimédia par l'auteur Web, mais son intérêt et son usage vont en explosant. Avec les informations que vous allez trouver dans ce chapitre, vous aurez le pied à l'étrier.

---

1. Qui en est, aux Etats-Unis, à sa 4e édition.

Le multimédia et au-delà

Commencez par réaliser des pages Web simples avant de vous lancer dans le multimédia. Si vous aimez l'aventure, utilisez les informations que nous allons vous donner dans cette section pour ajouter des gadgets multimédias à vos pages.

Sons et vidéo

Il y a cinq ans – ce qui équivaut à une vie humaine à l'échelle du Web –, il fallait commencer par sauvegarder les fichiers multimédias sur disque avant de pouvoir les reproduire au moyen d'une application spécialisée. Maintenant, il est possible d'exploiter les fichiers multimédias inclus dans une page Web en temps réel ou en léger différé au moyen d'assistants logiciels spécialisés (*plugins*) comme QuickTime ou RealPlayer.

L'emploi du multimédia soulève le même genre de problèmes que celui des fichiers d'images, mais d'un façon encore plus critique. La plupart des utilisateurs ne possèdent généralement pas le logiciel qui conviendrait et ignorent comment se le procurer et l'installer.

Le temps de chargement, lui aussi, est préoccupant. Attendre plusieurs minutes pour télécharger une courte séquence vidéo sautillante ne se fait pas sans ressentir une certaine frustration. Le son est souvent de piètre qualité. Sans parler de la surcharge que le transfert de tels fichiers engendre sur l'Internet. Quelques centaines de gens en train d'écouter en même temps de la musique en temps réel, c'est plus qu'il n'en faut pour saturer les liaisons d'un fournisseur d'accès à l'Internet. Tant pis pour les autres utilisateurs !

Cependant, lorsque vous parvenez à faire fonctionner correctement le multimédia, il faut bien reconnaître qu'il en résulte un agrément certain pour un site Web. Regardez l'immense popularité dont jouit le MP3 utilisé pour transmettre de la musique sur le Web. Avec une qualité très proche du CD ou de la bande FM, ces fichiers ont développé une nouvelle culture musicale à base de partage sur le Net. (Malheureusement, ce "partage" s'effectue presque toujours en violation absolue des copyrights légitimes tant des auteurs que des éditeurs de musique, et il convient donc de ne pas propager ces fichiers gratuitement.)

Le secret du MP3 tient à l'utilisation d'une technique de compression développée par les laboratoires Fraunhoffer, en Allemagne, qui repose sur un modèle psycho-acoustique autorisant un taux de compression de l'ordre de 12 sans perte appréciable de qualité. Sans doute la génération prochaine sera-t-elle en mesure de mettre au point une technique semblable pour les images animées. C'est alors que le cinéma et la télévision sur le Net connaîtront leur plein essor, comme c'est actuellement le cas dans le domaine du son avec le MP3. Les plus importants plugins pour le multimédia sur le Web sont :

- **RealAudio.** Il s'agit d'un plugin permettant la reproduction en temps réel de fichiers audio et vidéo. L'utilisateur clique sur l'appel de lien d'une séquence RealAudio. Il doit attendre quelques secondes que le début du fichier soit chargé, puis la reproduction commence. Souvent entrecoupée de silences, selon la charge instantanée de l'Internet et/ou du fournisseur d'accès[2]. Plus le débit de la connexion Internet est élevé, meilleure est la qualité.

- **RealJukebox.** Il s'agit d'un plugin qui ne prend en charge que les fichiers de sons. Il a été créé par RealNetworks et convient pour des fichiers de type RealAudio, MP3 ou WAV. C'est lui qui est utilisé dans ces mini-baladeurs comme le RIO de Diamond Multimedia, plus petits qu'un paquet de cigarettes. Pour la reproduction des fichiers MP3, il existe beaucoup d'autres logiciels dont Winamp est probablement le plus largement utilisé.

- **QuickTime.** Créée par Apple, cette technologie est devenue un standard pour l'édition et la reproduction vidéo sur ordinateur. QuickTime VR est un dérivé de QuickTime permettant de créer des panoramas et des objets en réalité virtuelle à haute résolution. Le plugin QuickTime est fourni avec Netscape Navigator. Il supporte toutes sortes de formats multimédias : animations, sons, QuickTime VR et les vidéoclips QuickTime. La plupart des animations qui circulent sur le Web exploitent ce standard. L'adoption du streaming dans les versions les plus récentes de QuickTime a encore augmenté sa popularité. Il est facile à utiliser et il n'y a pas de royalties à payer.

- **ShockWave/Flash.** Le plugin ShockWave sert à reproduire des scènes créées par Macromedia Director. L'apprentissage de Director n'est pas une mince affaire, mais si vous en connaissez déjà le maniement, n'hésitez pas à vous lancer dans l'incorporation de telles séquences dans votre page Web. Flash est un format plus simple à manipuler et sa popularité va croissant. Vous trouverez tous les détails nécessaires pour utiliser ces deux techniques sur le site Web de Macromedia.

Voici trois adresses où vous pourrez trouver des compléments d'information sur le multimédia pour le Web :

---

2. Avec une connexion à 33,6 Kbps, la qualité de la retransmission est du même ordre que ce qu'on obtient avec un récepteur à transistor de bas de gamme. A 56 Kbps, cela commence à devenir intéressant. *(N.d.T.)*

```
http://www.macromedia.com
http://www.quicktime.com
http://www.realaudio.com
```

Les fichiers vidéo QuickTime

Il existe plusieurs formats pour le multimédia, chacun avec ses avantages et ses inconvénients, mais aucun n'est aussi répandu que QuickTime. Grâce à lui, vous pouvez incorporer facilement du multimédia à une présentation Web sans poser trop de problèmes à vos visiteurs. Voici les points à connaître pour réussir dans cette entreprise :

- **Contenu multimédia.** Vous devez être en possession d'un fichier QuickTime multimédia. Pour cela, sachez qu'il existe des douzaines d'outils logiciels. Mais pour débuter, le mieux est sans doute d'en trouver un tout prêt.

- **Commandes HTML.** Certains outils HTML permettent l'incorporation de séquences QuickTime directement dans un fichier HTML. A défaut, vous pouvez toujours écrire l'appel de lien nécessaire à la main. Vous en trouverez un exemple un peu plus loin.

- **QuickTime et le plugin QuickTime.** Vous et vos utilisateurs devez avoir la version la plus récente de QuickTime et le plugin de QuickTime. (Les nouvelles versions de QuickTime supportent aussi QuickTime VR, ce qui vous permet de faire de la réalité virtuelle.) Pour venir en aide à ceux de vos utilisateurs qui ne l'auraient pas, prévoyez un lien vers la page Web de QuickTime à l'URL :

```
http://www.apple.com/quicktime
```

QuickTime est un gros fichier de plusieurs mégaoctets. Il est à craindre que peu parmi vos visiteurs accepteront de passer près d'une heure à le télécharger. Par bonheur, on le trouve fréquemment sur les CD-ROM accompagnant les revues d'informatique.

Comme nous l'avons dit, il n'y a rien à payer pour utiliser QuickTime, et il est donc aussi facile, commercialement parlant, d'insérer une séquence QuickTime dans un document HTML que d'y insérer une image. La Figure 9.1 vous présente un exemple de contenu QuickTime dans une page Web. L'URL de cette page est :

```
www.apple.com/trailers/newline/lord_of_the_rings/
    fullscreen_preview.html
```

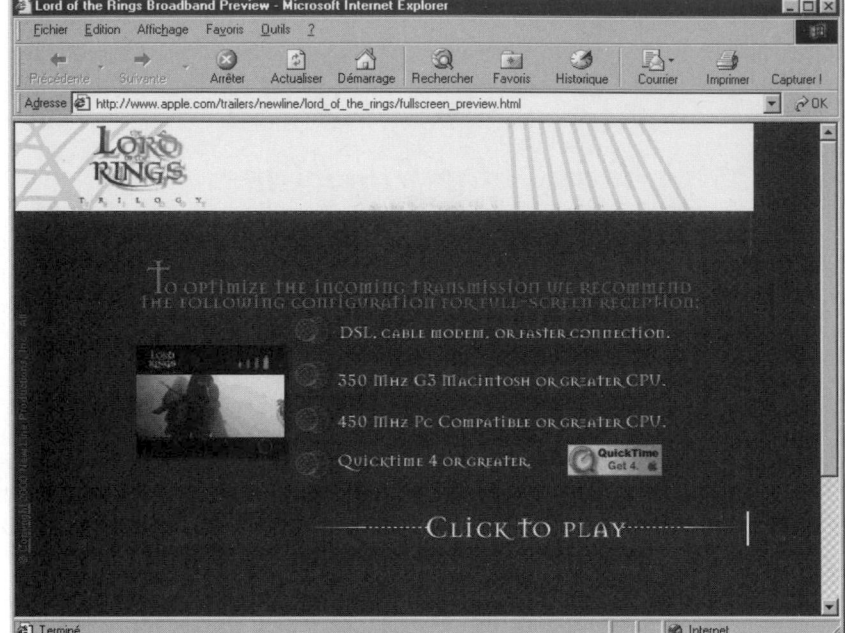

Figure 9.1 :
Un exemple
de contenu
QuickTime
dans une
page Web.

Pour en savoir davantage, visitez la page de QuickTime VR et celle du groupe des utilisateurs de Macintosh de Berkeley (*Berkeley Macintosh User's group*) aux URL suivantes :

```
http://www.apple.com/quicktime
http://www.bmug.org/quicktime
```

Voici comment procéder pour ajouter une animation QuickTime à votre page Web :

1. **Installez QuickTime et le plug-in QuickTime sur votre propre machine.**

   Pour télécharger ces fichiers, allez à la page des logiciels QuickTime, à l'URL :

```
http://www.apple.com/quicktime
```

2. **Cherchez une animation QuickTime (animation proprement dite, sons, vidéo ou VR).**

   N'oubliez pas que pour pouvoir l'utiliser sur votre page, vous devez avoir le droit de la reproduire au sens légal du terme.

3. **Incorporez la séquence dans votre page Web.**

    Pour cela, utilisez la balise ⟨EMBED⟩ dont la forme de base est :

```
<EMBED SRC="monfichier.mov">
```

    Il existe d'autres options et attributs dont vous trouverez la description à la page Web de QuickTime. Pour l'instant, contentez-vous de cette commande sous sa forme la plus simple afin d'être certain que vous ne risquez pas d'introduire de problème par accident.

4. **Testez votre page en local, sur votre machine.**

    Essayez-la avec Netscape Navigator puis avec Internet Explorer.

5. **Transférez votre page sur votre serveur Web en compagnie du fichier multimédia, et refaites le test mais cette fois en vous connectant à l'Internet.**

    Félicitations ! Vous voici devenu un auteur Web multimédia !

Les fichiers audio MP3

Les fichiers audio MP3 soulèvent un certain nombre de problèmes. Si la qualité auditive est très correcte, il faut bien reconnaître que la plus grande partie des fichiers qu'on trouve sur le Web sont des copies illégales, ce qui n'empêche pas ce type de fichiers d'être extrêmement populaire. Un grand nombre de logiciels et de sites Web se sont créés autour de ce standard.

La création de fichiers MP3 n'est pas bien difficile. Il suffit d'avoir un fichier WAV (obtenu soit par enregistrement direct, soit par extraction d'un CD) et d'utiliser un des nombreux logiciels qu'on trouve facilement comme AMP3ENC (un freeware de SoundBytes). Suivez ensuite les instructions ci-dessous :

1. **Procurez-vous un fichier MP3.**

    Si vous ne l'avez pas constitué vous-même, cherchez-le sur le Web à l'aide d'un moteur de recherche puis téléchargez-le. Comme pour les images, il faut se garder de faire appel à un fichier qui se trouve sur un autre serveur, faute de quoi on risque de créer un lien brisé si l'URL du fichier vient à disparaître ou à être modifiée.

    N'oubliez pas les problèmes de copyright, et assurez-vous que le fichier que vous avez téléchargé est bien libre de tout droit.

2. **Créez un lien dans votre page vers le fichier MP3.**

    Pour cela, utilisez la balise ⟨A⟩, selon le modèle suivant :

```
<A HREF="MaMusique.mp3">Mon air favori</A>
```

3. **Il ne vous reste plus qu'à faire un test en local.**

    Pour cela, ouvrez la page qui le contient dans votre navigateur favori.

Langages de description de page

HTML n'est pas un langage de description de page, c'est-à-dire une spécification de la façon dont texte et images doivent se présenter lorsqu'ils sont affichés ou imprimés. Mais Acrobat (Adobe) *est* un langage de ce type, de même que Envoy (Novell) et la partie MiniViewer de Common Ground (Hummingboard Communications Ltd.).

En conséquence, si vous voulez créer une page qui garde exactement la même présentation que celle que vous avez conçue : alignements de paragraphes, polices de caractères, enrichissements... vous devez utiliser un de ces langages. Vos utilisateurs devront avoir le logiciel nécessaire pour interpréter le fichier qu'ils vont recevoir et qui n'est plus du HTML. En général, ceux qui ne l'ont pas ne se soucieront pas de le chercher, à moins qu'ils n'aient un besoin crucial des informations que vous leur proposez de cette façon. Jusqu'à présent, le *New York Times* reste l'un des grands noms – sinon le seul – à avoir adopté Acrobat.

Acrobat est maintenant reconnu par un plugin disponible avec Netscape Navigator et Internet Explorer. Pour plus de détails et pour avoir une idée de la façon dont se présente l'édition quotidienne du *New York Times*, pointez votre navigateur sur les URL suivantes :

```
http://www.adobe.com/prodindex/acrobat
http://nytimesfax.com/sample/sample.pdf
```

Le Web et la programmation

Vous pouvez déjà faire beaucoup de choses sur le Web en vous limitant à l'usage du texte et des images, mais l'adjonction d'éléments multimédias vous donne encore davantage de possibilités. Cependant, pour "passer pro", vous devez envisager d'affronter un peu de véritable programmation.

La programmation du Web est un sujet délicat qui sort des limites de cet ouvrage pour aborder un domaine bien plus complexe. La façon la moins ardue d'y accéder est probablement de vous mettre à JavaScript, un langage de script "bon enfant" pour l'apprentissage duquel vous pouvez vous procurer *JavaScript pour les Nuls* par Emily A. Vander Veer, chez le même éditeur et dans la même collection. En faisant une recherche par Yahoo! ou AltaVista sur le mot *JavaScript*, vous trouverez un grand nombre de sites Web susceptibles de vous proposer des scripts tout faits.

Formulaires et CGI

Un formulaire consiste en un certain nombre de boîtes de saisie et de menus déroulants permettant à l'utilisateur de fournir les informations que vous lui demandez. Sa création est assez facile. Les formulaires existent depuis la version 2.0 de HTML ; autrement dit, pratiquement tous les navigateurs en usage aujourd'hui sont capables de les comprendre. La difficulté n'est pas au niveau du recueil des informations, mais à celui de leur exploitation.

Traiter les informations reçues requiert, en effet, un script CGI et une application. Un *script CGI* est un programme qui sert d'intermédiaire entre le serveur Web qui a reçu vos informations et l'application qui va les traiter. Il est nécessairement hébergé sur le même serveur que votre site Web. Les scripts ne se présentent pas de la même façon sur des plates-formes aussi différentes que Windows NT, UNIX et Macintosh. Un certain nombre sont écrits en C, d'autres en PERL, un langage spécialisé dont il existe des versions pour diverses plates-formes.

Pour pouvoir faire tourner un script CGI sur un serveur, vous devez avoir l'autorisation de l'administrateur du système qui vous héberge. Pour des raisons de sécurité, il est peu probable qu'elle vous soit accordée. Mais il existe un certain nombre de packages standards, qui peuvent convenir à un nombre très limité de cas comme compter les visiteurs d'une page ou les enregistrer. Quoi qu'il en soit, vous devrez commencer par vous adresser à l'administrateur de votre système ou de celui à votre fournisseur d'accès.

Pour en savoir davantage sur les scripts CGI, pointez votre navigateur sur l'URL :

```
http://www.comvista.com/lessons/CGI.html
```

Java

Java est l'un des derniers-nés des langages de programmation. Créé par Sun, il est destiné à faciliter la réalisation d'applications interactives sur le Web.

Sun avait annoncé des pages Web spectaculaires avec des animations, une mise à jour dynamique et des applications distribuées. Les programmes écrits en Java s'appellent *applets*. Ils sont téléchargés sur votre machine afin de permettre une vitesse d'exécution acceptable et un bon niveau d'interactivité. Mais ce téléchargement lui-même pose des problèmes de sécurité, parce qu'on ne sait jamais de façon certaine ce que contiendront ces programmes et qu'on risque, par exemple, d'amener ainsi un virus destructif dans sa machine. C'est la raison pour laquelle la plupart des navigateurs (Netscape Navigator et Internet Explorer, entre autres) proposent une option permettant à l'utilisateur de filtrer le chargement de ces programmes.

Netscape Navigator et Internet Explorer possèdent maintenant tous deux une machine virtuelle Java. Ce langage est inspiré du C++ et demande beaucoup d'expérience et de compétence technique pour être correctement utilisé. Mieux vaut donc, si on tient à saupoudrer ses pages Web de Java, se procurer des applets toutes faites plutôt que d'essayer de les écrire soi-même. Vous trouverez beaucoup d'informations aux URL suivantes :

```
http://java.sun.com/
http://www.gamelan.com/
```

ActiveX

C'est une technologie créée par Microsoft afin de pouvoir faire tourner sur le Web des applications écrites en Visual Basic. Vous pouvez faire avec ActiveX des choses très amusantes, mais, malheureusement, lui aussi renferme de nombreuses failles de sécurité. En outre, il ne marche pas très bien sur les Macintosh, pas du tout sous Windows 3.x et pas davantage sous UNIX. Cerise sur le gâteau, il n'est reconnu que par Internet Explorer.

Si, malgré nos avertissements, vous voulez réaliser des présentations Web à base d'ActiveX, donc ne tournant correctement que sous Windows 95/98, vous pouvez consulter la page de Microsoft à l'URL :

```
http://www.microsoft.com/dna/default.asp
```

Vous trouverez d'autres références à l'Annexe D.

Au-delà de HTML

La simplicité et la souplesse de HTML qui ont fait le succès du Web ont leur limite. Une évolution se dessine dans deux directions, DHTML (*Dynamic HTML*) et XML (*eXtensible Markup Language*), pour s'en affranchir.

Tout auteur Web sérieux doit se tenir au courant de cette évolution, mais il est encore trop tôt pour commencer à utiliser ces innovations dans vos pages Web, ne serait-ce qu'à cause du très petit nombre d'utilisateurs disposant d'un navigateur capable de comprendre ces extensions. Même en étant optimiste, il faudra bien compter une paire d'années avant qu'il y ait suffisamment d'utilisateurs pouvant en profiter.

Dynamic HTML

Il s'agit d'une extension à HTML qui permet de superposer plusieurs couches d'informations à envoyer à l'utilisateur au cours de sa connexion. Il ne verra au départ que certaines parties de ces informations, le reste lui étant dévoilé lorsqu'il effectuera certaines actions sans qu'il ait besoin de se reconnecter au serveur.

Au moment où ces lignes sont écrites, Netscape et Microsoft ont adopté chacun une implémentation différente. Netscape ajoute une balise ⟨LAYER⟩ qui permet d'adjoindre facilement ces nouveautés. Les deux navigateurs supportent les feuilles de style, alternative plus complexe et plus riche de possibilités définie par les instances officielles du Web (le W3C). Mais Microsoft qui, par le passé, adoptait toujours les extensions proposées par Netscape, se refuse cette fois, à implémenter la balise ⟨LAYER⟩.

Toutes ces nouveautés ne sont apparues qu'avec les versions 4.0 de Netscape Navigator et Internet Explorer. Tant pis pour les millions d'utilisateurs continuant à utiliser de plus anciennes versions de leurs navigateurs. Aussi, les auteurs Web ont-ils le temps de voir venir.

XML

XML (*eXtensible Markup Language*) semble avoir plus de chance de voir le jour que Dynamic HTML. Il s'agit d'un sur-ensemble de HTML qui est, comme lui, un sous-ensemble de SGML (*Standard Generalized Markup Language*). XML permet de construire des structures de données complexes dans une page Web, permettant ainsi aux auteurs Web de réaliser des pages dans lesquelles le cheminement dépend des informations fournies par l'utilisateur. A notre avis, XML devrait voir le jour d'abord sur les intranets, parce que de telles applications semblent prometteuses pour un usage interne où tout l'environnement est parfaitement maîtrisé (tout le monde y utilise la même version du même navigateur).

Le Web va entrer dans le XXIe siècle

En raison de sa souplesse, le Web est théoriquement capable de supporter à peu près tout ce qui peut être imaginé sur un ordinateur. Au fur et à mesure que la bande passante offerte à l'utilisateur moyen augmentera, que de nouvelles technologies apparaîtront dans les pages Web et que les utilisateurs s'équiperont de navigateurs plus récents, de plus en plus d'innovations pourront voir le jour. Mais il faut se garder de sauter sur toutes les nouveautés qui apparaissent et avoir la patience d'attendre qu'elles se stabilisent et se standardisent. En attendant, faites-vous les dents avec HTML et les outils logiciels qui l'accompagnent. C'est sans doute la meilleure façon de vous préparer au Web de demain ou d'après-demain.

Quatrième partie
Passage en vraie grandeur

Dans cette partie...

Maintenant que vous avez quelques notions de la publication sur le Web, vous êtes prêt pour transformer votre simple page en un véritable site Web. Et même en un site Web d'entreprise pouvant attirer des clients et vous faire gagner de l'argent. Il ne vous manque plus que de savoir comment publier votre site sur un véritable serveur, en payant au besoin pour ce service. Dans cette partie, nous allons vous aider à le faire sans difficulté.

Chapitre 10
De la page Web au site Web

Si vous avez bien suivi les instructions que nous vous avons prodiguées dans les chapitres précédents, vous avez maintenant publié une page sur le World Wide Web. Félicitations ! Si vous ne l'avez pas encore fait, retournez aux Chapitres 4 ou 5 pour le faire maintenant. Vous verrez que c'est facile et, de cette façon, le restant de ce livre prendra un aspect bien plus concret.

Une fois que votre première page aura été publiée, les étapes suivantes vont consister à l'améliorer et à la compléter pour en faire un véritable site Web de plusieurs pages. Dans ce chapitre, vous allez trouver toutes les indications utiles pour y parvenir. Nous vous montrerons comment manipuler directement les commandes HTML. Pour cela, nous allons exploiter les possibilités de manipulation directe des balises HTML présentes dans les éditeurs HTML élémentaires dont nous nous sommes servis dans les chapitres précédents.

Cependant, vous pourriez maintenant envisager d'utiliser directement un des outils d'édition ou de publication que nous décrirons dans la cinquième partie. Certains sont là pour vous faciliter l'emploi des balises ; d'autres, au contraire, pour vous les cacher complètement, facilitant ainsi certaines des opérations que nous allons entreprendre. Comme vous allez le constater, le fait de travailler au niveau de HTML vous permet de mieux comprendre comment s'affichent les pages et vous donne un contrôle plus précis sur leur présentation. Quel que soit le cas, vous trouverez ici tous les renseignements dont vous allez avoir besoin pour progresser dans la publication sur le Web.

Choisissez vos objectifs

Passer d'une simple page Web à un site Web interactif pouvant contenir des images et du multimédia et faire appel à l'interactivité demande qu'on y consacre pas mal de temps. Afin de parvenir plus rapidement au but, la première chose à faire est de définir clairement quelques-uns des objectifs envisagés pour ce site. Les sites personnels, les sites dédiés et les sites d'entreprise ont chacun des objectifs et des besoins différents que vous devenez définir avec soin. Vous pouvez revoir le Chapitre 2 à ce propos pour vous rafraîchir la mémoire sur la définition de ces quatre types de sites que nous avons distingués.

Sites personnels

Dans le cas d'un site personnel, ce que vous cherchez avant tout, c'est l'amusement, tant pour le créateur que pour les visiteurs. Mais la création de plusieurs pages, l'établissement des liens entre elles, l'ajout des images, du multimédia et de toutes sortes de gadgets de ce genre ne se font pas en un tournemain. Plus vous y passerez de temps, plus vous en serez récompensé par les réactions de vos visiteurs, ce qui vous amènera à vouloir en rajouter. De toute façon, quel que soit le cas, le temps que vous pourrez y consacrer sera limité par celui que vous devez accorder à votre épouse, à vos enfants et à vos occupations professionnelles. Aussi, mieux vaut vous fixer au départ quelques buts simples. Une première façon de définir vos objectifs est de les voir depuis l'intérieur. Que voulez-vous faire de votre site ?

- Présenter au monde entier des informations sur vous-même, votre vie et vos centres d'intérêt ?

- Acquérir de l'expérience pour votre vie professionnelle ?

- Promouvoir un club, une association ou une cause digne d'intérêt ?

Commencez par définir votre objectif pour la prochaine étape de construction de votre site. Puis, selon ce que vous aurez choisi, fixez la somme de temps et d'énergie que vous devrez (et que vous pourrez) y consacrer. Délimitez son étendue et ses limites : avez-vous l'intention de vous arrêter à un certain moment ou pensez-vous continuer à l'enrichir sans fin ? Notez les réponses à ces questions sur une feuille de papier et mémorisez-les.

Mais vous pouvez aussi définir vos objectifs à partir de l'extérieur. Pour cela, recherchez sur le Web des sites auxquels vous souhaitez que le vôtre ressemble. Vous verrez ainsi comment les autres s'y sont pris, et pourrez économiser des douzaines d'heures en évitant des approches qui n'auraient rien donné ou vous auraient amené à réaliser un de ces sites ennuyeux dont les gens se détournent.

Les sites personnels qui se contentent d'exposer aux yeux du monde quelques éléments sur la vie et les centres d'intérêt de leur auteur, sans s'être fixé d'objectif plus précis, constituent l'un des attraits de ce monde du Web plein de surprises. Vous trouverez ce type de pages par milliers dans les sites hébergés par GeoCities, Tripod, AOL, Multimania, Chez et d'autres.

Les sites dédiés

Beaucoup de sites de conception personnelle, y compris les meilleurs de cette catégorie, débordent de ce cadre limité. La page d'accueil de Kevin Werbach en est un bon exemple. Elle propose des pointeurs non seulement vers le *Bare Bones Guide to HTML* que nous retrouverons à l'Annexe C et qui a fait la renommée de son auteur, mais également vers d'autres pages contenant des informations sur sa personnalité et sur ce qui l'intéresse. La Figure 10.1 vous présente cette page d'accueil que vous trouverez à l'URL :

```
http://www.werbach.com/home.html
```

Les sites dédiés émergent généralement de sites personnels dès que l'un des centres d'intérêt de son auteur prend le pas sur les autres. Beaucoup de ces sites personnels vont alors plus loin, jusqu'à devenir des sites à part entière, qu'ils parlent de sujets particuliers, d'intérêts commerciaux ou même des deux à la fois. Ou bien le côté personnel du site s'estompe jusqu'à disparaître. On rencontre aussi des sites qui continuent à prospérer tout en maintenant un mélange équilibré des deux objectifs.

Les sites dédiés doivent, eux aussi, avoir des objectifs. Si une partie de votre site personnel se met à croître, isolez-la sans hésiter. Pensez-vous que les gens qui s'intéressent à la flore sous-marine vont s'émerveiller devant les photos de vos enfants ? Suivez alors les mêmes étapes que si vous vouliez créer un site personnel : décidez de la somme de temps et d'énergie que vous allez pouvoir y consacrer et fixez-vous des buts raisonnables.

Il peut arriver qu'un site dédié croisse en contenu et en complexité jusqu'à devenir comparable à un site d'entreprise. Si vous vous apercevez que vous n'arrêtez pas d'y faire des ajouts à la demande des visiteurs plutôt qu'en respectant le plan initial, vous êtes en route vers un site d'entreprise typique. Dans ce cas, lisez ce que nous allons étudier un peu plus loin dans ce chapitre. La Figure 10.2 vous montre la page d'accueil d'un site dédié au cerf-volant de traction et dont l'URL est :

```
http://perso.club-internet.fr/effeil/Effeil.htm
```

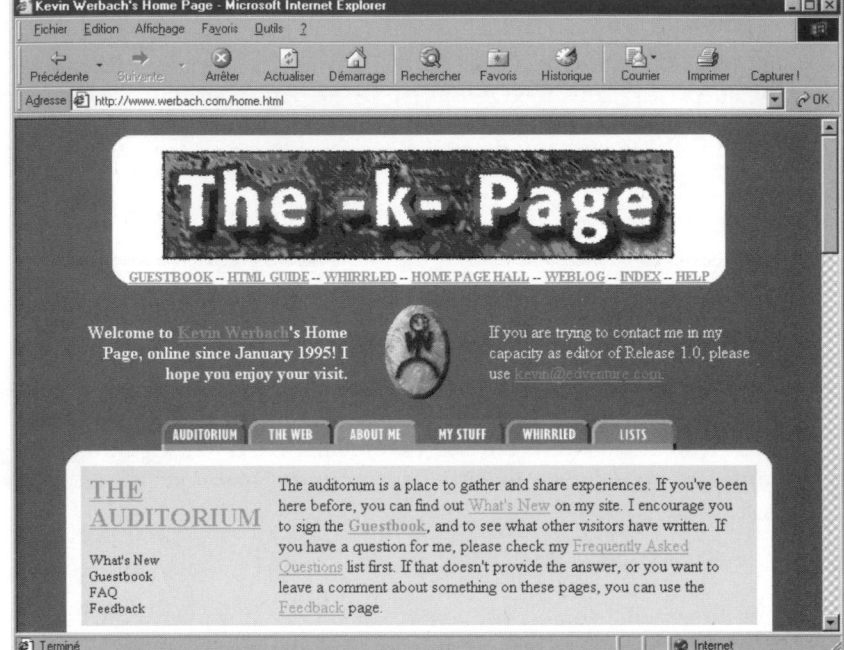

Figure 10.1 :
Page
d'accueil du
site Web de
Kevin
Werbach.

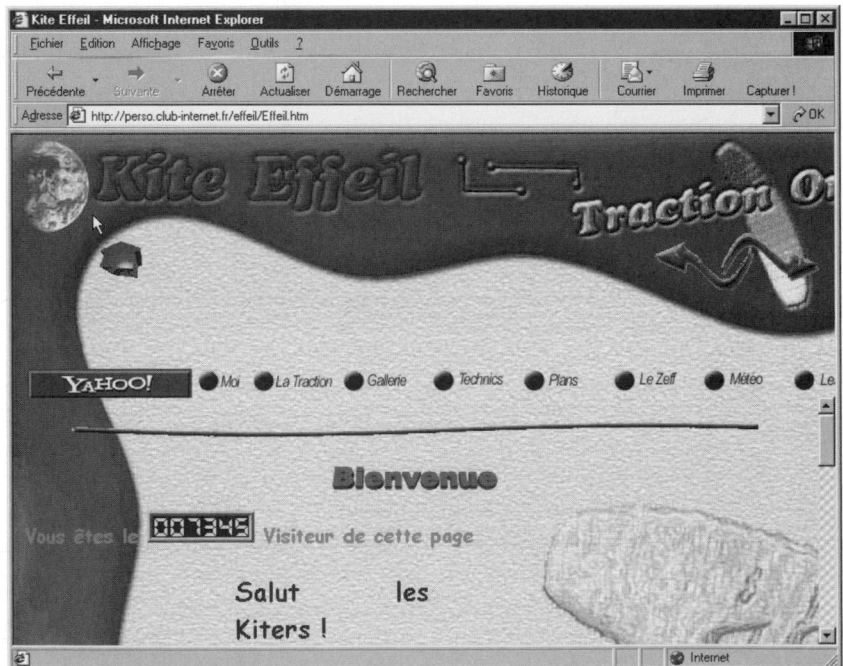

Figure 10.2 :
Un site dédié
au cerf-
volant de
traction !

 Rappelons que pour voir le code HTML d'une page Web, il suffit de cliquer sur Affichage/Source du document dans Netscape Navigator ou sur la commande similaire pour les autres navigateurs. Pour sauvegarder le fichier de la page affichée, on peut cliquer sur Fichier/Enregistrer sous... (ou sur Fichier/ Enregistrer le cadre sous..., s'il s'agit d'une présentation avec frames). Pour voir ensuite le contenu de ce fichier, un simple éditeur de texte suffira.

Les outils de création de page

Devez-vous utiliser des outils de création de pages Web spécialisés ou vous contenter tout bonnement d'un éditeur de texte ordinaire ?

Si vous avez peu d'expérience et voulez réaliser une page simple ou un petit ensemble de pages, rien ne vous empêche de travailler directement sur le code HTML. Vous verrez que ce n'est pas bien difficile. Avec un outil d'édition HTML, vous devrez apprendre le maniement d'un nouveau logiciel (pas toujours simple), sans que cela vous dispense complètement de savoir ce que vous pouvez faire avec les commandes HTML.

Néanmoins, si vous connaissez bien les commandes de base de HTML et êtes appelé à travailler sur un certain nombre de pages, c'est sans doute l'outil d'édition spécialisé qui vous donnera le plus de satisfaction. Vous constaterez vite, en effet, que le maniement direct des balises est quelque chose de fastidieux et de très répétitif. Avec un outil d'édition, vous économiserez du temps et de l'énergie.

Si vous travaillez sur du code HTML "de haute volée" mettant à profit les derniers gadgets, ou si votre tâche consiste à construire ou à entretenir un groupe de pages, vous devrez presque toujours utiliser un ou plusieurs logiciels spécialisés. Si travailler directement sur HTML vous procure souplesse et contrôle direct, un outil d'édition vous offrira vitesse et simplicité. Ce qui n'exclut pas la possibilité de descendre au niveau du code HTML pour les points les plus délicats.

Sites d'entreprise

Les sites d'entreprise prennent une importance grandissante en raison du boom du commerce électronique. Encore timide en France, celui-ci est déjà entré dans les habitudes aux Etats-Unis où il est une des raisons les plus importantes parmi celles qui poussent les gens à surfer sur le Web. Si, chez nous, le commerce électronique tarde à se développer, c'est probablement le Minitel qui en freine l'essor.

La meilleure façon de démarrer un site d'entreprise est de se fixer initialement un objectif simple : être présent sur le Web. Plus tard, vous pourrez embellir votre site en y ajoutant d'autres éléments. Au départ, sachez qu'il y a un certain nombre d'éléments que vos visiteurs s'attendent à trouver sur ce genre de site :

- Une URL évoquant le nom de votre entreprise.

- Une page d'accueil.

- Des pages contenant des informations essentielles sur l'entreprise elle-même.

- D'autres pages centrées sur les produits et services commercialisés par l'entreprise.

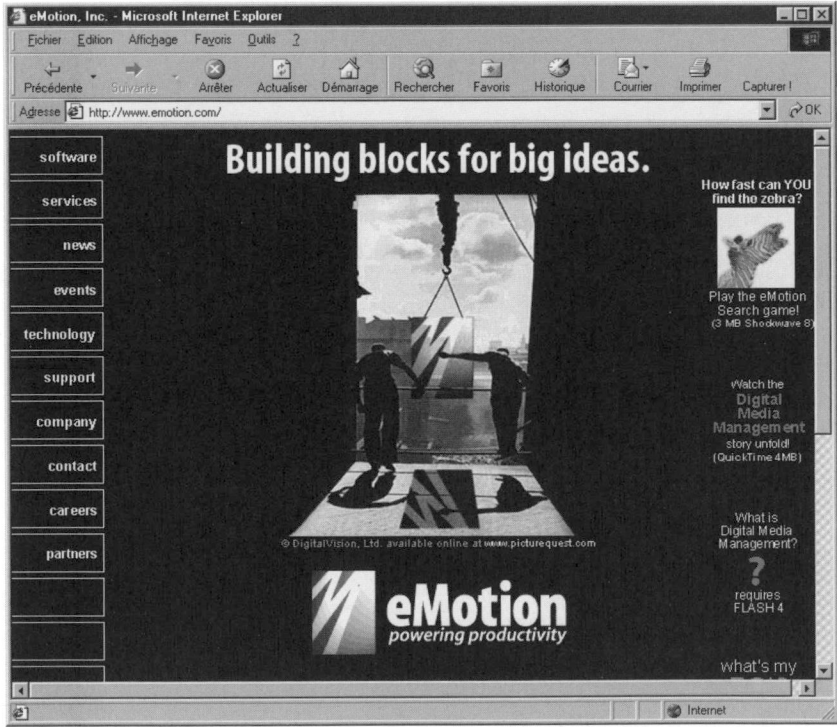

Figure 10.3 :
Archétype
de site de
présence
Web.

Un site d'entreprise qui ne contient que les éléments que nous venons d'énumérer constitue ce qu'on appelle une "présence sur le Web", et vous permet d'affirmer sans mentir que votre entreprise est sur le Web. Il diminue le nombre d'appels téléphoniques et de lettres de demandes de renseignements qui font perdre beaucoup de temps aux agents de l'entreprise. Généralement, les gens qui se manifestent par ces moyens traditionnels savent alors deja ce qu'ils s'attendent à trouver chez vous.

Vous pouvez définir de nombreux objectifs pour un site d'entreprise, mais nous nous limiterons ici à une simple présence. Pour aller plus loin, vous devrez avoir davantage d'expérience et probablement recourir à des sous-traitants ou à des consultants extérieurs. (A moins que vous ne souhaitiez devenir vous-même consultant.) Même dans ce cas, commencer par une simple présence vous donnera l'expérience nécessaire pour mieux juger des propositions que pourront vous faire des sous-traitants extérieurs.

Ici plus encore que dans les deux secteurs précédents, il est important de voir ce qui se fait sur le Web pour des activités du même secteur que votre entreprise. La Figure 10.3 montre comment se présente un site de présence avec une série de pointeurs permettant d'aller consulter d'autres pages contenant des informations plus précises. Son URL est :

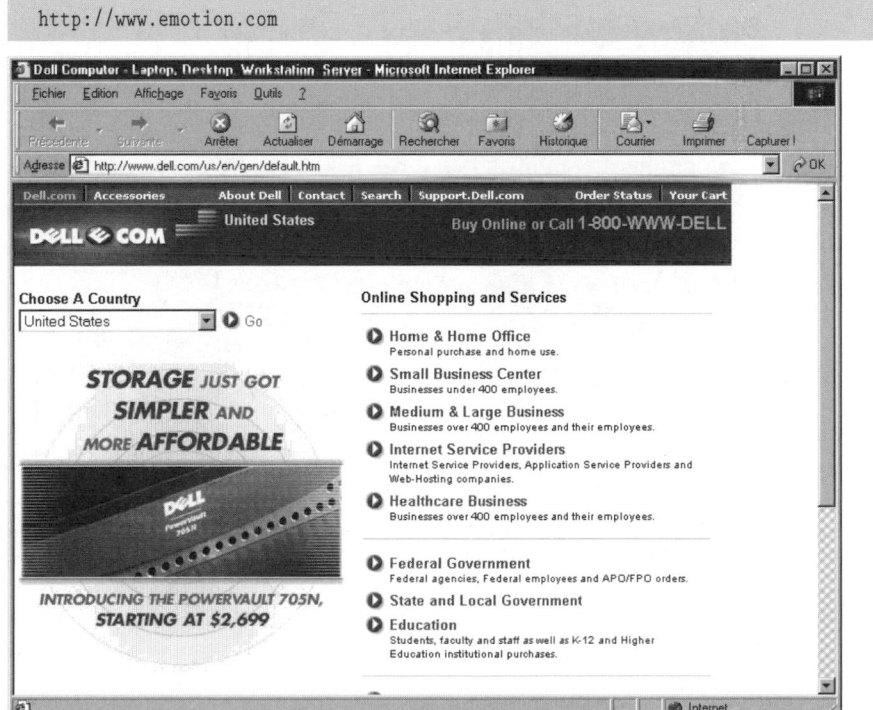

Figure 10.4 :
Le site de Dell est bien moins esthétique mais bien plus étoffé.

Par contraste, regardez la Figure 10.4 qui vous montre la page de Dell (`http:/`
`/www.dell.com`), l'un des vendeurs de PC par correspondance les plus importants. Elle est visiblement surchargée de détails. On y trouvera, par exemple,
la possibilité de commander directement une machine, et si vous visitez les
deux sites, vous noterez que, comme on pouvait s'y attendre, le site de Dell
est bien plus étoffé.

Plus loin, dans ce même chapitre, vous apprendrez comment créer une
présence Web pour une petite entreprise. Actuellement, même en France, de
plus en plus d'entreprises commerciales, quelle que soit leur importance,
utilisent ce média.

Amélioration d'un site

Dans les sections qui vont suivre, nous allons voir ce qu'il est possible de
faire pour améliorer la conception, la mise en page et même la structure de
votre site. A cette occasion, nous étudierons de plus près les liens, les tableaux, les frames (cadres) et d'autres choses encore. Nous avons déjà traité
le sujet des images et du multimédia aux Chapitres 8 et 9.

Davantage de pages

Grâce aux outils d'édition HTML que nous avons décrits dans les chapitres
précédents, il vous est facile d'ajouter d'autres pages à votre présentation.
Mais comment établir un lien entre les pages ? Comme vous allez le voir, ce
n'est pas bien difficile.

Liens entre pages d'un même site

Pour lier plusieurs pages entre elles, vous devez donner à votre visiteur un
moyen de charger une autre page en cliquant sur un *objet HTML d'appel*
(texte ou image). Pour cela, on utilise la balise `<A>`. "A" signifie *ancrage*
(*anchor*, en anglais).

Commencez par créer les deux pages que vous voulez lier et ajoutez ensuite
un ancrage dans la page qui doit appeler l'autre. Voici comment cela va se
présenter :

```
Si vous voulez savoir comment marche cet appareil,
   consultez <A HREF="notice.htm">sa notice</A>.
```

En quoi consiste réellement votre travail ?

Mettre le doigt dans l'engrenage de la création de pages Web est passionnant, mais une fois qu'on y est, il peut être difficile de s'en extraire.

HTML et les outils logiciels de base sont suffisamment simples à apprendre et à utiliser pour que n'importe qui (ou presque) puisse créer un site Web. Mais lorsqu'il s'agit d'entretenir un site et de lui donner de l'ampleur, c'est une autre histoire. Il est facile de devenir un "expert par accident", mais votre véritable travail dans l'entreprise risque d'en pâtir.

Aussi faut-il rapidement prendre une décision et établir clairement une frontière entre les deux activités. Lorsque celle-ci sera près d'être franchie, n'hésitez pas à demander le budget nécessaire pour faire appel à la sous-traitance.

Voici le rôle de chacune des parties de cette commande :

`<A>`	Indique au navigateur qu'il doit afficher le texte qui va suivre dans une couleur différente (généralement en bleu) et en le soulignant.
`HREF="notice.htm"`	Indique que lorsque l'utilisateur cliquera sur le texte souligné, le navigateur devra charger le fichier appelé `notice.htm`. Netscape Navigator et Internet Explorer (entre autres) affichent le nom du fichier à charger dans leur barre d'état lorsque l'utilisateur promène le pointeur de sa souris (sans cliquer) sur le texte d'appel.
`sa notice`	C'est le texte d'appel, celui qui va être affiché dans une autre couleur et souligné. Si on clique dessus, le navigateur charge le fichier correspondant.
`</A>`	C'est le marqueur de fermeture de la balise `<A>`.

La Figure 10.5 vous présente ce que va voir l'utilisateur sur l'écran.

 Vous pouvez aussi créer un lien vers une page située dans un répertoire différent, mais c'est un peu plus compliqué et, lorsqu'on ne connaît pas bien le mécanisme de l'arborescence des répertoires, on s'expose ainsi à de nombreuses erreurs tant dans le transfert des fichiers que dans l'établissement des liens entre ces derniers. Pour les sites qui ne contiennent pas trop de fichiers, mieux vaut tout placer dans le même répertoire.

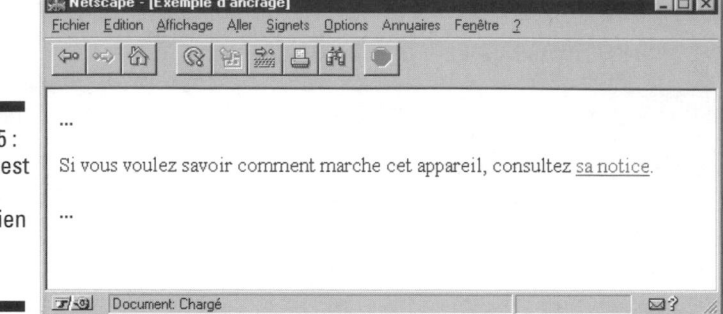

Figure 10.5 :
Comment est
affiché un
appel de lien
(ancrage)
simple.

La Figure 10.6 vous montre comment se présentent des liens établis de plusieurs façons vers d'autres pages toutes situées dans le même répertoire.

Vous pouvez essayer cet exemple sans avoir besoin de vous connecter à l'Internet. Créez simplement les pages référencées et celles qui contiennent les balises nécessaires et ouvrez le fichier qui contient les appels dans votre navigateur.

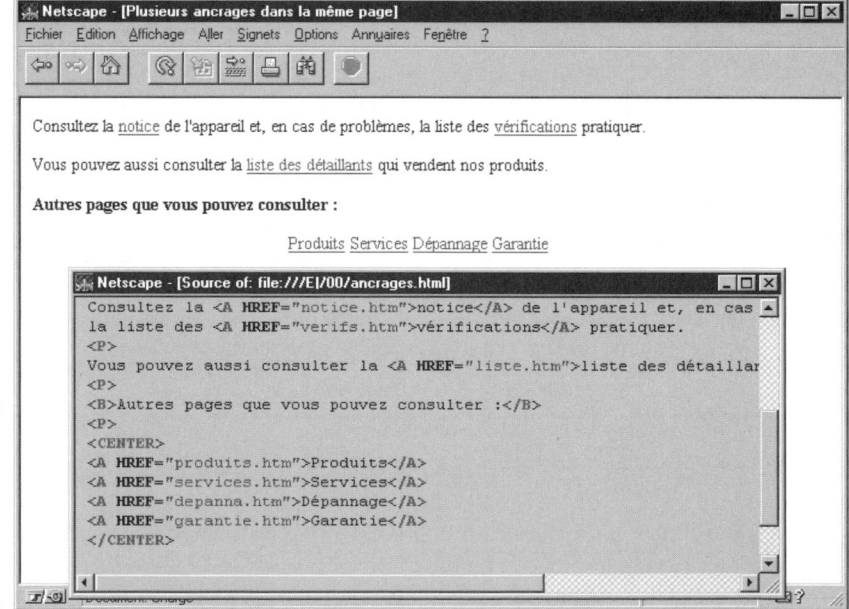

Figure 10.6 :
Plusieurs
liens
différents
dans une
même page.

Liens à l'intérieur d'une même page

Les ancrages que nous venons d'étudier vous emmènent systématiquement en tête de la page chargée. Mais vous pouvez aussi créer un lien vers un autre endroit d'une page.

Pour indiquer le point précis que vous voulez atteindre dans une page, vous devez y poser une *étiquette*, ce qui va se faire aussi avec une balise ⟨A⟩, mais cette fois qui contiendra l'attribut NAME au lieu de l'attribut HREF :

```
<A NAME="fonctionnement"></A>
```

Voici le rôle que joue chacune des parties de cette commande :

⟨A⟩ ... ⟨/A⟩	Délimiteurs de la commande.
NAME="fonctionnement"	Nom de l'étiquette ainsi posée.

Pour atteindre cette étiquette, il faut ajouter son nom à la suite de celui du fichier en interposant entre les deux un caractère dièse (#) :

```
Consultez le <A HREF="notice.htm#fonctionnement">
   mode d'emploi</A> de l'appareil.
```

Si l'appel se trouvait dans la même page, inutile de recharger le fichier, il suffit d'écrire :

```
Consultez le <A HREF="#fonctionnement">
   mode d'emploi</A> de l'appareil.
```

 Lorsque vous publiez de longs documents, il est bon de prévoir un menu de liens internes dans le document, menu qu'on placera en tête de la page. Cependant, évitez de créer de trop longues pages. Le visiteur voit vos pages écran par écran, aussi mieux vaut prévoir une page par rubrique.

Navigation à l'intérieur d'un site

Lorsque le nombre de pages de votre site dépasse deux ou trois, il faut vous préoccuper des moyens de navigation. Ne vous contentez pas de parsemer çà et là vos pages d'appels de liens internes, mélangés avec des appels de liens vers des sites extérieurs. Créez plutôt des zones de navigation où seront regroupés les appels de liens.

Pensez à créer au bas de chaque page une liste des principales rubriques de votre site. Pour les petits sites, une rubrique, c'est une page, alors que pour les sites importants vous pourrez distinguer des rubriques et des sous rubriques, voire davantage. La Figure 10.4 vous en a montré un exemple.

Lors de la phase initiale de création de votre site, créez une image illustrant les liens vers les zones principales de votre site. Utilisez-la au bas de chaque page systématiquement, cela contribuera à agrémenter la présentation de votre site.

Ajout de liens externes

La façon la plus simple de renforcer l'impact de votre site est d'ajouter des liens vers des sites externes. Cependant, ne vous y lancez pas inconsidérément, car, en définitive, ce que vous désirez, c'est que vos visiteurs apprécient la somme de travail que **vous** avez réalisée, donc qu'ils ne quittent pas trop vite **votre** site. D'un autre côté, un site dépourvu de liens externes ressemble à une impasse : c'est un site bien ennuyeux car replié sur lui-même.

Alors, réfléchissez avant de créer un lien. Créez d'abord un ensemble de pages cohérent avec des liens entre elles. Ensuite, voyez comment et où insérer des liens vers l'extérieur, et choisissez ces sites de façon que les utilisateurs qui ont trouvé de l'intérêt à votre site en trouvent pour ceux que vous leur proposez. Créez des tableaux de liens sur les sujets que vous connaissez bien, mais évitez de placer des liens vers des "grands noms" (comme le magazine *Wired* ou le moteur de recherche Yahoo!) que tout le monde connaît déjà, simplement pour montrer que, vous aussi, vous les connaissez. De la même façon, évitez les liens hors sujet. A titre d'illustration de ces principes, regardez la Figure 10.7 qui vous montre un fragment de la page de liens d'un site consacré à la restauration des motos anciennes Gnome & Rhône (`http://www.multimania.com/amgr/liens.htm`). Vous noterez l'homogénéité des liens externes, tous pointant vers des sites qui traitent du même centre d'intérêt mais pour des marques différentes.

Il est très facile d'ajouter un appel de lien externe : dans l'attribut `HREF` de la balise `<A>`, il suffit d'indiquer une URL complète sans oublier le préfixe `http://` qui indique clairement qu'il s'agit d'un lien externe vers un serveur Web. Voici un exemple réel de ce type de lien :

```
Pour des informations sur la sécurité informatique,
consultez le
<A HREF="http://www.urec.fr"> serveur de l'UREC</A>.
```

Création d'un tableau

Les tableaux HTML peuvent être utilisés de diverses façons : de façon élémentaire pour regrouper des informations numériques (c'est ce que nous allons vous montrer dans ce chapitre) ou pour effectuer des mises en page élaborées. L'utilisateur ne se rend pas compte qu'il s'agit d'un tableau, tout ce qu'il a devant les yeux, c'est une présentation agréable.

On peut créer un tableau simple en travaillant directement au niveau HTML, mais dès que sa structure se complique mieux vaut recourir à des éditeurs HTML spécialisés. C'est une des raisons qui les ont rendus si populaires. La Figure 10.8 vous montre un exemple élémentaire de tableau.

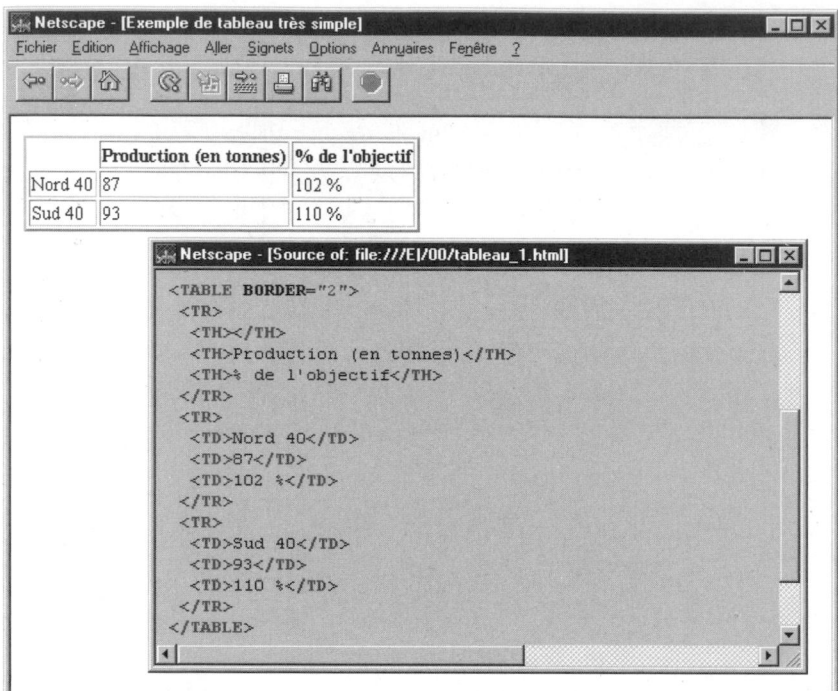

Figure 10.8 :
Exemple de
tableau
simple.

```
<TABLE BORDER="2">
<TR>
<TH></TH>
<TH>Production (en tonnes)</TH>
<TH>% de l'Objectif</TH>
</TR>
<TR>

<TD>Nord 40</TD>
<TD>87</TD>
<TD>102 %</TD>
</TR>
<TR>
<TD>Sud 40</TD>
<TD>93</TD>
<TD>110 %</TD>
</TR>
<TR>
</TABLE>
```

Voici le rôle joué par chaque balise :

`<TABLE> ... </TABLE>`	Délimiteurs du tableau.
`BORDER=2`	Définit l'épaisseur des bordures du tableau.
`<TR> ... </TR>`	Définissent la ligne qui contiendra les en-têtes.
`<TH> ... </TH>`	Définissent les cellules d'en-tête de colonnes.
`<TD> ... </TD>`	Définissent les cellules de données.

Comme on le voit, la création d'un tableau, si elle est simple, n'en est pas moins fastidieuse. Et encore n'avons-nous pas abordé le problème des alignements horizontaux et verticaux du contenu des cellules !

Cependant, il y a quelques précautions à prendre pour que l'alignement du contenu des cellules soit correct. C'est pourquoi beaucoup d'auteurs Web préfèrent utiliser des logiciels d'édition spécialisés pour créer leurs tableaux, quitte à faire quelques corrections à la main, à l'étape finale.

Les tableaux ont été introduits par Netscape dans la version 1.1 de Netscape Navigator, car ils ne faisaient pas partie de la spécification HTML originale. Depuis la recommandation officielle HTML 3.2 du W3C, tous les navigateurs modernes les reconnaissent en les interprétant parfois avec quelques petites différences.

Ne vous laissez pas encadrer

Comme les tableaux, les *frames* (cadres) sont une innovation introduite par Netscape. Leur principe consiste à diviser l'écran en plusieurs zones indépendantes. Vous pouvez, par exemple, cliquer dans un lien situé dans la moitié basse de la fenêtre du navigateur et seul changera le contenu de la moitié haute. Ils n'ont pas été adoptés aussi largement que les tableaux, mais depuis les versions 3.x de Netscape Navigator et d'Internet Explorer, ils sont entrés dans la réalité quotidienne. Il n'y a donc guère que des visiteurs attachés à leur antique navigateur ou préférant des navigateurs... exotiques qui ne pourraient pas en bénéficier.

Pour certains utilisateurs peu aguerris ou tout débutants, l'utilisation correcte de ces cadres peut s'avérer plus délicate que celle des tableaux, et ils risquent d'avoir un peu de mal à s'y retrouver dans la pluralité des fenêtres affichées. Il suffit cependant d'un peu d'habitude pour que ces petits inconvénients disparaissent rapidement. Ce qui est vrai, c'est que l'utilisation correcte des cadres réclame une résolution d'écran d'au moins 800 x 600 pixels. La Figure 10.9 vous montre un type d'utilisation classique où le cadre de gauche est utilisé pour présenter le menu principal de navigation. (Le cadre supérieur reçoit un sous-menu pour chacun des menus principaux sollicités.)

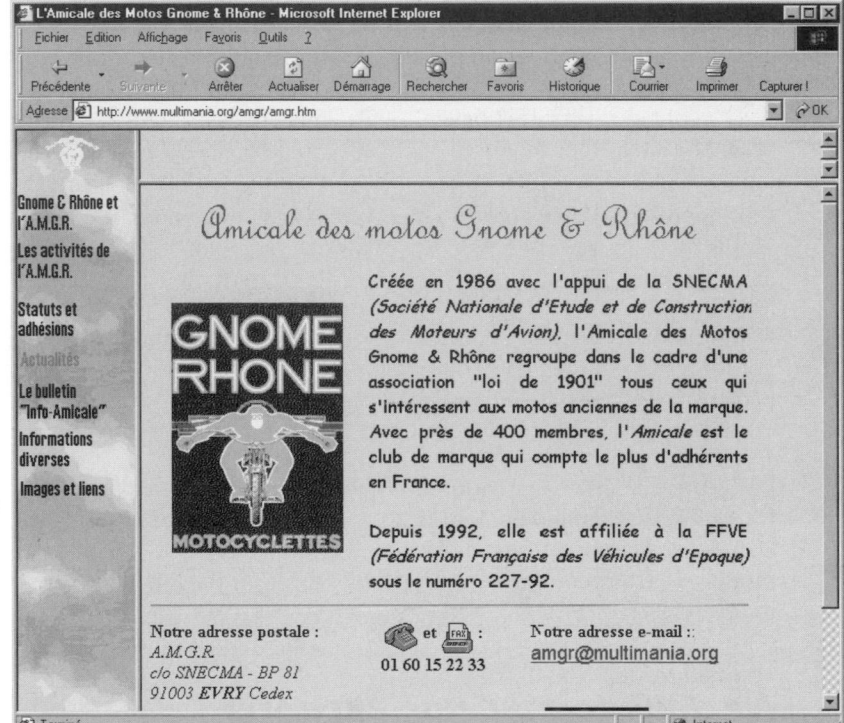

Figure 10.9 : Exemple de page d'accueil ayant une structure de frame.

Nous estimons que la création et la gestion de structure à base de cadres est d'une difficulté supérieure à la manipulation des tableaux, aussi nous n'en parlerons pas davantage dans ce livre. Rien ne vous empêche, si vous y tenez réellement, d'utiliser pour cela un des outils logiciels qui seront décrits dans la cinquième partie. Vous pouvez aussi consulter l'Annexe C et faire quelques essais pratiques.

Formulez bien vos formulaires

Les formulaires sont incontestablement une des meilleures choses qu'on puisse trouver dans HTML. Ayant été partie intégrante de la première spécification HTML, ils sont reconnus par tous les navigateurs. C'est une bonne chose.

Le revers de la médaille, c'est que, si vous proposez un formulaire à vos visiteurs, ils vont très probablement vouloir y saisir des informations. Fort bien, mais où vont aller ces informations ? C'est là que le bât blesse. Pour les recueillir, vous devez disposer d'un programme particulier, exactement adapté aux questions posées dans le formulaire, et qu'on appelle un *script CGI*. Qui dit programme sous-entend programmation. Si vous ne savez (ou ne voulez) pas programmer, c'est là un écueil de taille. En outre, on n'installe pas ce programme sans demander au préalable l'autorisation à l'administrateur du système, lequel vous répondra le plus souvent par une fin de non-recevoir pour des raisons de sécurité. Lorsque vous vous adressez à un sous-traitant pour réaliser et héberger une présentation Web, le problème est différent, car le danger n'existe plus : il sait exactement ce que contient le script CGI parce qu'il a été écrit par un professionnel responsable et connaissant bien son métier.

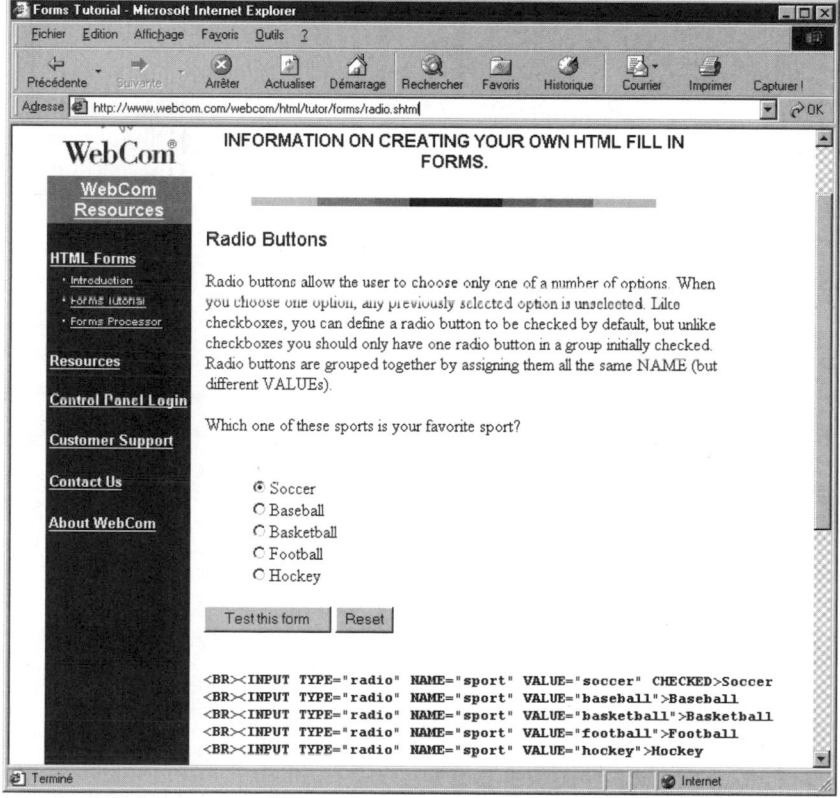

Figure 10.10 :
Exemple de
formulaire.

Pour une présentation personnelle, vous pouvez toujours tenter de faire écrire le script de dépouillement par quelqu'un d'autre et en discuter avec l'administrateur du système, mais n'ayez pas trop d'espoir. La Figure 10.10 vous présente un exemple d'utilisation de formulaire extrait d'un didacticiel qui se trouve à l'URL :

```
http://www.webcom.com/webcom/html/tutor/forms/radio.shtml
```

Vous trouverez d'autres renseignements sur ce sujet au Chapitre 9.

Un compteur dans un coin

A notre avis, les compteurs d'accès comptent (!) parmi les meilleures innovations apportées au Web. C'est, en effet, un moyen pratique et simple à mettre en œuvre pour mesurer l'audience d'un site[1]. Toute présentation "sérieuse" se doit d'en avoir un sur sa page d'accueil. Vous pourriez obtenir la même information, accompagnée d'autres détails intéressants, en consultant les *logs* (le journal de bord) du serveur qui vous héberge. Malheureusement, leur lecture n'est pas évidente, et il n'est pas certain que le responsable du serveur vous permette d'y accéder librement.

Les compteurs demandent, eux aussi, l'assistance d'un script CGI. Mais, à la différence des scripts de dépouillement de formulaires, il s'agit d'un script standard dont le contenu est bien connu – donc sans danger. Si le serveur qui héberge votre présentation ne vous en propose pas, sachez qu'il en existe de nombreux à votre disposition sur d'autres sites. L'URL permettant d'y accéder pointera alors sur les sites en question.

N'oubliez pas que si votre visiteur réside en France et que votre compteur est domicilié aux Etats-Unis, cela risque de ralentir sérieusement l'affichage de votre page d'accueil.

Création d'un site d'entreprise simple

Même la plus modeste PME peut tirer bénéfice d'une présence sur le Web. A l'autre bout de l'échelle, c'est une obligation pour les grandes entreprises. Mais comment parvenir à assurer cette présence sans mise de fonds excessive et avec le minimum de difficultés techniques ?

---

1. De nombreuses études dignes de foi ont montré pourquoi il n'était pas possible d'accorder beaucoup de crédibilité à cet "audimat" du Web. *(N.d.T.)*

Par bonheur pour vous, vous avez acheté le livre qu'il vous fallait et vous l'avez en ce moment entre les mains ! Dans cette section, nous allons vous montrer comment constituer le squelette d'un site d'entreprise que vous pourrez éditer et modifier tout à loisir.

Certains des outils que nous décrirons dans la cinquième partie contiennent des modèles pour toutes sortes de sites, y compris des sites d'entreprise. Certains fournisseurs d'accès peuvent, eux aussi, vous en proposer. Le seul ennui, c'est que, dans le premier cas, conçus pour des lecteurs américains, ces modèles ne correspondent pas réellement à ce qu'on a l'habitude de rencontrer en France et demanderont donc une sérieuse adaptation.

Exemple de site d'entreprise

Cet exemple manque un peu de fantaisie, mais son but est de vous fournir un squelette de départ dans lequel vous pourrez en très peu de temps glisser les informations propres à votre entreprise.

Outre sa simplicité, il a été conçu pour vous aider à comprendre le *pourquoi* de chaque page et quelle est sa contribution à l'ensemble.

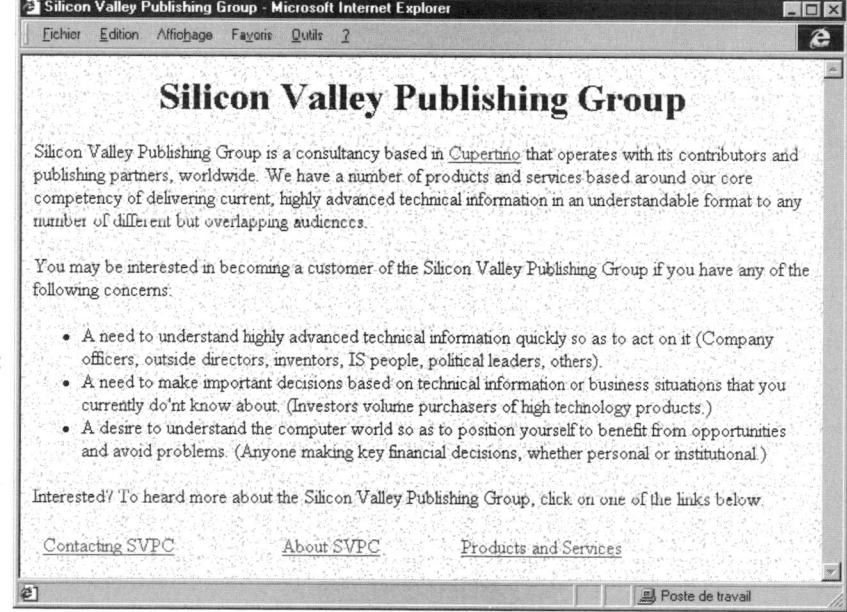

Figure 10.11 : La page d'accueil de l'entreprise fictive Silicon Valley Publishing Group.

La page d'accueil de ce site se présente comme un panneau d'affichage qui tient dans un seul écran de taille habituelle et n'oblige donc pas le visiteur à jouer avec les barres de défilement. Inspirez-vous de cet exemple dont la page d'accueil (reproduite sur la Figure 10.11) permet de visualiser d'un seul coup d'oeil la structure d'un site.

Page d'accueil

Elle présente une brève description de ce que vend le Silicon Valley Publishing Group et propose quatre pointeurs vers d'autres parties du site. Voici quels sont ses objectifs :

- Le surfeur que ça n'intéresse pas peut, d'un seul coup d'oeil, s'en apercevoir et s'en aller plus loin.

- Le surfeur que ça intéresse peut, d'un seul coup d'oeil, s'en apercevoir et chercher à en savoir davantage.

- Elle doit donner une première impression favorable de l'entreprise.

- Elle doit aider l'utilisateur à trouver rapidement les informations qu'il recherche.

Qui contacter ?

La rubrique *Contacting SVPG* doit permettre au visiteur de savoir comment contacter la ou les personnes qui détiennent les informations dont il a besoin. Donc donner les coordonnées des responsables des différents services et départements de l'entreprise : adresse, numéro de téléphone et de fax, adresse e-mail.

Grâce aux moteurs de recherche, il est facile de trouver l'URL de la page d'accueil de presque n'importe quel site d'entreprise, mais une fois là, encore faut-il descendre à un niveau de détail inférieur et savoir qui contacter et comment.

Informations commerciales

C'est la rubrique *About SVPG*. Elle doit expliquer ce que vous fabriquez et pourquoi vous le fabriquez. Quelle impression souhaitez-vous laisser dans l'imagination de vos visiteurs ? C'est l'endroit idéal pour créer une forte image de marque. Pourquoi vos clients travaillent-ils avec votre entreprise et non avec une entreprise concurrente ? Appuyez-vous sur ces idées pour communiquer une image positive et forte de votre entreprise. Vous pouvez profiter de l'occasion pour fournir quelques liens vers des entreprises associées, des clients et des fournisseurs. C'est de cette façon que vous pourrez renforcer la confiance du client potentiel et lui donner envie de travailler avec vous.

Informations sur les produits et services

C'est la rubrique *Products and Services*. C'est ici que vous allez donner la liste de ce que vous proposez à la vente : produits et/ou services. Cette liste doit être claire et simple, et comporter pour chaque article une brève description accompagnée d'une illustration ou d'une photo qui contribuera à donner une bonne impression au visiteur. N'oubliez pas de prévoir un lien qui permettra à ce dernier de demander de plus amples informations sur un produit ou un service particulier ou de savoir qui contacter au sujet de cet article.

Pour aller plus loin

Commencez par créer, tester et publier un site simple tel que ceux que nous venons de détailler. Vous trouverez des informations sur la façon de *publier* votre site au Chapitre 11.

Pour avoir une idée des étapes ultérieures, regardez ce qui se passe à l'intérieur et à l'extérieur de votre entreprise. A l'intérieur, recherchez tous les documents techniques et commerciaux concernant les produits et les services, et réfléchissez à la façon de les transporter sur le Web. Il est plus facile de vous inspirer de ce qui existe déjà que de tout recréer à partir de zéro.

Ajoutez des images plus sophistiquées, voire du multimédia (vous trouverez de nombreuses informations sur ce sujet aux Chapitres 8 et 9). N'essayez pas de réinventer la roue du premier coup ; contentez-vous de quelque chose de simple qui soit clair et facile à comprendre. Utilisez les photos de vos produits. Enrichissez votre page d'accueil par un message de bienvenue dit par votre P.-D.G., par exemple. Ou bien placez-y un clip vidéo concernant votre entreprise.

A l'extérieur, regardez ce que font vos concurrents, vos partenaires et vos clients sur le Web. Que trouve-t-on sur leur site qui ne se rencontre pas encore sur le vôtre ?

Finalement, n'oubliez pas de prendre en compte le budget dont vous disposez et de le comparer à celui de vos concurrents (dans la mesure où vous pouvez en avoir connaissance). Dénombrez vos clients réels et potentiels. Situez la place du Web dans votre plan marketing. Votre entreprise se distingue-t-elle de ses concurrentes sur le Web ? Et comment ? Tous ces éléments devraient vous aider à déterminer si vous devez en rester là de votre présentation ou si vous devez continuer à l'améliorer.

Un cas d'école *(N.d.T.)*

Cet exemple est ce qu'il convient d'appeler un "cas d'école". Son style fait immédiatement penser à la conception américaine de la publicité, plus proche de la "réclame" que de la "pub" à laquelle nous ont habitués les médias français. C'est lourd, indigeste, sans aucune accroche visuelle et déplaisant à voir autant qu'à lire. La rédaction en est plate, le style quelconque et on a plutôt l'impression de voir une annonce pour une officine douteuse que la page d'accueil d'une firme sérieuse et compétente. C'est du travail d'amateur et d'amateur peu doué.

Comparez cette page tristounette avec la page d'accueil du groupe Lagardère reproduite sur la Figure 10.12 dans laquelle on voit immédiatement la "patte" d'un graphiste connaissant bien son métier. Beau travail de véritable professionnel conforme à l'image de marque que souhaite donner de lui un groupe industriel important. Cela illustre bien l'importance qu'il y a pour une entreprise à ne pas laisser bricoler son site Web par un amateur lorsqu'elle veut présenter d'elle une image appropriée.

Mieux vaut donc ne pas vous inspirer de l'exemple choisi par nos deux auteurs. Même pour une présentation personnelle ou dédiée... Le Web est essentiellement graphique. Alors, donnez la parole aux images !

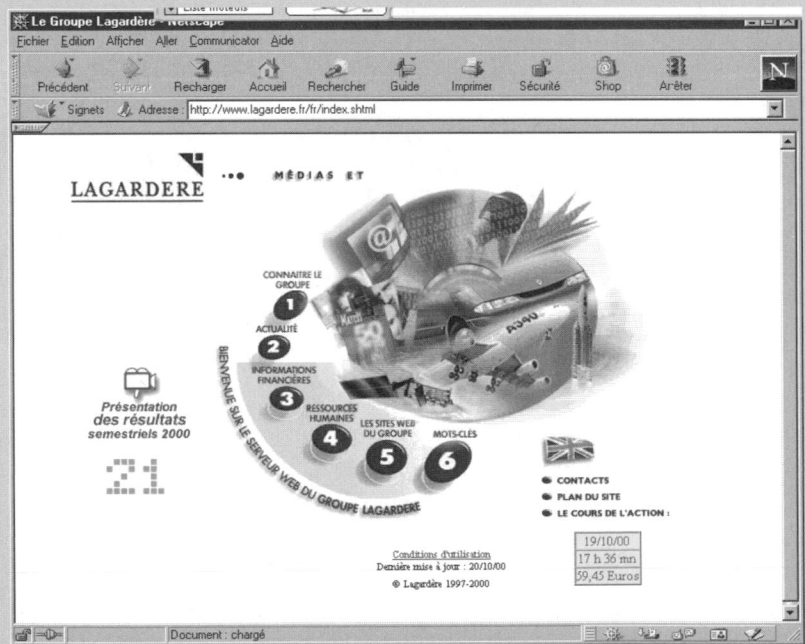

Figure 10.12 : La page d'accueil du site Web du groupe Lagardère.

Au fur et à mesure que votre site gagnera en complexité, songez à faire appel à des consultants ou à des professionnels du Web pour continuer à le faire évoluer. L'expérience que vous aurez acquise vous permettra de mieux sélectionner vos sous-traitants.

Chapitre 11
Publication de vos pages Web

Dans ce chapitre :

▶ Comment trouver un serveur pour vous héberger.

▶ Transfert de vos fichiers sur le serveur Web.

▶ Activation de votre site.

Ce chapitre a été modifié de façon importante pour tenir compte le plus possible des différences qui existent entre la France et les Etats-Unis en ce qui concerne l'hébergement de sites Web. *(N.d.T.)*

L a publication de votre site Web est peut-être la partie la plus enthousiasmante du processus de création. Après tout ce temps passé à manipuler le texte, les images, le multimédia... vous allez enfin pouvoir montrer au monde entier ce dont vous êtes capable.

La publication peut s'avérer très simple s'il s'agit d'une présentation personnelle, mais dans le cas d'un site d'entreprise plusieurs étapes vont être nécessaires.

La première étape à franchir est de trouver de la place sur un serveur Web. Ici, de nombreux choix s'offrent à vous. Pouvez-vous obtenir de la place sans bourse délier ? Sinon, combien devrez-vous payer ? Voulez-vous votre nom de domaine en propre ou acceptez-vous de n'occuper qu'un sous-répertoire à l'intérieur d'un serveur spécialisé ? Pour un site d'entreprise, il va falloir choisir un prestataire qui vous en donne pour votre argent, vous fournisse une assistance technique en cas de problème, et puisse vous accorder davantage de place sur disque lorsque vous voudrez agrandir votre site.

Ensuite, il faudra procéder au transfert des fichiers depuis votre machine vers ce serveur.

Mais ce n'est pas tout. Le but final de toutes ces manipulations, c'est de rendre votre site visible par le monde entier. Parmi les millions d'autres sites déjà présents, il faut trouver comment vous faire connaître et amener les gens sur votre site. Et après avoir mis en œuvre les moyens nécessaires pour y parvenir, encore faudra-t-il en mesurer l'impact. Vous aurez également à assurer le suivi des messages que vous allez recevoir de vos visiteurs. Comme le dit la publicité faite par l'armée américaine pour attirer des volontaires : "Ce n'est pas seulement un job, c'est une aventure !"

Une fois que vous en serez là, vous allez pouvoir vous relaxer un peu. Mais peut-être, plus tard, flânant tranquillement sur le Web, découvrirez-vous quelque chose qui vous plaira et que vous auriez bien aimé trouver sur votre site ? Ou bien, en regardant vos propres pages, verrez-vous subitement un problème dans la façon de vous présenter ou de décrire votre entreprise ou vos centres d'intérêt ? Ou encore recevrez-vous une tempête de messages électroniques vous posant une question à laquelle vous pensiez avoir répondu ? Peut-être aurez-vous à déplorer une absence totale de réactions. Peut-être sera-ce alors le moment de ressortir votre éditeur HTML !

Comment trouver de la place sur un serveur Web

Un *serveur Web* est un ordinateur connecté à l'Internet et sur lequel tourne un logiciel particulier qui lui permet de diffuser des informations (des pages Web) aux internautes surfant sur le Web. Il existe des centaines de milliers de ces serveurs. Pour devenir membre à part entière du Web, vous devez ou bien créer votre propre serveur, ou bien placer vos fichiers sur un serveur existant, c'est-à-dire trouver un *site d'hébergement* ou, comme on dit maintenant couramment : un *hébergeur*.

Il n'est pas difficile de trouver de la place sur un serveur Web. Par exemple, les services de publication gratuits que nous avons vus aux Chapitres 3 et 4 sont tout prêts à vous accueillir. Vous pouvez aussi avoir un ami qui gère un serveur ou faire partie d'une association qui possède déjà son serveur. Pourquoi ne pas leur demander de vous héberger ?

Si vous passez de la présentation personnelle à la présentation d'entreprise, les choses se compliquent un peu dans la mesure où vous allez devoir payer pour louer de la place sur un serveur. Mais autant en avoir pour votre argent et comparer ce qu'on vous propose. Nous allons donc tenter de définir quelques critères de choix.

America OnLine est le seul service en ligne qui continue à vous offrir un peu de place gratuite pour un site d'entreprise[1].

Prestations offertes par un site d'hébergement

Qu'il s'agisse du choix d'un fournisseur d'accès à l'Internet ou de celui d'un site d'hébergement, le prix n'est pas un critère décisif. Voici quelques points importants à examiner attentivement :

- **Barème de facturation.** Renseignez-vous de l'incidence sur les tarifs pratiqués que peut avoir la popularité de votre présentation Web et la place qu'elle occupe sur les disques durs du serveur. Certains fournisseurs pratiquent des prix d'appel pour attirer le client, quitte à les réviser en prétextant la charge importante qu'occasionnent de nombreuses consultations par les visiteurs attirés par la qualité de votre travail.

- **Assistance.** Nous avons tous besoin d'assistance, quoique à des degrés divers, selon notre expérience et la nature des problèmes que nous rencontrons. Ici, les premières difficultés peuvent survenir au moment du transfert de vos pages sur le serveur. Tôt ou tard, vous aurez certaines questions à poser concernant les temps d'accès, la place occupée sur disque, les procédures de sauvegarde, etc.

- **Conseils d'organisation.** Vous pouvez avoir besoin de conseils sur la façon d'organiser votre site. Combien est-ce que ça vous coûtera ? Généralement, la facturation est établie au temps passé, mais certains prestataires réagissent plus rapidement et plus efficacement que d'autres.

- **Services annexes.** Certains sites d'hébergement proposent des services parfois sophistiqués : des statistiques de visites, par exemple. D'autres peuvent vous autoriser à utiliser des scripts CGI sur leur machine (ce que beaucoup refusent en général, pour des raisons de sécurité, lorsque ces scripts n'ont pas été écrits par leurs collaborateurs).

- **Nom de domaine.** On appelle *nom de domaine* le nom du serveur qui vous héberge. Mais cela ne veut pas dire *sa machine*. En effet, presque toujours, les prestataires de services abritent plusieurs domaines différents sur leurs machines. Pour avoir un nom de domaine personnalisé, la procédure est contraignante en France, rapide et facile aux Etats-Unis. Dans ce pays, il suffit de payer initialement 70 dollars puis 35 dollars tous les ans et c'est votre prestataire de services qui pourra se charger des démarches si bous le souhaitez.

---

1. Vrai pour les Etats-Unis, mais nous ignorons ce qu'il en est pour ce qui concerne la France. *(N.d.T.)*

Chez nous, si vous voulez un nom de domaine en **.fr**, vous devrez obligatoirement passer par l'intermédiaire d'un prestataire agréé par l'AFNIC (association française ayant délégation pour délivrer des noms de domaines). Pour connaître la règle du jeu instaurée par l'AFNIC, consultez son serveur (dont la page d'accueil est reproduite sur la Figure 11.1) à l'URL :

```
http://www.nic.fr/Prestataires/index.html
```

En outre, l'AFNIC a défini des règles précises, très contraignantes quant au *nommage* des noms de domaines. Vous pourrez les consulter à l'URL suivante :

```
http://www.nic.fr/Procedures/nommage.html
```

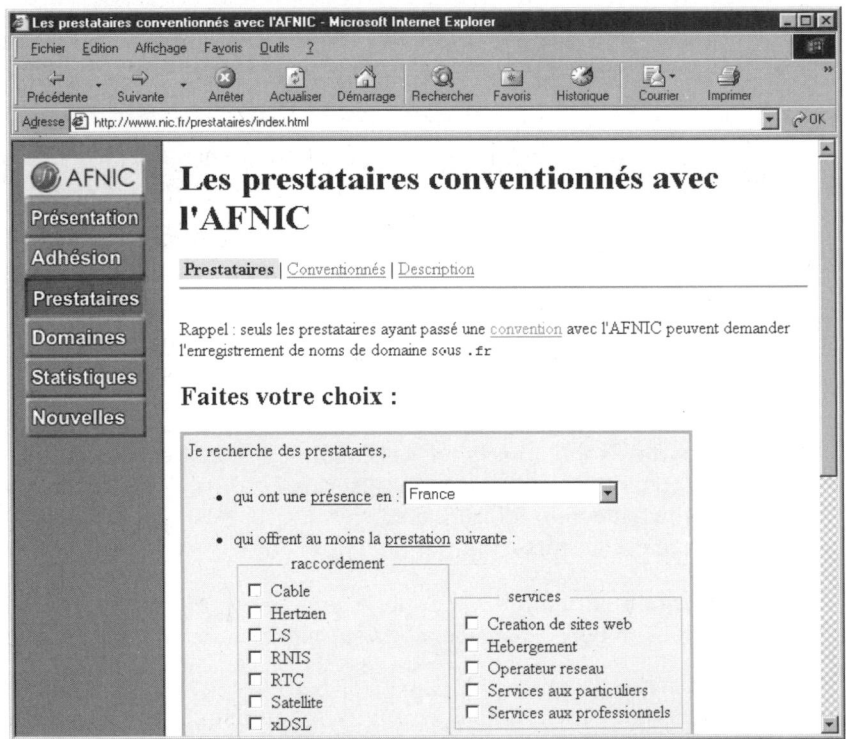

Figure 11.1 :
Page
d'accueil de
l'AFNIC.

Vous devrez fournir plusieurs documents officiels et en remplir d'autres. Vous n'êtes pas autorisé à faire les démarches personnelle-ment, et vous devrez obligatoirement passer par un "intermédiaire agréé" et, naturellement, le payer de sa peine. Résultat : la note à payer sera nettement plus élevée qu'aux Etats-Unis. Heureusement, rien ne vous empêche de vous adresser vous-même, directement, à l'Internic aux Etats-Unis si vous êtes pressé et qu'un nom de domaine en **.com**, **.net** ou **.org** vous convient.

Bien entendu, dans tous les cas, il faut que ce nom de domaine ne soit pas déjà attribué. L'intermédiaire que vous aurez retenu se chargera de s'en assurer, mais il existe plusieurs moyens simples de le savoir rapidement. Vous pouvez, par exemple, pointer votre navigateur sur l'URL du prestataire Virtual Internet dont la Figure 11.2 vous montre la page d'accueil :

```
http://www.france.vi.net
```

Figure 11.2 :
La page
d'accueil de
Virtual
Internet.

Certains hébergeurs qui vous proposent d'enregistrer votre nom de domaine en conservent cependant la propriété, ce qui risque de vous causer de sérieuses difficultés si vous envisagez, plus tard, de changer de prestataire. Par prudence, faites-vous préciser par écrit les conditions d'attribution et de propriété de votre nom de domaine.

Qu'y a-t-il dans un nom de domaine ?

Si vous avez réussi à obtenir un nom de domaine personnel, sa forme générale dépendra de certaines règles, différentes selon que ce sera un nom de domaine propre à la France ou relevant du domaine public (com, net, org). Si vous acceptez de partager le nom de domaine d'un prestataire, votre identité pourra apparaître sous des formes diverses. Par exemple, avec MultiMania, ce serait :

        http://amgr.multimania.com/

Il faut savoir, en outre, que les "grands services en ligne" proposent des URL pas très gratifiantes. Celle imposée par AOL commence par `members`. Quant à Wanadoo, ce sera `perso.wanadoo.fr/votrenom`. Toutefois, vous pouvez choisir un sous-domaine si vous entrez dans une des catégories suivantes :

- `assoc.wanadoo.fr/votrenom` pour les associations.
- `ecole.wanadoo.fr/votrenom` pour les écoles.
- `pro.wanadoo.fr/votrenom` pour les MPE, MPI et professions libérales.
- `mairie.wanadoo.fr/votrenom` pour les mairies.

Voici quelques autres paramètres à prendre en compte au moment du choix de votre prestataire de services :

- **Vitesse.** A quelle vitesse vos visiteurs pourront-ils accéder à votre site ? A quelle vitesse pourront-ils éventuellement télécharger des fichiers à partir ce site[2] ? Vous pouvez poser la question, mais ne vous contentez pas de la réponse : faites des essais en tentant d'accéder à différents sites hébergés par ce prestataire à différents moments de la journée et de la nuit. Si votre prestataire réside aux Etats-Unis (ce qui n'a rien d'impossible, ne serait-ce que pour échapper aux contraintes et menaces de diverses natures qui pèsent sur les serveurs Web installés en France), n'oubliez pas que, en raison du décalage horaire, les périodes d'intense activité sur l'Internet sont différentes dans ce pays et chez nous.

---

2.   Il serait plus exact de parler de *débit moyen* (en kilo-octets par seconde), ce qui fait intervenir le temps d'attente entre deux rafales d'informations. *(N.d.T.)*

- **Fiabilité.** Le prestataire que vous envisagez peut-il assurer une bonne continuité de son service ? Même les plus importants peuvent avoir des pannes (logicielles ou matérielles) de longue durée, aussi la question mérite-t-elle une étude sérieuse.

- **Possibilités de changements.** Etes-vous rivé à votre prestataire comme un forçat à son banc ? En cas de problèmes, pourrez-vous le quitter sans difficulté ? Ici, c'est une question de contrat. Assurez-vous, en particulier, comme nous vous l'avons déjà signalé plus haut, que c'est bien vous et non pas lui qui êtes propriétaire de votre nom de domaine. Evitez de signer des contrats de trop longue durée que vous ne pourriez pas rompre rapidement sans indemnité parfois lourde au cas où vous n'auriez pas satisfaction.

- **Prix.** Toutes choses égales par ailleurs, le prix reste le facteur déterminant. Aussi, à prestations égales sur les autres postes, le moins-disant sera celui que vous devez choisir.

Attention à un détail important : très souvent, les prestataires vous facturent un surcoût lorsque le trafic sur votre site dépasse un trafic moyen mensuel fixé par avance.

 **Quels sont les facteurs dont dépend la vitesse d'un serveur Web ?**

Un serveur Web se caractérise par deux facteurs importants : les connexions entrantes (le nombre de clients qui peuvent s'y connecter directement ou par l'intermédiaire du réseau téléphonique) et le débit de sa ou de ses connexions avec l'Internet. Le premier paramètre dépend étroitement du nombre de modems installés et de leur débit maximal. Les deux ont une étroite interdépendance. Pour des connexions par modem, on admet généralement qu'il faut un débit de 64 Kbps côté Internet par tranche de 15 modems. Ces deux facteurs sont généralement difficiles, voire impossibles, à connaître. En outre, ils sont souvent fluctuants.

Le serveur doit consacrer un certain temps à l'établissement des connexions et à leur gestion. Beaucoup de gens pensent que ce qui importe le plus c'est la vitesse à laquelle sont transmis les fichiers, mais ce n'est pas toujours le cas. Lorsqu'on transmet de petits fichiers, le goulet d'étranglement est généralement situé au niveau du suivi de la connexion et non à celui de la transmission proprement dite. Le serveur "respire" entre deux bouffées d'informations qu'il vous envoie. Il faut aussi prendre en compte la vitesse de connexion du serveur à l'Internet lors de la transmission de gros fichiers comme des images.

Quels types de serveurs ?

Maintenant que vous savez quels sont les paramètres importants dans le choix du serveur qui vous hébergera, nous allons voir où le chercher. Sans être insurmontable, cette tâche n'est pas toujours facile. Si certains hébergeurs offrent un accès gratuit pour des présentations non commerciales, la plupart vous accueilleront plus volontiers si vous êtes disposé à payer en proportion des services que vous attendez d'eux. Et il n'est pas réellement impossible de créer votre propre serveur. A condition, toutefois, que vous ayez de solides connaissances en informatique, ce qui n'est probablement pas votre cas si vous êtes en train de lire cet ouvrage. De toutes façons, ce choix initial risque souvent d'être temporaire. Il faut pouvoir le remettre en question en fonction de l'évolution de votre site, de sa complexité croissante, du nombre de consultations quotidiennes et de votre expérience d'auteur Web.

Hébergement gratuit

Les grands services en ligne (CompuServe, AOL, Club-Internet, Infonie, Wanadoo...) proposent tous à leurs abonnés particuliers un espace disque compris entre 2 et 25 Mo pour héberger gratuitement leur page Web. C'est une très bonne solution pour débuter. Pour une présentation personnelle, c'est même sans doute la meilleure, dans la mesure où sa taille ne risque pas de croître au-delà du raisonnable.

D'autres services, sans pour autant être fournisseurs d'accès, offrent un accès gratuit à leurs disques. C'est le cas, par exemple, de GeoCities ou de Tripod, aux Etats-Unis, et de MultiMania, Chez, CiteWeb et autres en France. Vous trouverez une cinquantaine de références brièvement commentées (en français) et concernant de tels services en France ou à l'étranger, à l'URL :

```
http://actifweb.com/gratuit/hebergement/heber.htm
```

Les fournisseurs d'accès

Leur vocation première est d'offrir de la *connectivité*, c'est-à-dire de raccorder quiconque le souhaite à l'Internet. En France, on en compte actuellement environ 200, et il est probable que ce nombre n'augmentera plus beaucoup en raison de la guerre des prix à laquelle on assiste déjà. Nous en citerons quelques-uns parmi ceux qui ont le plus de "surface" et qui disposent d'une couverture nationale, à l'Annexe B. On trouvera une liste de fournisseurs d'accès sur le site du NIC France, à l'URL :

```
http://www.nic.fr/Prestataires/index.html
```

ou, périodiquement, dans certains numéros des revues *Netsurf* et *.net*. Les conditions proposées évoluent assez rapidement. A vous de prendre contact avec ces fournisseurs d'accès pour comparer non seulement les prix mais surtout les prestations proposées et notamment l'assistance technique qu'ils sont disposés à vous accorder contractuellement.

Les services d'hébergement spécialisés

Il s'agit de prestataires dont la vocation première est d'héberger des sites Web et non pas, à la différence des précédents, de fournir un accès à l'Internet. La plupart du temps, ils sont à même de réaliser pour vous un site complet. C'est le cas, par exemple, d'Imaginet, mais il n'est pas le seul. Ici encore, nous vous renvoyons à la page du NIC France :

```
http://www.nic.fr/Prestataires/index.html
```

Créer votre serveur personnel

Comme nous le faisions remarquer un peu plus haut, si vous avez acheté ce livre, il est plus que probable que vous n'êtes pas un professionnel de l'informatique et que vos connaissances en système d'exploitation des ordinateurs sont minimes, voire nulles. Dans de telles conditions, vouloir créer un serveur personnel est une tentative vouée à l'échec. Laissez ce soin à des professionnels qui ont parfois du mal à assurer leur mission dans des conditions satisfaisantes, si on en juge par les récriminations qu'on peut lire sur les news dans le forum :

```
fr.reseaux.internet.fournisseurs
```

Quelques critères de choix complémentaires

La fourniture de services Internet est un miroir aux alouettes auquel beaucoup se laissent prendre sans avoir réellement les compétences et l'expérience nécessaires. Il en résulte des difficultés réelles pour choisir un "bon" prestataire. Voici quelques conseils pour ne pas se tromper :

- **Commencez petit.** Ne comptez pas créer d'entrée quelque chose d'exceptionnel si vous êtes inexpérimenté. Commencez par une page personnelle ou un site de modeste envergure et, si vous tenez à votre emploi, évitez de vous lancer dans la création d'un site d'entreprise. Les conséquences d'un mauvais choix du prestataire seront alors moins importantes.

- **Précisez ce que vous attendez de votre prestataire.** Avez-vous l'intention d'en rester là ou de développer votre site ? Voulez-vous être seul maître à bord ou avez-vous l'intention de sous-traiter ultérieurement les développements de votre site ? Faites une liste de vos besoins présents et futurs (dans la mesure où vous pouvez d'ores et déjà les évaluer).

- **Regardez autour de vous.** Essayez de trouver des sites de la taille et du profil du vôtre, et demandez à leurs responsables quelles sont les difficultés qu'ils ont rencontrées et quelle est la satisfaction (ou l'insatisfaction) qu'ils éprouvent vis-à-vis du prestataire de services qu'ils ont retenu.

- **N'allez pas chercher votre prestataire loin de chez vous.** Si vous habitez une grande ville (Paris, Lyon, Marseille, Grenoble, par exemple), le conseil est facile à suivre, mais si vous résidez en Bretagne ou dans le Massif central, le nombre de prestataires au kilomètre carré est bien plus faible. Dans la mesure du possible, il est avantageux de pouvoir, sans longs déplacements, contacter directement le personnel technique de votre prestataire en cas de difficultés.

- **Impliquez-vous.** Un prestataire ne peut pas tout faire, et la qualité de ses services, si bonne soit-elle, ne vous dispense pas de suivre votre site au plus près. C'est vous qui devez rester le maître d'ouvrage.

Votre site est-il trop attractif ?

Que risque-t-il de se passer si votre site a trop de succès ? Que vous le croyiez ou non, et si étrange que cela puisse paraître, vous risquez d'avoir à affronter quelques problèmes. Que vous puissiez être choisi par Yahoo! ou tout autre site américain comme *cool site of the day* est fort peu probable (les Américains s'intéressent très rarement à ce qui se passe en dehors de chez eux), mais vous pourriez, plus modestement, remporter un *Web d'or* ou toute autre distinction ayant cours dans notre Hexagone. Et cette renommée pourrait engendrer un afflux de visiteurs sur votre site. Alors, en raison de l'accroissement de trafic qui en résulterait pour le prestataire qui vous héberge, celui-ci pourrait vous réclamer le paiement de frais supplémentaires.

A vrai dire, le risque, bien que possible, est très faible, mais il n'est pas nul. Certains sites Web d'amateurs comme *Hardware.fr*, qui propose des informations techniques pertinentes et d'actualité sur les ordinateurs du type PC à l'URL `http://www.hardware-fr.com`, enregistrent pas loin d'un million de consultations par an. Mieux vaut donc avoir pris ses précautions auparavant au moment de la négociation du contrat.

Le transfert de vos fichiers

Le principal agrément d'une présentation Web est que vous pouvez la tester tranquillement, presque totalement, sur votre propre machine, sans qu'il soit nécessaire de vous connecter à l'Internet ou à votre fournisseur d'accès. Mais, tôt ou tard, vous allez devoir passer en vraie grandeur et transférer tous les fichiers de votre site sur la machine du prestataire que vous avez choisi. A cet instant, si vous n'êtes pas très familiarisé avec ce type de procédure, vous risquez de passer des moments difficiles. Dans cette section, nous allons tenter de vous apporter quelque soulagement.

Préparez vos fichiers pour le transfert

Les plus grosses difficultés qu'on peut rencontrer dans la création, la gestion et le transfert de fichiers proviennent de la structure de répertoires que vous avez adoptée. Selon que tous vos fichiers seront ou non dans le même répertoire, tout se passera bien ou vos références de liens ne seront plus correctes. La plupart du temps, les noms des répertoires principaux (et plus rarement ceux des sous-répertoires) chez votre prestataire ne seront pas les mêmes que chez vous. Aussi faut-il prendre quelques précautions pour éviter toute rupture de lien.

Pour un site ne comportant qu'une douzaine de fichiers ou même moins, mettez tout (texte, images, multimédia) dans le même répertoire. De cette façon, tous vos liens auront la forme la plus simple possible et ne risqueront pas d'être altérés une fois le transfert effectué.

Pour des sites plus importants, il est normal d'envisager des répertoires séparés pour chaque type de fichiers. Même dans ce cas, conservez la structure la plus simple (la moins ramifiée) possible. Créez des liens *relatifs* (revoir le Chapitre 3) qui évitent de spécifier le chemin d'accès au complet en situant tous les liens par rapport au répertoire de la page d'accueil. De cette façon, les liens resteront corrects quel que soit le nom du répertoire de base dans lequel sera installé l'ensemble de la présentation.

Certains préfèrent compresser leurs fichiers par un programme spécialisé tel que PKZIP ou WinZip avant de les transférer sur le serveur. Avant de vous lancer dans cette aventure, assurez-vous que le programme de décompression existe bien sur votre serveur et que vous serez autorisé à l'utiliser. Sur un serveur UNIX, par exemple, il n'est pas certain que vous trouviez le programme qui soit capable de décompresser des fichiers traités sous Windows.

Aussi simple que FTP

Le protocole standard de transfert de fichiers sur l'Internet entre différentes machines s'appelle FTP (*File Transfer Protocol* ou *protocole de transfert de fichiers*) et il existait bien avant qu'apparaisse le Web. C'est le moyen le plus simple qui soit pour transférer une présentation Web d'une machine à l'autre. Pour certains d'entre vous, ce sera là une première, mais, avec un peu de soin, vous en sortirez vivant.

Il existe de nombreux logiciels de *client FTP* sur toutes les plates-formes (PC, Macintosh, UNIX...), chacun avec ses avantages et ses inconvénients. Les grands services en ligne vous proposent eux aussi des logiciels ou des applications de transfert masquant les détails les plus délicats. Les étapes que nous allons décrire sont valables dans l'ensemble pour tous les logiciels de FTP, à condition que ceux-ci soient de véritables programmes de transfert complets, c'est-à-dire pouvant fonctionner dans les deux sens. Les navigateurs qui permettent de faire du FTP ne fonctionnent souvent que dans le sens serveur vers client, aussi ne conviennent-ils pas toujours pour ce travail.

Pour le Macintosh, Fetch est sans doute le client FTP le plus largement utilisé. Pour les PC travaillant sous Windows, c'est probablement WS_FTP qui a la faveur du plus grand nombre d'utilisateurs, CuteTFP arrivant bon second.

Réalisation de la connexion

Les étapes énumérées ci-après concernent WS_FTP, mais leur succession sera à peu près la même avec d'autres logiciels et sous d'autres plates-formes, pour peu qu'elles aient une interface utilisateur graphique.

1. **Connectez-vous à votre fournisseur d'accès à l'Internet.**

2. **Lancez votre logiciel de FTP.**

   Il affiche son écran d'accueil. Dans le cas de WS_FTP, la Figure 11.3 vous présente ce que vous allez voir sur votre écran.

3. **Indiquez le nom de la machine à laquelle vous voulez vous connecter dans la boîte de saisie Host Name.**

   Ce nom sera souvent le même que celui du serveur Web de celui qui vous héberge, à ceci près que "www" sera remplacé par "ftp". Par exemple, au lieu de www.monserveur.fr, vous aurez ftp.monserveur.fr. Mais ce n'est pas une règle, et il est indispensable de vous renseigner au préalable.

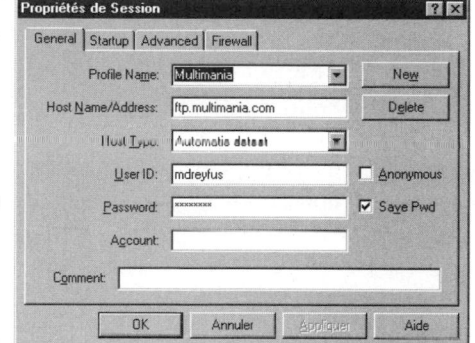

Figure 11.3 :
L'écran
d'accueil de
WS_FTP.

Attention, ici nous ne sommes plus sur le Web et le nom de protocole
(`http://`) disparaît complètement.

4. Saisissez votre nom d'utilisateur dans la boîte de saisie User Id.

Lorsque vous transférez des fichiers **depuis** un répertoire public d'un
serveur, vous pouvez le plus souvent vous logger sous le nom fictif
`anonymous`. Ici, vous opérez dans l'autre sens, puisque vous allez transférer des fichiers depuis votre propre machine **vers** votre répertoire
personnel sur un serveur externe. Vous devez donc presque toujours
vous logger sous le nom d'utilisateur qui vous a été attribué par votre
fournisseur d'accès.

5. Saisissez votre mot de passe dans la boîte de saisie Password.

Votre véritable mot de passe (attribué par votre fournisseur d'accès)
et non votre adresse *e-mail* comme lorsque vous faites un transfert en
anonymous.

**6. Spécifiez le nom de répertoire qui vous a été attribué dans la boîte
de saisie Remote Host.**

Dans certains cas, vous êtes d'autorité dans le répertoire qui vous a été
attribué lorsque vous êtes loggé et vous ne devez donc rien saisir dans
cette case. C'est à votre hébergeur qu'il appartient de vous préciser cet
important détail.

**7. Spécifiez le chemin d'accès complet à vos fichiers sur votre machine
dans la boîte de saisie Local PC.**

Si vous avez plusieurs disques (ou un gros disque partitionné),
n'oubliez pas de placer en tête l'identité de ce disque.

8. **Cliquez sur OK pour amorcer la connexion.**

L'écran précédent s'efface pour laisser place à l'écran de transfert proprement dit (Figure 11.4).

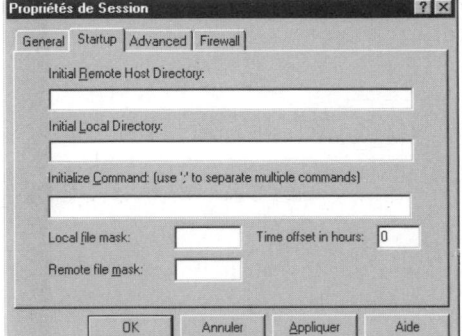

Figure 11.4 :
L'écran de
transfert de
WS_FTP.

Transfert des fichiers

C'est maintenant que les choses sérieuses vont commencer :

1. **Modifiez éventuellement les options de transfert en bas de la fenêtre.**

Elles sont représentées par trois boutons radio : ASCII, binary, Auto. La première est celle qui convient aux fichiers HTML et la deuxième aux fichiers d'images. Mais en conservant l'option par défaut, `binary`, l'expérience montre que ça marche très bien. Evitez de transférer des fichiers d'images avec l'option `ASCII`. Là, ce serait la catastrophe !

Sur les Macintosh, vous trouvez parfois un choix supplémentaire : `Mac binary`. A éviter comme la peste !

2. **Dans la fenêtre de gauche, cliquez sur le nom du fichier que vous voulez transférer.**

Pour transférer plusieurs fichiers consécutifs, cliquez ensuite sur le nom du dernier après avoir appuyé sur la touche <Maj>. Pour transférer plusieurs fichiers non consécutifs, cliquez successivement sur le nom de chacun d'eux tout en maintenant enfoncée la touche <Ctrl>.

3. **Cliquez sur le bouton portant une flèche tournée vers la droite entre les deux fenêtres.**

Le transfert va commencer à s'effectuer. Une petite fenêtre s'affichera momentanément pour assurer le suivi des transferts. Pour de petits fichiers HTML, vous n'aurez généralement pas le temps de la voir, mais pour des fichiers d'images, de taille plus importante, vous la verrez très bien.

4. **Une fois les transferts terminés, cliquez sur le bouton Exit, en bas et à droite de la fenêtre.**

5. **Déconnectez-vous.**

Transfert de fichiers avec certains services en ligne

Au Chapitre 5, nous avons expliqué comment utiliser les programmes mis à la disposition de leurs abonnés par les grands services en ligne tant pour la création que pour la publication de leurs pages Web. Les outils de transfert sont semblables au client FTP dont nous venons d'expliquer l'utilisation.

Activation de votre site

Une fois vos fichiers transférés, quel que soit le soulagement que vous éprouviez, vous n'êtes pas encore au bout de vos peines. Voici quelques-unes des étapes à parcourir avant de procéder à l'activation de votre site.

Les tests

Dès que vous aurez refermé votre programme FTP, lancez votre navigateur (après vous être éventuellement reconnecté si vous aviez éprouvé le besoin de faire une petite pause café) et indiquez-lui l'URL de votre site. Il faut que vous parcouriez absolument toutes vos pages pour être certain que tout continue de se passer comme lors de vos tests en local. Vous pouvez aussi refaire le même essai avec un modem plus lent (14,4 Kbps, par exemple) pour voir si les temps d'accès restent raisonnables.

A l'occasion de ces essais, notez vos réactions comme si vous veniez de découvrir votre site. A quoi est-ce que ça ressemble ? Y a-t-il la moindre difficulté à y cheminer ? Faites preuve d'esprit critique pour découvrir les moindres problèmes avant que ce ne soit des visiteurs étrangers qui vous les signalent.

Cette approche peut se révéler un peu frustrante, parce que vous risquez de mettre le doigt sur de menus détails que vous aviez négligés jusqu'à présent. Mais si vous procédez aux corrections nécessaires, vous en serez récompensé par une amélioration appréciable de votre site. Au besoin, notez vos réactions depuis le chargement de la page d'accueil jusqu'à la fin de votre parcours. Faute de quoi, vos premières impressions pourraient s'estomper.

Servez-vous des possibilités d'impression de votre navigateur pour imprimer les pages de votre site sur lesquelles il vous sera facile de faire des annotations au crayon rouge. Vos corrections n'en seront que plus précises.

Espérez des réactions de vos visiteurs

Vous avez certainement prévu la possibilité pour vos visiteurs de vous communiquer leurs impressions. Ne vous faites pas d'illusions : très peu en profiteront et ce sera sans doute pour vous faire des reproches plus que pour vous féliciter. Si votre prestataire vous a autorisé à prévoir des formulaires ou vous a indiqué lequel de ses programmes convenait pour réaliser un livre d'or, profitez-en pour solliciter les avis de vos visiteurs en leur posant des questions du genre : comment trouvez-vous ce site par rapport à d'autres ? Quelles sont les modifications que vous aimeriez y voir apporter etc.

Faites connaître votre site

Maintenant que tout est au point, c'est le moment de vous faire connaître. Le soin que vous allez consacrer à cette dernière tâche dépend des buts que vous poursuivez. Si vous voulez faire parler de vous dans les médias, publiez un communiqué de presse. Si vous voulez attirer des clients ou faire savoir à vos anciens clients que vous êtes maintenant présent sur le Web, ajoutez l'URL de votre site sur votre papier à en-tête, vos cartes de visite, vos factures, votre publicité dans la presse écrite... Si vous voulez faire du commerce en ligne, demandez à d'autres sites Web susceptibles d'être regardés par vos prospects d'insérer des annonces pour vous faire connaître. Ajustez votre effort publicitaire aux buts que vous poursuivez.

Le premier endroit auquel vous devez vous intéresser pour vous faire connaître, c'est le Web lui-même. Essayez de vous faire référencer le plus possible, tout spécialement par des sites traitant de sujets analogues au vôtre.

La publicité sur le Web est quelque chose de changeant et, en France, on peut dire qu'elle a à peine démarré. Si vous voulez intéresser une clientèle nationale, le mieux est de vous faire connaître par des moteurs de recherche et des annuaires implantés en France comme Eureka, Lokace, Nomade, Yahoo!

France, Voila, etc. Il existe aussi des services spécialisés dans le référencement qui se chargeront de vous enregistrer auprès d'un certain nombre de moteurs de recherche et d'annuaires. Leurs prestations sont gratuites ou payantes selon l'objet de votre présentation et le nombre de références que vous voulez avoir. Vous trouverez une liste (en français) de ces services aux URL suivantes :

```
http://www.referencer.com
http://www.chez.com/pennchauffeur/gratuit/plangrat/promouv.htm
```

La Figure 11.5 montre la page d'accueil de ce dernier service.

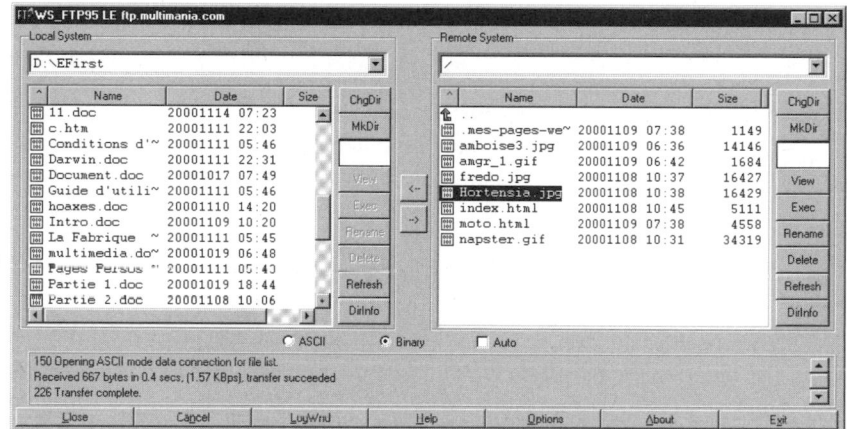

Figure 11.5 : Liste de services de référencement gratuit.

Aux Etats-Unis, citons SubmitIt dont l'URL est :

```
http://www.siteowner.com/
```

pour les particuliers et :

```
http://www.submit-it.com
```

pour les entreprises. En France, on peut citer Le Référenceur (dont la Figure 11.6 montre la page d'accueil) à l'URL :

```
http://www.referenceur.com/
```

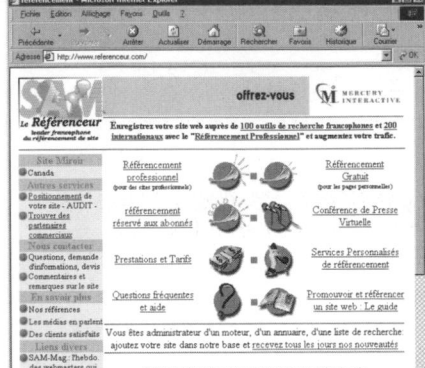

Figure 11.6 :
La page
d'accueil du
service de
référence-
ment Le
Référenceur.

Si vous avez réalisé un site d'entreprise, ne négligez pas pour autant les moyens classiques de publicité, la presse écrite, par exemple. Publiez des communiqués de presse, mais ne le faites pas avant que votre présentation soit complètement achevée et qu'il n'y reste plus de "En construction" çà et là.

Comptez vos visiteurs

Compter ses visiteurs est un bon moyen de mesurer l'impact d'un site. L'une des méthodes les plus utilisées dans ce but consiste tout simplement à incorporer un compteur à votre site. Certains comptent le nombre d'accès à la page dans laquelle ils sont appelés (généralement la page d'accueil) ; d'autres sont capables de vous fournir des statistiques détaillées, page par page, image par image. Il est facile d'incorporer un appel à un compteur d'accès (de *hits*) dans une page Web, mais il existe des moyens plus sophisti- qués de mesurer votre audience. Certains logiciels permettent de dépouiller les *logs* du serveur Web pour en extraire des informations détaillées. Un prestataire de services qui vous fait payer votre hébergement sera presque toujours à même de vous en proposer l'utilisation. Certains fournisseurs d'accès, le plus souvent des "petits", pourront aussi vous les proposer. A vous de vous renseigner sur ce qui existe. Pour vous aider, voici deux URL à consulter :

```
http://www.webdeveloppeur.com/Ressources/compteurs.html
http://www.compteur.com/
```

La Figure 11.7 vous montre la page de ce dernier site consacré aux comp- teurs. Sur ce même site, il existe bien d'autres outils et services utiles au webmaster que vous pourrez consulter avec profit.

Figure 11.7 :
Quelques
services de
compteurs
d'accès.

Qu'est-ce qui assure le succès d'un site Web ?

Chaque connexion d'un visiteur à un site Web est appelée *hit*. La mesure du nombre de hits, par exemple au moyen des compteurs d'accès, est donc, en principe, significative. En réalité il n'en est rien, car votre visiteur peut se détourner de votre présentation dès qu'il en a vu la page d'accueil (soit parce qu'elle lui déplaît foncièrement, soit parce qu'il s'aperçoit qu'il s'est trompé). Il n'a donc fait que passer, sans réellement prendre connaissance du contenu de votre page. Si on compte le nombre d'accès aux fichiers, l'évaluation s'affichera, à condition de pondérer les valeurs obtenues par l'importance des images concernées. Un simple bouton ou un séparateur ne doit pas avoir le même poids qu'une illustration bien en situation. En outre, l'utilisation de deux systèmes de caches par les navigateurs fausse cette mesure, puisque les images déjà mises en mémoire cache au cours de la même session ou d'une session précédente ne sont pas comptées. Il existe encore d'autres méthodes se prétendant plus efficaces. Leur pluralité est un signe certain de leur imperfection.

Cinquième partie
Les outils de publication Web

"Qu'est-ce que vous entendez au juste par
'mettre à jour notre page Web' ?"

Dans cette partie...

Les outils de publication Web sont des programmes destinés à vous aider dans le processus de création puis de gestion de votre site Web. Certains vous aident à vous souvenir de la signification des balises HTML et vous en facilitent l'insertion. D'autres, au contraire, vous permettent quasiment d'ignorer ces balises grâce à une interface graphique pareille à celle d'un traitement de texte WYSIWYG (*what you see is what you get*, c'est-à-dire *tel écran, tel écrit*). D'autres, encore, ajoutent des fonctionnalités à votre traitement de texte habituel pour le transformer en éditeur HTML ou lui permettre de convertir de simples fichiers texte formatés en documents HTML. Presque tous coûtent moins de 100 dollars aux Etats-Unis, ce qui, compte tenu du taux de change couramment pratiqué par les importateurs, les situent un peu au-dessus d'un millier de francs. Dans cette catégorie de programmes, on trouve même des *graticiels* (traduction puriste de *freewares*).

Dans cette partie, nous allons passer en revue ceux de ces outils que nous estimons être les meilleurs et vous expliquer comment les utiliser pour créer vos propres pages Web.

Chapitre 12
Ayez confiance dans vos outils Web

Dans ce chapitre :

▶ Que trouve-t-on dans un outil logiciel ?

▶ Comment évaluer un outil logiciel ?

▶ Où trouver les outils logiciels ?

▶ Quelques outils multiplates-formes.

▶ Quelques outils à l'usage exclusif des PC.

▶ Quelques outils à l'usage exclusif des Macintosh.

Un *outil logiciel*, c'est un programme utilitaire. Il en existe dans tous les domaines des applications informatiques. Ici, nous nous limiterons à ceux qui concernent la publication sur le Web et, pour abréger, nous les appellerons *outils*, tout court.

En très peu de temps, des douzaines d'outils destinés aux auteurs Web sont venus accompagner la croissance explosive de ce média. Beaucoup sont proposés sous forme de sharewares (*partagiciels*) ou même de freewares (*graticiels*), sortes de cadeaux du Net qui ont ainsi rapporté à leurs auteurs beaucoup de reconnaissance et quelques dollars. Parmi ces outils, deux se sont taillés la part du lion dans le domaine de l'écriture des pages Web : FrontPage Express de Microsoft (que nous décrirons au Chapitre 13) et Netscape Composer (auquel sera consacré le Chapitre 14).

Un *shareware* est un programme qu'on peut essayer gratuitement pendant une période limitée. On doit verser une contribution (généralement modeste) à l'auteur si on désire continuer à l'utiliser. Un programme freeware est utilisable gratuitement sans limite de temps. Tous deux bénéficient d'un copyright. De plus en plus de logiciels sont maintenant diffusés de cette façon, ce qui n'enlève rien à leur qualité, bien au contraire.

Cependant, les produits commerciaux – ceux qui sont vendus sous emballage cartonné accompagnés d'une brochure explicative et appuyés par un véritable support technique – sont de plus en plus utilisés. On les trouve couramment dans toutes les boutiques d'informatique.

Certains traitements de texte ont une option de sauvegarde "sous forme de document HTML" qui permet de convertir un fichier créé avec ce traitement de texte en document HTML avant de le sauvegarder sur le disque dur. Il ne faut pas croire au miracle et, si les mises en page simples sont généralement traduites de façon correcte, il n'en va pas de même pour celles qui témoignent d'une certaine recherche. Ce sera le cas, par exemple, lorsque le texte entoure une image. Tôt ou tard, vous serez contraint de mettre les mains dans le cambouis (c'est-à-dire de corriger directement le HTML généré) pour réparer ces erreurs ou omissions.

Tous ces logiciels ne sont pas aussi complets que ceux que nous allons décrire aux Chapitres 13 à 16. Beaucoup d'applications bureautiques assurent un support partiel de HTML, et il existe des logiciels de conversion dans les deux sens ainsi que des programmes dont les possibilités se limitent à la création de pages simples.

Le Web est un lieu changeant où de nouveaux outils apparaissent quotidiennement. Nous pensons que les outils sophistiqués dont nous allons parler sont actuellement parmi les meilleurs, mais vous n'êtes pas obligé d'être d'accord avec nous. Sans doute y en a-t-il de meilleurs encore en préparation. Gardez donc un oeil sur le Web, car vous pourriez y découvrir des nouveautés intéressantes.

 Où chercher sur le Web ? Compte tenu de l'imprécision des renseignements apportés trop souvent dans leurs résultats par les moteurs de recherche (références de sites disparus, par exemple) et du foisonnement caractéristique du Web, mieux vaut acheter régulièrement la presse spécialisée. *Netsurf* et *.net* sont, en France, les deux revues mensuelles les plus complètes dans ce domaine, et vous trouverez souvent sur le CD-ROM qui les accompagne une version d'évaluation des logiciels analysés dans le numéro de la revue. *(N.d.T.)*

Qu'y a-t-il dans un outil Web ?

Un outil Web vous aide à créer et à éditer des documents HTML, c'est-à-dire des fichiers texte dans lesquels se trouvent des balises. (Si cette expression ne vous dit rien, lisez le Chapitre 7.) Voici cinq critères qui vous aideront à trouver le meilleur outil pour vous :

- **Quel effort est-il nécessaire pour le maîtriser ?** Est-ce qu'il vous sera-t-il facile de vous familiariser avec le maniement de cet outil ? Pour en comprendre les ficelles ? Pour l'utiliser couramment ? Les réponses à ces questions peuvent être très différentes. Par exemple, il n'est pas bien difficile de découvrir où se trouve la rubrique "Sauvegarder sous forme de document HTML" de votre traitement de texte habituel (si elle existe), mais comprendre quel est le type de mise en page à réaliser pour obtenir ce que vous souhaitez voir dans la fenêtre de votre navigateur peut se révéler plus ardu.

- **Pour quelle plate-forme ?** L'outil tourne-t-il sur votre plate-forme (Windows - 3.x, 95, 98, 2000, NT –, Macintosh, UNIX – quelle mouture ? –, Linux...) ?

- **Est-ce une simple extension ou un programme autonome ?** Est-ce que cet outil vient ajouter des fonctionnalités à un programme déjà existant ou est-ce un programme autonome ?

- **Est-il orienté HTML ou WYSIWYG ?** Est-ce que cet outil vous permet de travailler directement sur les balises ou est-ce qu'il vous les cache et vous présente une interface WYSIWYG plus intuitive qui vous montre la page telle qu'elle sera (ou du moins telle qu'elle devrait être) vue par un navigateur ?

- **Combien coûte-t-il ?** S'il est payant, quel est son prix ? Et alors, pouvez-vous l'essayer avant de l'acquérir ?

La Figure 12.1 situe quelques-uns des outils d'édition dont nous parlerons dans cette cinquième partie du livre selon les critères que nous venons de définir. Les prix ont été évalués sur la base des prix américains avec un dollar à 10 francs. Vous pourrez remarquer un certain degré de corrélation entre le prix, le degré de complexité et les fonctionnalités de chaque logiciel. Sauf pour les graticiels comme FrontPage Express ou Netscape Composer, bien sûr.

Les outils à prix moyen (dont le prix, aux Etats-Unis, se situe en dessous de la barre des cent dollars, HotDog, par exemple) sont parfois un peu plus difficiles à manier que les logiciels gratuits, mais il faut reconnaître qu'ils sont généralement plus efficaces. Ceux qui se trouvent au-dessus de cette limite (FrontPage 2000, GoLive ou NetObjects Fusion, par exemple) sont nettement plus délicats à maîtriser, mais ils permettent d'aller plus loin. En particulier, ils sont capables de gérer l'ensemble d'un site Web complexe aussi bien que de créer des pages simples.

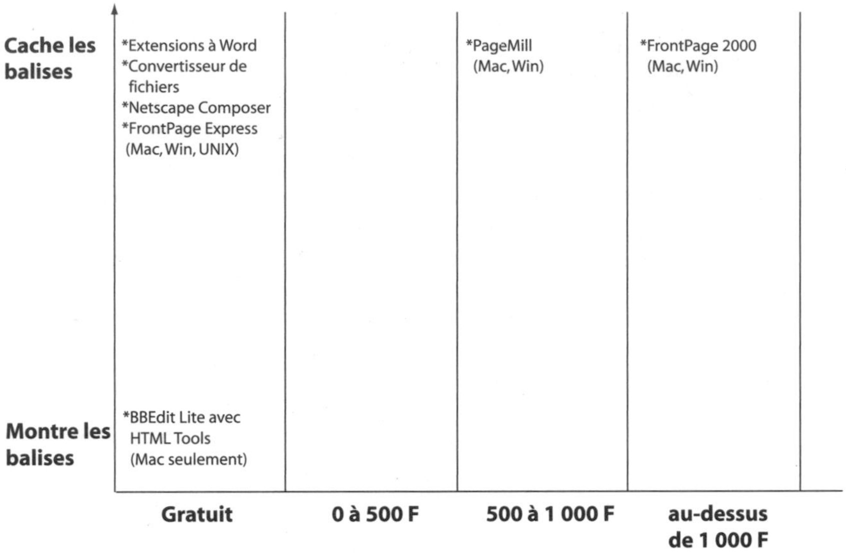

	Gratuit	0 à 500 F	500 à 1 000 F	au-dessus de 1 000 F
Cache les balises	*Extensions à Word *Convertisseur de fichiers *Netscape Composer *FrontPage Express (Mac, Win, UNIX)		*PageMill (Mac, Win)	*FrontPage 2000 (Mac, Win)
Montre les balises	*BBEdit Lite avec HTML Tools (Mac seulement)			

Figure 12.1 : Comparaison de quelques outils d'édition Web.

Comment évaluer les outils

Nous allons vous présenter quelques moyens d'évaluer les outils HTML. Chacun d'eux est valable en soi, et en les associant vous aurez une bonne idée de l'adéquation de l'outil à vos besoins personnels.

- **Lisez ce livre.** Lisez la description de l'outil et la façon de l'utiliser que vous allez trouver dans les chapitres suivants. Regardez les copies d'écran et vous pourrez vous faire une idée de ce que donnerait l'outil entre vos mains.

- **Essayez les outils.** Le CD-ROM qui accompagne presque tous les numéros des revues d'informatique contient souvent des versions d'essai de la plupart des outils d'édition. Vous pouvez les installer rapidement et les tester selon vos goûts et vos besoins. Essayez-en plusieurs, il y a en a probablement un qui vous plaira davantage que les autres.

- **Réfléchissez à ce que vous voulez en faire.** Est-ce que vous préférez un outil simple, facile à prendre en main, ou un outil perfectionné mais dont le maniement correct sera plus long à apprendre ? Si vous n'avez pas l'intention d'aller plus loin qu'une ou deux pages, choisissez un outil simple et bon marché. Si vous voulez construire un site complexe et le mettre fréquemment à jour ou si vous voulez enrichir votre expérience d'auteur Web, alors investissez dans un outil plus sophistiqué.

- **Demandez à vos amis et collègues ce qu'ils en pensent.** Le bouche à oreille est souvent la meilleure source d'informations qui soit sur les produits informatiques. Tout spécialement si vos interlocuteurs ont les mêmes préoccupations que vous ou travaillent dans la même branche et que leurs besoins sont donc voisins des vôtres.

  Néanmoins, ne prenez pas tout ce que vous entendrez pour argent comptant. Les gens ont tendance à rester sur leur première impression et à conserver un outil au maniement duquel ils se sont habitués, même lorsqu'il est techniquement dépassé. Et un outil WYSIWYG n'intéressera pas forcément quelqu'un qui est aime bien travailler directement sur les balises HTML.

- **Lisez ce qui se dit sur les forums des news.** Rien ne vous empêche d'utiliser le Web pour savoir ce qui se dit sur tel ou tel outil. Vous trouverez dans la section suivante une liste de sources d'informations.

Toutefois, n'oubliez pas que votre but est de *créer* des pages Web et non pas de devenir un expert dans cet "art". Aussi, évitez de passer trop de temps dans cette analyse critique et préférez plutôt l'essai à la dialectique. Rien qu'avec l'aide d'outils simples, vous pouvez créer quelques pages qui vous permettront de bien vous rendre compte des performances de ces outils et de l'agrément de leur utilisation. C'est bien le diable si vous n'en trouvez pas au moins un qui vous convienne !

Où trouver des informations sur les outils Web ?

Voici une brève liste de quelques sites Web riches d'informations sur les outils d'édition pour le Web. Comme on pouvait s'y attendre, il en existe davantage pour le monde Windows que pour le territoire isolé du Macintosh. Mais que les "macophiles" ne se désespèrent pas, de bons outils sont en train d'apparaître. Quelle que soit votre plate-forme, regardez ce qu'on dit de ces outils. Ceux qui, aujourd'hui, sont limités à une seule plate-forme peuvent très bien, demain, devenir multiplates-formes.

- **CWSAPPS (Stroud's Consummate Winsock Apps List).** C'est l'une des meilleures sources d'analyses critiques d'outils logiciels pour Windows. La Figure 12.2 vous présente une partie du menu proposé par ce site sur sa page d'accueil, à l'URL :

```
http://cws.internet.com
```

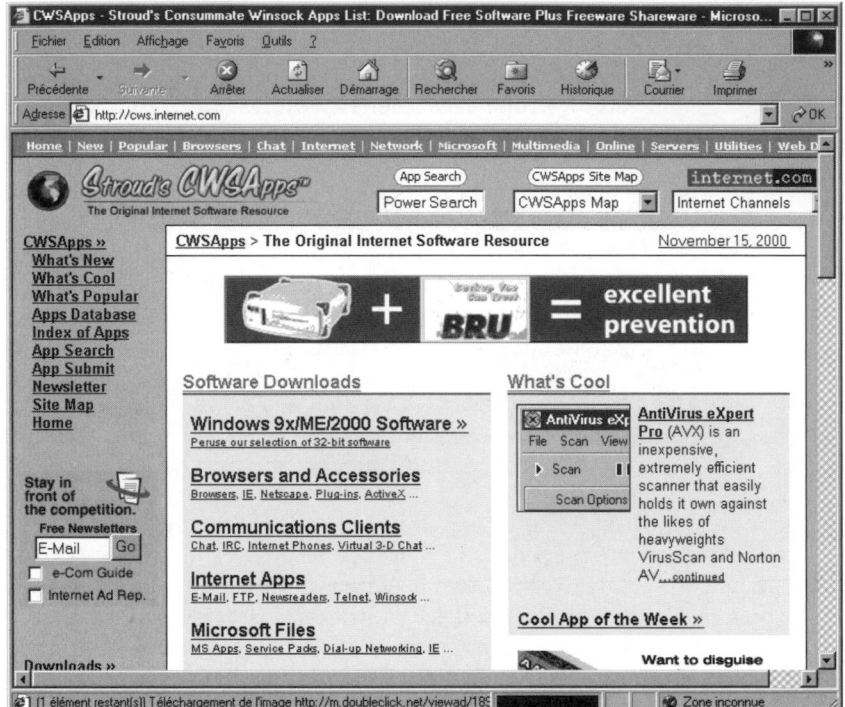

Figure 12.2 :
La page
d'accueil de
CWSAPPS.

- **TUCOWS (The Ultimate Collection of Winsock Software).** Ce serveur de fichiers héberge des logiciels pour plusieurs plates-formes. La qualité des logiciels y est évaluée en vaches[1], le top niveau étant cinq vaches. La Figure 12.3 vous montre le haut de la page d'accueil de l'un de ses miroirs français, à l'URL :

```
http://tucows.chez.delsys.fr
```

- **Carl Davis' HTML Editor Reviews.** Ce site a été tellement populaire qu'on peut le consulter à partir de plusieurs URL dont celle qui suit. Il reste tout à fait estimable.

```
http://webcommando.com
```

---

1. *TUCOWS* se prononce comme *two cows*, ce qui, en anglais, signifie "deux vaches". *(N.d.T.)*

Vous y trouverez, rassemblés dans un tableau comparatif, les avantages et inconvénients de chaque logiciel. En rapprochant ces informations de celles de TUCOWS et de celles que vous prodigue ce livre, vous aurez de quoi apprécier exactement si tel ou tel produit est ou non conforme à ce que vous cherchez.

Figure 12.3 :
La page
d'accueil du
TUCOWS.

Malheureusement, les plus récentes évaluations de logiciels effectuées par Carl Davis remontent à 1997, ce qui ôte beaucoup d'intérêt à un site qui eut peut-être "son quart d'heure de gloire" (comme aurait dit Andy Warhol) mais n'a pas su rester dans la course dans un domaine où, d'une année sur l'autre, les choses ne sont plus ce qu'elles ont été. *(N.d.T.)*

- **Service de recherche de Deja News.** Ce site associe les analyses d'utilisateurs à un moteur de recherche pour explorer les *posts* de Usenet dans lesquels les utilisateurs disent ce qu'ils pensent des outils d'édition Web. Commencez votre recherche à l'URL :

```
http://www.deja.com
```

Faites une recherche sur le nom du logiciel qui vous intéresse. Vous trouverez de nombreux commentaires qui peuvent vous alerter sur certains problèmes rencontrés par les utilisateurs. Comme dans d'autres domaines, les éloges y sont plus rares que les critiques, aussi faut-il en prendre et en laisser.

- **AltaVista.** L'un des deux auteurs de ce livre travaille pour ce moteur de recherche très apprécié. Vous pouvez utiliser AltaVista pour de simples recherches ou des recherches plus fines. Son URL est :

```
www.altavista.com
```

Il existe une antenne française à l'URL :

```
www.altavista.fr
```

En faisant une recherche sur le nom de l'outil, vous êtes certain de ramener quelque chose dans vos filets : où télécharger ce logiciel et quel type de pages on peut écrire avec son aide.

- **Groupes de news de Usenet.** Le principal groupe qui parle (en français) d'édition Web est :

```
fr.comp.infosystemes.www.pages-perso
```

Si la lecture de posts rédigés en anglais ne vous effraie pas, vous pouvez aussi consulter :

```
comp.infosystems.www.authoring.html
```

Si vous cherchez une information sur un point particulier, consultez les FAQ (*Foires Aux Questions*), et si vous n'y trouvez rien qui vous intéresse, postez votre question sur le forum.

Convertisseurs et assimilés comparés aux véritables outils d'édition Web

En tant que futur auteur Web, vous devez répondre à la question : "Dois-je tenter de créer ma première page au moyen des outils bureautiques que j'utilise couramment ou dois-je recourir à des outils plus spécifiques ?" Nous penchons pour la seconde solution.

Beaucoup de traitements de texte et d'autres logiciels de bureautique comme les feuilles de calcul ont une option "sauvegarde en HTML" qui vous permet de sauvegarder le résultat de votre travail dans ce format. En outre, il existe des convertisseurs capables de transformer n'importe quel fichier en un document HTML tout prêt. L'ennui, c'est que le résultat que vous allez ainsi obtenir ne ressemblera que rarement à ce que vous espériez. Cette discordance provient du fait que ces logiciels n'ont pas été conçus à l'origine pour fournir des documents HTML. Ils vous laissent croire que vous avez davantage de contrôle sur votre mise en page que n'en permet HTML. Lors de la conversion, une grande partie du formatage est laissée de côté pour ne retenir que ce qu'il y a de plus élémentaire. Sans compter les erreurs de conversion et l'utilisation de balises que certains navigateurs interpréteront d'une façon différente.

Lorsque vous constatez de telles difficultés, votre réaction naturelle est de tenter de les corriger mais, pour cela, vous devez bien connaître HTML et y passer beaucoup de temps, deux conditions qui ne sont pas souvent remplies. Après tout, si vous connaissez bien HTML, pourquoi ne pas écrire directement vos pages "à la main", balise par balise ? La meilleure solution nous paraît être d'écrire des pages Web à l'aide des outils spécifiques que nous allons vous présenter dans cette cinquième partie et avec lesquels vous êtes certain de créer une mise en page conforme aux limitations du Web.

Alors, pourquoi perdre du temps avec des convertisseurs et autres gadgets des traitements de texte ? Il est vrai que certains aiment tellement leur traitement de texte qu'ils ne savent plus s'en passer. Mais il ne faut pas oublier que le but principal des outils de conversion est de mettre en forme des documents de base simples pour les adapter au Web. Le résultat ne sera pas élégant, que ce soit à l'impression sur papier ou sur le Web lui-même, mais sera néanmoins lisible. Si vous voulez que le résultat soit optimal dans ces deux cas, il faut vous résigner à mettre en œuvre deux logiciels spécifiques : un pour chaque tâche.

Outils Web multiplates-formes

Au fur et à mesure que se démocratise la publication sur le Web, le nombre d'outils proposés par les éditeurs va en augmentant, et il s'en crée même pour des plates-formes moins courues que Windows, en dépit de l'écrasante majorité numérique des machines qui se rangent sous cette bannière. Sur le Web, il semblerait que la proportion des Macintosh soit supérieure à celle qu'on trouve globalement, toutes applications confondues, dans l'ensemble du parc. Même des systèmes anciens que l'on pouvait croire quasiment disparus, comme Windows 3.x, sont toujours présents sur le marché de l'édition Web.

En proposant des versions pour plusieurs plates-formes, un éditeur de logiciels accroît sa clientèle et permet à des entreprises tolérant l'usage de plates-formes différentes d'imposer un logiciel unique.

L'ultime plate-forme, c'est le Web lui-même, puisqu'on peut éditer ce que contient une page Web avec n'importe quel éditeur et sur n'importe quelle plate-forme. Un texte écrit en HTML est essentiellement portable. Pour peu, naturellement, que son auteur ne se soit pas adonné aux dernières excentricités du moment : feuilles de style, DHTML, XML, clips vidéo, etc., qui sont loin d'être implémentées correctement sur tous les logiciels de navigation.

Vous trouverez au Chapitre 14 une description de Netscape Composer, dont il existe des versions pour Windows 16 ou 32 bits, Macintosh et dix moutures d'UNIX. Son utilisation est simple, mais il est un peu à la traîne en ce qui concerne ses fonctionnalités.

Cependant, la plupart des outils et presque tous ceux qui sortent maintenant se limitent au présent, c'est-à-dire à Windows 32 bits et aux Macintosh équipés du processeur Power Mac et non du 680x0 Motorola, c'est-à-dire sortis après 1996. Les *add-ons* (assistants) proposés par leurs éditeurs ne conviennent généralement qu'aux versions les plus récentes des logiciels. Vous devez donc soigneusement vérifier leurs conditions d'utilisation avant de les acquérir.

Outils Web haut de gamme

Ce livre s'adresse avant tout à ceux qui cherchent à s'initier à la publication sur le Web, c'est pourquoi il est plutôt orienté vers des outils destinés aux débutants. Aussi ne dirons-nous pas grand-chose des outils dont la clientèle se recrute principalement parmi les spécialistes et dont le prix se situe souvent nettement au-dessus de la barre des 1 000 francs. On y trouve essentiellement trois produits : Front Page 2000 de Microsoft, NetObjects Fusion et Dreamweaver. Nous allons en donner une rapide description.

FrontPage de Microsoft

Il s'agit d'un outil très puissant, non seulement pour l'écriture de pages Web mais aussi pour la gestion complète d'un site. Les versions actuelles sont connues sous les noms de FrontPage 2000 (pour Windows 32 bits) et de FrontPage 1.0 pour le Macintosh. C'est le grand frère de FrontPage Express, le logiciel gratuit qui accompagne Internet Explorer et dont nous décrirons l'usage au Chapitre 13.

Outre ses possibilités natives d'édition, FrontPage dispose d'un puissant éditeur d'images et assure le support d'Active-X (dont nous avons dit quelques mots au Chapitre 9)[2]. Le revers de la médaille, c'est que, pour bénéficier de ses fonctionnalités les plus poussées, il est nécessaire que sur le serveur qui hébergera les pages qu'il a créées soient installées ce que Microsoft appelle les "extensions FrontPage". Pour diverses raisons, certains prestataires de services s'y refusent. Il n'en reste pas moins que FrontPage est actuellement le plus populaire des outils d'édition Web et l'un des plus puissants.

Si vous êtes habitué à Microsoft Office ou avez besoin d'un outil d'écriture et de gestion de site Web, FrontPage vous conviendra probablement.

NetObjects Fusion

Il s'agit d'un outil de création globale de site Web qui, comme FrontPage, permet une gestion à distance de son site. Il en existe des versions pour Windows et pour Macintosh. Aux Etats-Unis, son prix de vente se situe aux alentours de 300 dollars (ce qui le met nettement hors de portée d'une utilisation personnelle). Les deux caractéristiques exceptionnelles de ce logiciel sont de partir d'une vue globale du site à créer et d'assurer une mise en page précise.

Il supporte les applications interactives à base de Java. Mais, comme on le sait, de même que pour ActiveX, tous les navigateurs n'interprètent pas ce langage de la même façon, quand encore ils le reconnaissent. Il n'en reste pas moins que Java est un langage plein d'avenir et qu'il mérite d'être pris en considération.

Le site Web de CNET a donné à la version 2.0 de cet éditeur le titre de "roi des outils d'édition Web". La version actuelle (5.0) ne vient pas démentir cet éloge. Cependant, comme c'est le cas pour d'autres personnes de sang royal, l'approche de ce seigneur n'est pas accordée au commun des mortels. Si vous avez le temps et les moyens financiers de vous investir dans cet outil, le jeu en vaut sans doute la chandelle.

---

2. N'oubliez pas que Netscape Navigator ne reconnaît pas Active-X.

Dreamweaver 3

La version complète de Dreamweaver 3 est certainement un peu chère pour
ce que nous nous proposons de réaliser (229 dollars aux Etats-Unis), mais la
revue *PC Magazine* lui a décerné le titre de "meilleur logiciel d'édition Web".
Aussi pouvons-nous difficilement le passer sous silence. Vous pouvez vous
procurer une version d'essai limitée à 30 jours, ce qui vous permet de l'apprécier avant de vous risquer à l'acquérir.

Dreamweaver est réputé pour le support de gadgets tels que Flash et
Shockwave qui sont deux produits (comme Dreamweaver lui-même) de
Macromedia. Il assure aussi, entre autres, le support de Java et d'Active-X. Un
de ses principaux atouts est qu'il admet fort bien que vous apportiez à la
main des modifications au code HTML qu'il a généré et qu'il les conserve, ce
qui n'est pas le cas des autres éditeurs spécialisés comme FrontPage. A vous
de voir si ces avantages méritent d'être payés leur prix.

Outils d'édition spécifiques pour Windows

Il existe bien plus d'outils d'édition – ainsi que d'autres types d'outils – pour
Windows que nous pouvons en étudier dans ce livre, mais nous pensons
avoir cité les meilleurs d'entre eux :

- **Outils d'édition complets.** Il existe beaucoup d'outils d'édition complets en plus de Netscape Composer, FrontPage Express (pour
  Windows seulement) et HotDog Pro que nous passerons en revue dans
  les chapitres suivants. Citons aussi InContext Spider, dont il sera
  question un peu plus loin dans ce même chapitre.

- **Extensions diverses.** Pour la plupart des traitements de texte et des
  logiciels de PAO, il existe des extensions ou des programmes additionnels qui leur confèrent des possibilités d'édition HTML à différents
  niveaux. Consultez Deja News, que nous avons cité plus haut, ou
  l'éditeur de votre traitement de texte habituel pour savoir ce qui existe
  pour votre application.

- **Outils d'édition à usage limité.** Un certain nombre d'outils d'édition
  n'ont qu'un nombre réduit de fonctionnalités parce qu'ils sont conçus
  pour des usages spécifiques. Parmi ceux qui ont reçu le meilleur
  accueil, citons Web Wizard qui permet de créer presque automatiquement une première page Web élémentaire.

- **Autres outils.** Il existe des douzaines d'autres outils, tant pour éditer
  du texte que pour manipuler les autres composants d'une page Web.
  Citons l'édition et la retouche d'images, l'écriture de scripts CGI, la

gestion de sites Web et d'autres encore. Il faudrait leur consacrer tout un livre pour les étudier sérieusement. Une fois que vous aurez maîtrisé les bases de HTML, consultez les sites Web énumérés plus haut dans ce chapitre pour découvrir ce qui existe dans le domaine qui vous intéresse.

InContext Spider

InContext Spider[3] est un outil d'édition HTML complet édité par InContext. Il n'a pas été maintenu et perfectionné au cours du temps comme l'ont été d'autres outils HTML, mais il est intéressant de voir son approche unique de l'ensemble d'un site Web. L'*éditeur logique* permet d'avoir une vue d'ensemble de l'arborescence d'un site Web. Malheureusement, une grande partie de son interface est confuse pour les débutants, précisément en raison de sa puissance d'édition.

A quoi ressemble-t-il ?

La version de démonstration d'InContext Spider est certainement l'une des plus sérieuses que nous ayons jamais vues, ne serait-ce qu'en raison de sa taille (un peu plus de 9 mégaoctets). Son installation demande plusieurs minutes et sa durée de validité est limitée à 30 jours. Il est clair que son éditeur a dans l'idée que tous ceux qui l'essaieront décideront ensuite de l'acheter.

Lorsque vous lancez InContext Spider, un choix de modèles vous est proposé. Il faut prendre la peine de les examiner tous au moins une fois pour avoir une idée de ce qui est mis à votre disposition. Une fois que vous avez choisi le modèle qui vous convient, le programme démarre pour de bon. Sa fenêtre est partagée entre une représentation en forme d'arborescence de votre document et une fenêtre d'édition plus classique. Il faut être bien familiarisé avec ce type de représentation avant de se sentir à l'aise dans l'utilisation d'InContext Spider. Pour cela, le meilleur moyen est de lire attentivement la documentation qui vous est fournie sous un format d'aide Microsoft classique. Attendez-vous à y passer pas mal de temps.

Lorsque vous commencerez à être un peu habitué à ce programme, vous apprécierez la puissance d'InContext Spider. Le module Logical Editor (l'éditeur logique) vous permet d'aller et venir rapidement tout au long de documents de grande taille.

---

3.   *Spider* signifie "araignée". *(N.d.T.)*

Où le trouver ?

Pour savoir quelle est la dernière version de ce logiciel ou pour l'acheter, consultez le site Web de l'éditeur à l'URL :

```
http://www.incontext.com/
```

La Figure 12.4 vous présente sa page d'accueil. Vous y trouverez des informations sur les autres logiciels du catalogue, les outils SGML, en particulier.

Figure 12.4 :
Page
d'accueil du
site Web
d'InContext.

Quand l'utiliser ?

Si vous utilisez SGML ou travaillez dans un environnement où c'est le cas, prenez la peine de vous atteler à InContext Spider ainsi qu'aux autres outils de son éditeur. Evaluez le programme et sa documentation, et voyez si son *look and feel* vous convient. Si oui, résignez-vous à vous y plonger sérieusement et complètement pour être à même de l'utiliser comme principal programme de création et d'édition Web. Sinon, contentez-vous de vous souvenir de ses possibilités, car il se peut qu'un jour ou l'autre vous ayez besoin d'outils logiciels Web puissants. Il serait bon, alors, d'envisager son utilisation.

Qu'en dit-on ?

Les principaux commentaires qu'on trouve sur les news concernent plutôt la santé financière de l'entreprise que les mérites de ses produits. Pour le logiciel lui-même, les gens ne sont pas certains d'avoir bien compris comment on l'utilisait, et pensent qu'il faut passer trop de temps pour s'en faire une idée exacte et pouvoir le comparer avec ses concurrents. En bon français, nous dirions que c'est une usine à gaz !

InContext a décidé de supporter certaines des extensions spécifiques de Microsoft et de Netscape pour aider à créer des pages Web spécifiquement écrites pour l'un ou l'autre de ces deux navigateurs. C'est peut-être une bonne chose si vous travaillez dans le cadre d'un intranet, mais pas si, dédiant vos pages à l'Internet dans son immensité, vous souhaitez qu'elles puissent être vues dans de bonnes conditions par le plus grand nombre de gens possible.

En résumé

InContext Spider est probablement un cran au-dessus de ce qu'il vous faut si vous êtes inexpérimenté, mais souvenez-vous de ses possibilités lorsque vous aurez avancé dans votre carrière d'auteur Web.

Web Wizard

Web Wizard est un constructeur de pages Web très facile à utiliser, mais ce n'est pas un éditeur à proprement parler. Grâce à lui, vous pouvez créer une page Web très simple sans voir une seule balise. Il ressemble aux outils de création que nous avons étudiés aux Chapitres 4, 5 et 6, mais avec une plus grande simplicité d'utilisation. Il crée un fichier HTML dans le répertoire de votre choix, fichier que vous pouvez reprendre avec un éditeur de texte si vous connaissez un peu HTML et que vous souhaitiez y apporter quelques corrections. Il faudra ensuite que vous transfériez ce fichier (en compagnie d'éventuels fichiers d'images) sur le serveur de votre choix par un client FTP quelconque, car Web Wizard ne contient aucun outil de publication.

Où le trouver ?

Vous trouverez la version Windows de Web Wizard sur le site Web de son éditeur, à l'URL :

```
http://www.arta.com/halcyon/webwizard
```

Si vous faites une recherche d'informations sur les mots "Web Wizard" avec un moteur de recherche ou sur les news, vous obtiendrez un très grand nombre de réponses, beaucoup trop de gens se qualifiant eux-mêmes (ou étant ainsi qualifiés par d'autres) de "Web Wizard", c'est-à-dire "sorcier du Web".

Que fait-il ?

Comme nous l'avons dit plusieurs fois, il est très facile à utiliser. Il vous propose une succession de huit écrans vous offrant les rubriques suivantes :

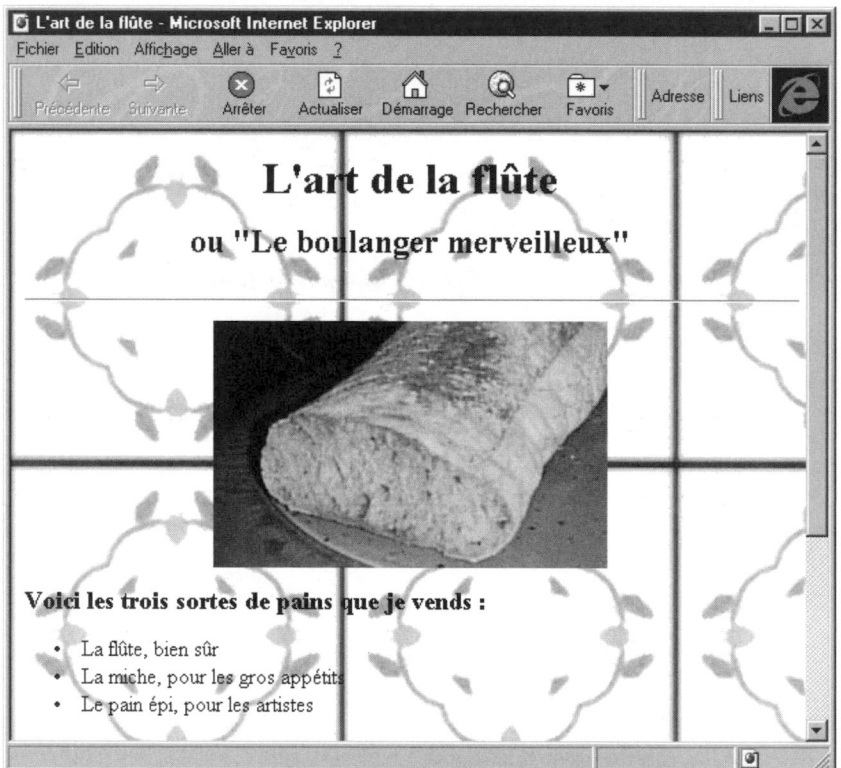

Figure 12.5 :
Page
générée par
Web Wizard.

- Création d'un titre et d'un sous-titre éventuel.

- Choix d'une couleur et/ou d'une image d'arrière-plan.

- Insertion d'une image.

- Ecriture d'un texte.

- Création d'une liste à puces.

- Définition d'un ou de plusieurs liens.

- Insertion de votre adresse *e-mail*.

- Définition du nom du fichier à créer et de son chemin d'accès.

Il suffit chaque fois de renseigner des boîtes de saisie et éventuellement de faire son choix dans une boîte de sélection de fichier. Le plus simple est encore de l'essayer : vous serez vite convaincu de sa simplicité et de son efficacité. La Figure 12.5 montre comment se présente une page générée par Web Wizard. (En Suisse, on appelle "flûte" un pain mince et long.)

Quand l'utiliser ?

Principalement dans les deux cas suivants :

- Pour créer votre première page Web personnelle.

- Pour montrer à ceux de vos amis qui insinuent que créer une page Web est au-dessus de vos compétences de quoi vous êtes capable (sans dire quel est l'outil que vous avez utilisé).

Qu'en dit-on ?

Depuis 1995, Artamedia annonce une version de WebWizard pour le Macintosh ; mais fin 2000, on n'a toujours rien vu !

Web Wizard est un bon moyen d'initiation à la publication d'une page Web, mais vous devrez ensuite recourir à un outil plus complet.

En résumé

Essayez-le, histoire de vous amuser, et faites-le connaître. C'est un bon et brave outil.

Outils d'édition spécifiques pour Macintosh

Vous trouverez beaucoup moins d'outils complets pour Macintosh qu'il n'en existe pour Windows. Nous allons rapidement passer en revue les plus intéressants.

- **Outils d'édition complets.** Les plus populaires sont Netscape Composer (qui existe aussi pour Windows et pour UNIX – voir le Chapitre 14), et BBEdit avec HTML Tools dont nous allons parler dans la section suivante. On peut y ajouter NetObjects Fusion 5.0 et FrontPage 1.0 (les versions ultérieures comme FrontPage 2000 n'existent pas – pas encore ? – pour le Macintosh).

- **Extensions diverses.** Comme pour Windows, la plupart des traitements de texte et logiciels de PAO disposent d'extensions ou de programmes additionnels leur conférant des possibilités d'édition HTML à différents niveaux. Consultez `deja.com`, que nous avons cité plus haut, ou l'éditeur de votre traitement de texte habituel pour savoir ce qui existe pour votre application.

- **Outils d'édition à usage limité.** Un certain nombre d'outils d'édition n'ont qu'un nombre réduit de possibilités parce qu'ils sont conçus pour des usages spécifiques. Certains ne sont que des piles HyperCard destinées à l'édition HTML. Pour savoir où en trouver, consultez les sources d'informations citées au début de ce chapitre.

- **Autres outils.** Il existe des douzaines d'autres outils, tant pour éditer du texte que pour manipuler les autres composants d'une page Web : édition et retouche d'images, écriture de scripts CGI, gestion de sites Web et d'autres encore. Une fois que vous aurez maîtrisé les bases de HTML, consultez les sites Web énumérés au début de ce chapitre pour découvrir d'autres logiciels touchant au Web.

BBEdit et HTML Tools

BBEdit est un éditeur de texte shareware très populaire dans le monde Macintosh. Cette popularité s'est encore accrue depuis qu'il existe des extensions pour l'écriture de pages Web : BBEdit HTML Tools de Lindsay Davies et HTML Extensions de Carle Bellver qui font maintenant partie intégrante de BBEdit.

BBEdit est très populaire et a obtenu plusieurs récompenses pour ses possibilités d'éditions HTML. C'est cependant un outil assez rustique qui travaille directement sur le texte et les balises et ne vous propose pas de prévisualisation de vos pages. Pour cela, vous devez recourir à votre navigateur habituel. Beaucoup d'auteurs Web écrivent leurs pages avec un outil plus élaboré et font leurs dernières retouches avec BBEdit.

La dernière version porte le numéro 6.0.1. Vous pouvez la télécharger à partir dc l'URL :

```
http://www.barebones.com
```

TextToHTML

Ce programme, écrit par un Belge, Kristiaan Coppieters, travaille sur des fichiers de type texte ou RTF (format universel que tous les traitements de texte reconnaissent) pour les convertir en un document HTML.

Après avoir lancé le programme, il suffit de faire glisser votre document RTF sur son icône et il est automatiquement converti.

Vous trouverez à l'usage que TextToHTML est simple à utiliser, mais qu'il a tous les défauts du freeware : si vous éprouvez des difficultés à l'utiliser, ne comptez pas sur une aide quelconque. Pour tout détail, vous pouvez consulter le site Web :

```
http://www.rorohiko.com/texttohtml.html
```

HTML TableTool

Il s'agit d'une petite pile HyperCard qui permet de créer facilement des tableaux ; vous pourrez la télécharger à partir de l'URL :

```
http://www.ncl.ac.uk/wwwtools/htmltoolseditorsfilter_479.html
```

Le fichier d'archive que vous trouverez à cette URL se décompresse automatiquement et fournit un fichier explicatif qui explique comment utiliser l'outil. Son emploi est très simple :

1. **Commencez par créer votre tableau dans une feuille de calcul de tableur ou une base de données.**

2. **Sauvegardez le tableau sous forme de fichier texte délimité par des tabulations.**

3. **Lancez TableTool en double-cliquant sur son icône.**

4. **Cliquez sur le bouton Open pour ouvrir le fichier texte.**

   Ce fichier texte est alors automatiquement converti en un tableau et affiché dans une fenêtre facilement éditable à l'intérieur du programme.

En résumé

Les outils que nous venons de vous présenter dans ce chapitre ne sont qu'une faible partie des ressources que vous offre le Web dans le domaine du shareware et du freeware pour des plates-formes telles que Windows, le Macintosh et UNIX/Linux. Vous en trouverez d'autres au moyen des adresses données en tête du chapitre.

Chapitre 13
FrontPage Express

Qu'on s'en félicite ou qu'on le déplore, il faut bien reconnaître que Microsoft est en train de s'assurer une position dominante sur le marché de l'Internet. Et pas seulement dans le domaine des systèmes d'exploitation avec Windows. Les logiciels édités par Microsoft tournent sur les neuf dixièmes des ordinateurs installés dans le monde, et c'est cet éditeur qui définit les standards techniques qui conditionnent la façon dont fonctionnent et fonctionneront les PC d'aujourd'hui et ceux de demain. La part de marché de Microsoft dans le domaine des navigateurs va croissant avec Internet Explorer, et cette domination s'accentue avec son logiciel d'édition FrontPage et ses deux sites consacrés au Web : http://www.microsoft.com et http://www.msn.com. Microsoft continue de racheter des entreprises gravitant dans la sphère de l'Internet, et à contracter des alliances commerciales avec d'autres entreprises dans le domaine des nouvelles technologies et des nouveaux standards émergeants du Web.

Microsoft a créé son *Developer Network* pour assister (de façon non désintéressée) les créateurs de pages Web. Comme ce nom le laisse deviner, ce "réseau" est destiné aux professionnels de la création de sites Web plutôt qu'aux amateurs, pour lesquels deux ou trois pages représentent déjà un effort important et qui constituent l'essentiel du lectorat de ce livre. Vous pouvez visiter ce site à l'URL :

```
http://msdn.microsoft.com
```

Vous y trouverez des informations intéressantes sur les dernières versions d'Internet Explorer. Nous ne vous conseillons pas de télécharger celles-ci, car la plupart du temps elles sont en anglais et, surtout, leur taille (supérieure à une quinzaine de mégaoctets) rend l'opération délicate et coûteuse. Mieux vaut attendre qu'elles soient diffusées dans les CD-ROM qui accompagnent presque toujours les revues d'informatique. Toutes les versions d'Internet Explorer contiennent l'éditeur FrontPage Express qui est une version dépouillée de l'excellent éditeur FrontPage 2000.

A la découverte de FrontPage Express

Bien que ses fonctionnalités soient en retrait par rapport à celles de son grand frère, FrontPage 98, ou du dernier-né, FrontPage 2000, FrontPage Express permet néanmoins d'utiliser le glisser/déposer et travaille en WYSIWYG. Il supporte Java, Active-X et DHTML.

Il faut cependant noter que ses possibilités de prise en compte des feuilles de style sont d'une grande indigence. On ne peut les qualifier que de rudimentaires. *(N.d.T.)*

Actuellement, FrontPage Express ne tourne que sous Windows 32 bits. Aucune version n'existe pour Windows 3.1, le Mac, UNIX ou Linux (vous pourrez toujours vous rabattre sur Netscape Composer). Rien ne vous empêche de l'essayer, puisqu'il est distribué gratuitement. S'il vous convient, vous pourrez toujours, sans être dépaysé, acquérir ensuite la version complète, FrontPage 2000, qui vous fera bénéficier d'avantages supplémentaires tels que la gestion complète d'un site Web, la vérification des liens, la recherche et le remplacement dans toutes les pages, etc.

Rappelons que, pour bénéficier de toutes les possibilités de FrontPage 2000, les extensions FrontPage de Microsoft doivent être installées sur le *serveur Web* qui hébergera vos pages. Renseignez-vous car tous ne l'acceptent pas. Ce genre d'inconvénients n'existe pas avec FrontPage Express.

La dernière version de FrontPage, FrontPage 2000, est fournie gratuitement avec Office 2000 (qui, lui, est payant).

Bien que FrontPage Express vous dissimule le code HTML généré, vous pouvez facilement en prendre connaissance à tout moment au moyen d'une commande de son menu. Vous serez souvent horrifié de voir en quoi il consiste, mais, pour peu que vous ayez de solides connaissances des balises HTML, vous pourrez de cette façon corriger certains bugs de l'éditeur. Rappelons qu'une introduction à HTML se trouve au Chapitre 7.

FrontPage Express ou Netscape Composer ?

En tant que futur auteur Web, vous pouvez vous demander lequel de ces deux éditeurs vous devez choisir. Tous deux ont été écrits par des entreprises qui dominent le marché des navigateurs. Voici quelques points de comparaison, vus sous l'angle de FrontPage Express, qui pourront vous aider dans votre choix. Vous trouverez leur pendant dans le Chapitre 14 consacré à Netscape Composer mais, cette fois, du point de vue de ce dernier.

- Totalement gratuit. Les deux logiciels sont gratuits. Cependant, FrontPage Express est généralement préinstallé lorsque vous achetez une machine, ce qui n'est pas le cas de Netscape Composer.

- Extensions possibles. Sans problème vers FrontPage 2000 alors que Netscape ne propose rien de comparable.

- Possibilités de contrôles programmés. Vous pouvez incorporer des applets Java avec les deux, mais les contrôles ActiveX sont seulement utilisables avec FrontPage Express.

- DHTML. Les approches de Microsoft et de Netscape sont radicalement différentes, donc incompatibles, mais ce n'est pas un réel inconvénient car, en dehors d'un intranet où on maîtrise complètement les logiciels en service, mieux vaut actuellement se dispenser de ces gadgets si on veut être vu dans de bonnes conditions par le plus grand nombre de visiteurs possible.

Les bases de FrontPage

FrontPage Express demande le même type de configuration machine qu'Internet Explorer 5.0 : Windows 32 bits, 16 Mo de RAM et au moins 50 Mo d'espace disque. Mais, si vous voulez pouvoir *réellement* travailler, 32 Mo de RAM et une centaine de mégaoctets sur disque ne seront pas superflus.

Voici quelles sont les principales fonctionnalités de FrontPage Express :

- Création et édition de pages sans voir l'ombre d'une balise.

- Pose de liens par un glisser/déposer sans avoir à saisir ni URL ni chemin d'accès.

- Couper/coller d'images dans la page en cours de création. Possibilité de redimensionner les images et de leur adjoindre un texte de remplacement.

- Création et édition de tableaux.

- Création et édition de formulaires.

Vous pouvez également insérer des fichiers multimédias et des programmes exécutables dans votre page Web. Mais attention ! Tous vos visiteurs ne seront pas à même de les utiliser s'il leur manque le ou les indispensables plugins. Il est alors prudent de tester vos pages avec différents navigateurs et d'avertir vos utilisateurs des problèmes qu'ils risquent de rencontrer.

Si FrontPage Express vous permet de créer des formulaires, ce n'est pas pour autant qu'il va vous fournir une aide quelconque dans l'écriture des scripts CGI devant servir à les dépouiller. Si vos connaissances vous permettent d'écrire cette sorte de programme, vous êtes sans doute prêt pour passer au niveau supérieur de HTML, donc pour un outil d'édition plus perfectionné que FrontPage Express. Si ces scripts vous passent nettement au-dessus de la tête, le mieux est sans doute de tenter d'en trouver de tout faits sur le Web. Et, bien entendu, avant d'en arriver là, de vous assurer auprès de votre service d'hébergement de pages que vous êtes autorisé à les y installer.

FrontPage Express ne reconnaît pas les cadres (*frames*). Mais comme l'utilisation de cet artifice de mise en page ne sera pas abordé dans ce livre, ce n'est pas un réel inconvénient. Et si vous y tenez réellement, rien ne vous empêche de les coder à la main, au niveau du code HTML généré.

Bilan final

FrontPage Express est un bon éditeur pour commencer à créer des pages Web, pour peu que votre système d'exploitation soit Windows 32 bits et que votre navigateur familier soit Internet Explorer. Si vous préférez Netscape Navigator, alors allez plutôt au Chapitre 14 dans lequel il est question de Netscape Composer, l'outil d'édition gratuit de Netscape. Si c'est Microsoft que vous préférez, n'oubliez pas que FrontPage Express vous prépare à l'utilisation de l'outil réellement professionnel qu'est FrontPage 2000.

FrontPage Express ignore la notion d'entité de caractère servant à représenter les caractères accentués. On en aura la preuve en regardant sur la Figure 13.13 le code HTML généré qui sera présenté à la fin de ce chapitre. Cela risque de provoquer un affichage "déconcertant" pour les visiteurs non équipés de plates-formes de la famille Windows.

Comment se procurer FrontPage Express

On ne peut pas se procurer FrontPage Express tout seul. Il est fourni en compagnie d'Outlook Express et d'Internet Explorer avec Windows.

Comme nous l'avons dit à plusieurs reprises, pas question de télécharger une version quelconque d'Internet Explorer depuis un des sites de Microsoft, sauf si vous avez l'Internet par le câble, l'ADSL ou une liaison Numéris. Pour les plus nombreux qui doivent se contenter d'une connexion via le réseau téléphonique commuté, c'est-à-dire dans le meilleur des cas capable d'un débit réel aux alentours de 48 Kbps (en V90), ce serait une réelle perte de temps, sans compter le risque d'interruptions diverses (coupure de la connexion, par exemple). Vous trouverez sans difficulté le package sur le CD-ROM encarté dans la plupart des revues consacrées à l'informatique.

Installation de FrontPage Express

Nous supposerons donc que vous êtes en possession d'un CD-ROM renfermant une version récente d'Internet Explorer. Ce qui va suivre s'applique à la version 5.0, mais le processus est presque le même pour les versions 4.x, à quelques détails près (par exemple, les boîtes de dialogue se présentent de façon un peu différente).

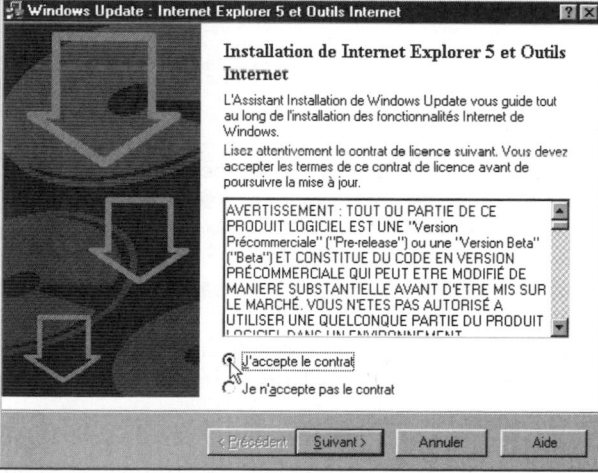

Figure 13.1 : Pour pouvoir installer FrontPage Express, vous devez accepter les conditions imposées par Microsoft.

Cliquez sur le bouton Démarrer puis sur Rechercher/fichiers, et cherchez sur votre lecteur de CD-ROM le fichier qui a pour nom **ie5setup.exe**. Quand il sera affiché dans la fenêtre des fichiers trouvés, double-cliquez sur son nom, ce qui aura pour effet de lancer le processus d'installation. Exécutez alors les étapes suivantes :

1. **Cliquez sur le bouton radio placé devant la mention *J'accepte le contrat* (dans le premier écran) qui vous rappelle les conditions de licence imposées par Microsoft (Figure 13.1), puis sur le bouton Suivant.**

2. **Dans la deuxième fenêtre, cliquez sur le bouton radio placé devant Personnaliser votre installation, puis sur le bouton Suivant (Figure 13.2).**

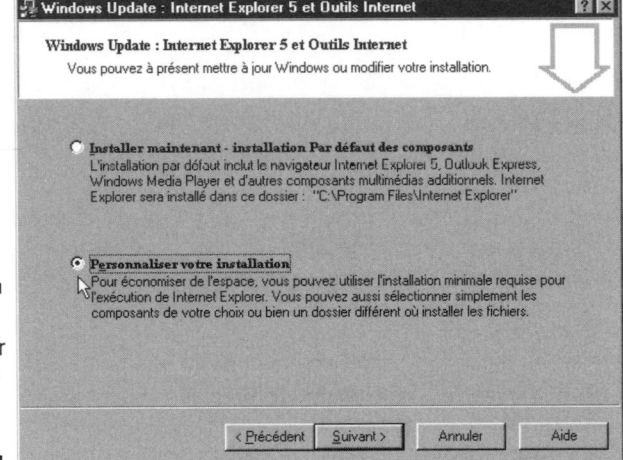

Figure 13.2 :
Il faut choisir
une installa-
tion person-
nalisée.

3. **Dans la liste des composants qui s'affiche alors (Figure 13.3), vous allez choisir les modules que vous voulez installer.**

    Si vous n'avez pas encore installé Outlook Express, profitez-en pour le faire. Nous supposerons que c'était déjà fait et que vous voulez seulement installer FrontPage Express.

    Cliquez ensuite sur le bouton Suivant.

4. **Une fenêtre s'affiche, vous informant du début de l'installation.**

    Celle-ci va demander plusieurs minutes. A la fin, une fenêtre vous informera qu'il faut redémarrer l'ordinateur. Cliquez alors sur le bouton Terminer.

5. **Une fois redémarré, l'ordinateur va terminer l'installation.**

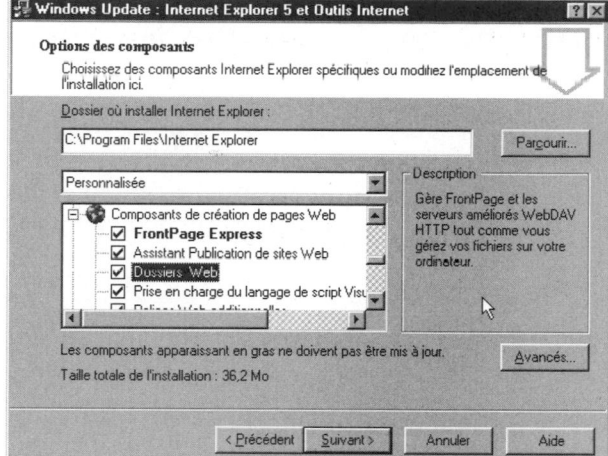

Figure 13.3 :
Choix des
modules à
installer.

A aucun moment de l'installation, on ne vous proposera de répertoire d'instal-
lation. FrontPage Express sera d'autorité installé dans le répertoire \Program
Files\FrontPage Express\Bin sous le nom de **fpxpress.exe**.

Une icône pour FrontPage Express

Pour faciliter l'usage de FrontPage Express, installez une icône de raccourci sur le bureau de
Windows comme vous le feriez pour n'importe quel autre programme. La marche à suivre est
en principe connue de tous ; nous allons néanmoins vous la rappeler. Dans l'Explorateur de
Windows, cliquez sur le signe + à gauche du nom de votre disque dur principal (celui sur
lequel se trouve Windows – et donc FrontPage Express). Cliquez ensuite sur Program
Files\FrontPage Express\bin. Repérez la ligne (ou l'icône) marquée fpxpress.exe et cliquez
une fois dessus. Sans lâcher le bouton de la souris, faites glisser le pointeur sur le bureau.
Relâchez le bouton.

Mise en œuvre de FrontPage Express

Créer une page Web à l'aide de FrontPage Express est une expérience plutôt amusante, car vous pouvez facilement faire tout ce qui est nécessaire pour construire votre page sans risque d'en faire de trop. Au fur et à mesure que vous découvrirez FrontPage Express, vous vous apercevrez que vous pouvez faire avec lui à peu près tout ce que vous avez admiré sur d'autres sites : titres et en-têtes, appels de liens, images entourées de texte, etc. Le mieux est probablement d'expérimenter çà et là au hasard des rubriques de menus pour vous en rendre compte.

Voici quelques-unes des tâches principales que vous pourrez accomplir sans difficulté :

- Créer un titre pour votre page.

- Saisir du texte et le mettre en forme.

- Ajouter un ou plusieurs appels de liens.

- Ajouter une ou plusieurs images.

- Explorer le code HTML généré.

- Publier la page Web que vous venez de composer.

Dans la suite de ce chapitre, nous allons voir en détail comment réaliser ces tâches avec FrontPage Express. Nous ferons de même pour d'autres outils Web aux Chapitres 14 et 15. Vous aurez ainsi l'occasion de comparer la somme de travail nécessaire pour créer une page avec trois outils différents.

Commençons par le titre

Vos visiteurs ne verront pas le titre (au sens de la balise <TITLE>) de votre page Web dans la fenêtre de leur navigateur mais dans la barre de titre de celle-ci. Néanmoins, il est très important, car c'est sur le texte qu'il renferme que la plupart des moteurs de recherche vont s'appuyer pour indexer votre page. A vous de choisir quelque chose d'évocateur tout en restant suffisamment bref. Voici les étapes à suivre pour ouvrir un document sous FrontPage Express, lui donner un titre et le sauvegarder :

1. **Lancez FrontPage Express.** Pour cela, double-cliquez sur l'icône de raccourci de FrontPage Express que vous avez préalablement installée sur le bureau de Windows comme nous l'avons expliqué un peu plus haut.

2. **Cliquez sur Fichier/Enregistrer sous...** Comme vous pouvez le voir sur la Figure 13.4, une boîte de dialogue s'ouvre dont la ligne supérieure contient le titre par défaut : "Page normale sans titre". Nous allons le remplacer par "L'escargot (Jules Renard)".

3. **Cliquez sur le bouton Comme fichier.** La boîte de dialogue de sélection de fichier s'affiche, vous proposant de sauvegarder cette page blanche dans le répertoire Mes Documents et sous le nom **lescargo.htm**. Si vous pouvez, à la rigueur, accepter ce nom, placer un document HTML dans le répertoire passe-partout proposé serait une ineptie. Créez un répertoire spécifique, plus approprié : **Mes pages**, par exemple, et cliquez sur le bouton Enregistrer.

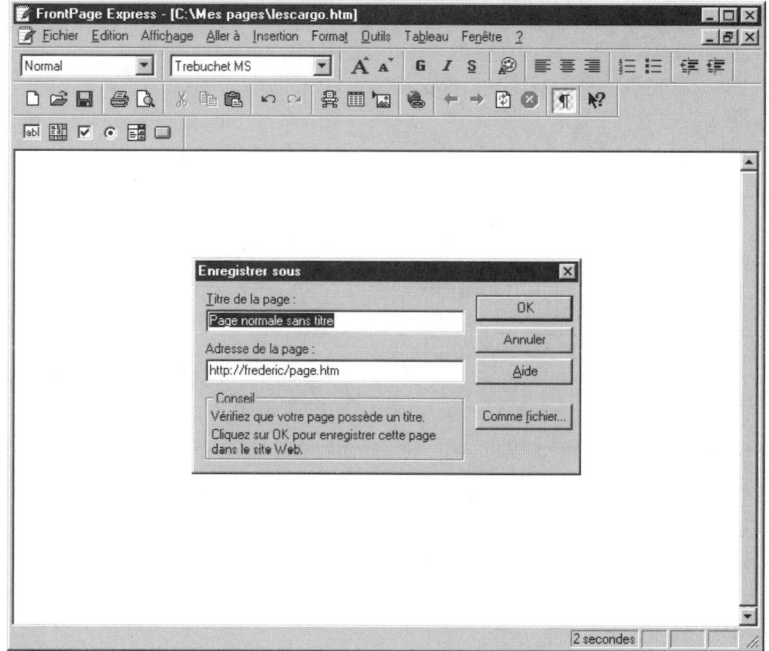

Figure 13.4 :
La fenêtre de
FrontPage
Express avec
la boîte de
dialogue de
sauvegarde
de fichier.

Saisie et mise en forme de texte

Nous allons emprunter le texte qui suit à Jules Renard pour notre page consacrée à ce modeste gastéropode. Avant de passer à la saisie proprement dite, voici les étapes à parcourir :

1. **Tapez le titre que vous souhaitez voir affiché dans la fenêtre du navigateur.** Le plus simple (et, en même temps, le meilleur) est de reprendre, à un mot près, celui qui vous a servi pour le titre précédent. Ce sera donc : *L'escargot, d'après Jules Renard*. Ce sont les mots que vous allez donc saisir à l'endroit où se trouve le pointeur d'insertion, dans le coin supérieur gauche de la fenêtre de FrontPage Express. Ne terminez pas par <Entrée>.

2. **Cliquez sur la petite flèche à droite de la boîte à liste déroulante la plus à gauche et sélectionnez Titre 1.** Les mots que vous venez de saisir grossissent instantanément et prennent l'aspect d'un titre. Vous pouvez centrer le titre en cliquant sur l'outil approprié (le sixième de la barre d'outils en partant de la droite).

3. **Le pointeur se trouvant à l'extrémité de la ligne du titre, appuyez sur <Entrée>.** Le curseur se place alors au début d'une nouvelle ligne et la boîte à liste déroulante affiche Normal.

4. **Saisissez le texte qui suit :**

   Casanier dans la saison des rhumes, son cou de girafe rentré, l'escargot bout comme un nez plein. Il se promène dès les beaux jours mais il ne sait marcher que sur la langue.

   Mon petit camarade Abel jouait avec ses escargots. Il en élève une pleine boîte et il a soin, pour les reconnaître, de numéroter au crayon la coquille.

   S'il fait trop sec, les escargots dorment dans la boîte. Dès que la pluie menace, Abel les aligne dehors, et si la pluie tarde à tomber, il les réveille en versant dessus un pot d'eau. Et tous, sauf les mères qui couvent, dit-il, au fond de la boîte, se promènent sous la garde d'un chien appelé Barbare et qui est une lame de plomb qu'Abel pousse du doigt.

   Comme je causais avec lui du mal que donne leur dressage, je m'aperçus qu'il me faisait signe que non, même quand il me répondait oui.

   Abel, lui dis-je, pourquoi ta tête remue-t-elle ainsi de droite et de gauche ?

   C'est mon sucre, dit Abel.

   Quel sucre ?

   Tiens, là.

5. **Sélectionnez à l'aide du pointeur de la souris le texte que vous voulez mettre en forme.** Ici, ce sera le simple mot "non", au milieu du quatrième paragraphe (Figure 13.5).

Figure 13.5 :
Sélection du
mot à
afficher en
italique.

Figure 13.6 :
Sélection
des lignes à
présenter
sous forme
de liste.

6. **Cliquez sur l'outil de mise en italique, le "I" penché situé entre les mots Outils et Tableau de la barre de menus de FrontPage Express.** Le mot s'affiche immédiatement en italique.

7. **Pour que le dialogue apparaisse comme tel, nous allons faire une liste des quatre derniers paragraphes (Figure 13.6).** Pour cela, sélectionnez-les à l'aide de votre souris.

8. **Dans la boîte à liste des formats, choisissez Liste à puces.** Le texte se présente maintenant comme le montre la copie d'écran de la Figure 13.7.

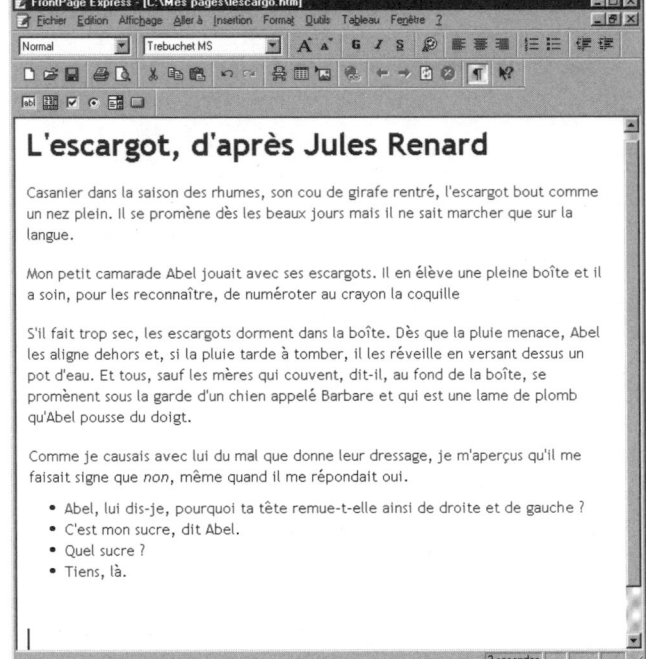

Figure 13.7 :
Quatre paragraphes transformés en liste à puces.

Ajoutons un lien

FrontPage Express facilite l'inclusion des liens dans une page Web, mais il faut néanmoins être capable de distinguer parmi les différentes catégories de liens qui existent. Vous pouvez relire le Chapitre 7 à ce sujet. N'oubliez pas que, lors de l'évolution de votre site Web, il faudra veiller à ce que les liens demeurent corrects. Des outils plus évolués comme FrontPage 2000 ou NetObjects Fusion facilitent ce type de maintenance. Voici comment procéder pour insérer un lien avec FrontPage Express :

1. **Saisissez le texte suivant :**

    Pour en savoir davantage sur la vie de Jules Renard, vous pouvez visiter la page que lui a consacrée Anatole Nouriçon, intitulée "Un Renard dans le poulailler littéraire du XIXème Siècle".

2. **Sélectionnez le texte entre guillemets qui va servir d'appel de lien.**

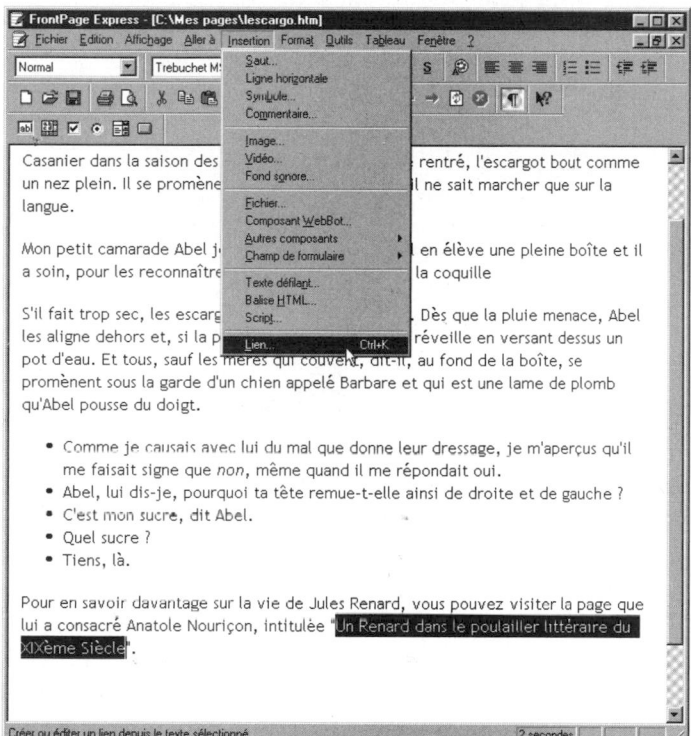

Figure 13.8 :
Création d'un
appel de lien.

3. **Cliquez sur Insertion/Lien (Figure 13.8).** Vous pouvez aussi cliquer sur Edition/Lien ou, plus simplement, taper <Ctrl>+<K>. La boîte de dialogue reproduite sur la Figure 13.9 s'affiche.

4. **Dans la boîte à liste déroulante Type de lien, conservez "http://".**

5. **Dans la boîte de saisie URL, au-dessous, saisissez l'URL de la page vers laquelle doit pointer le lien.** Nous supposerons que c'est la suivante :

```
http://www.littera.com/anatole/renard
```

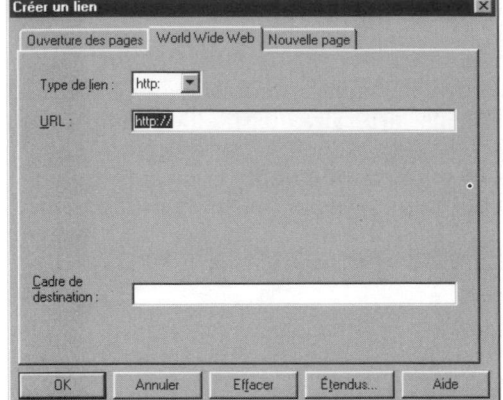

Figure 13.9 :
Boîte de
dialogue de
définition du
type de lien.

6. **Cliquez sur le bouton OK.** La boîte de dialogue disparaît et le texte qui était sélectionné apparaît maintenant sous forme de lien, c'est-à-dire souligné et affiché en bleu (Figure 13.10).

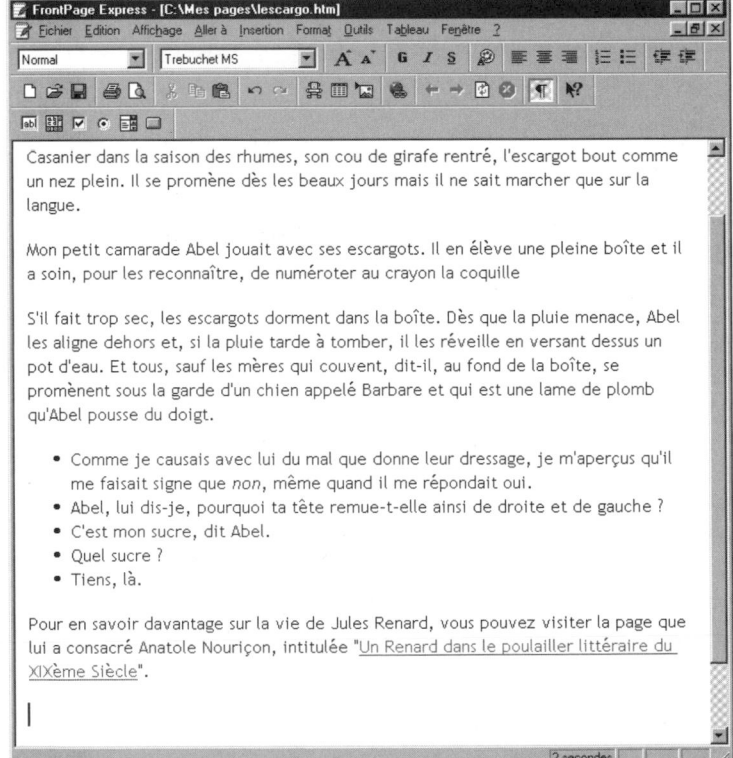

Figure 13.10 :
Le lien, une
fois créé, est
affiché en
bleu et
souligné.

Ajoutons une image

Vous allez voir combien il est facile d'ajouter une image dans une page Web à
l'aide de FrontPage Express. La marche à suivre ressemble à l'insertion d'un
lien. Nous allons illustrer notre page au premier degré par l'insertion d'une
image que nous possédons déjà : **escargot.gif**. Son extension montre que
l'image est bien dans un des deux formats reconnus par tous les navigateurs.

1. **Placez le pointeur de la souris dans votre page, là où vous voulez
   qu'apparaisse l'image.**

2. **Cliquez sur Insertion/Image.** La boîte de dialogue Image s'affiche.

3. **Après avoir cliqué sur le bouton Parcourir, choisissez l'image que
   vous voulez insérer.** Seuls les noms des images de type GIF ou JPEG
   seront affichés. Bien qu'il soit possible d'importer des images d'autres
   types, nous vous conseillons fortement de les convertir auparavant
   dans un de ces deux types.

4. **Double-cliquez sur le nom du fichier de l'image que vous avez
   choisie.** Elle apparaît immédiatement dans la page, à l'endroit où se
   trouvait précédemment le pointeur de la souris. Restent à définir
   quelques options de présentation.

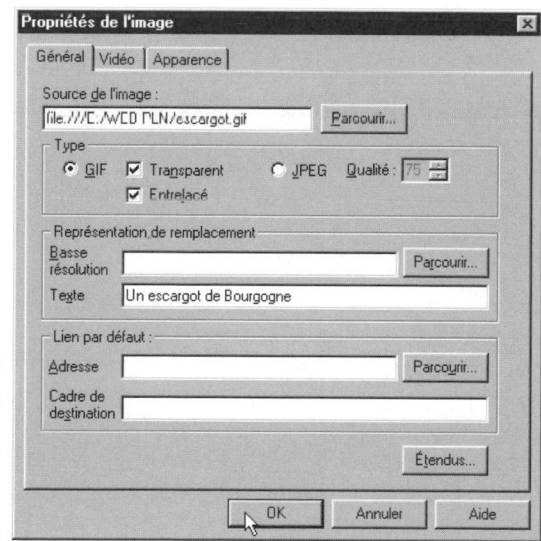

Figure 13.11 :
Saisie d'un
texte de
remplace-
ment.

5. **Double-cliquez sur l'image elle-même.** La boîte de dialogue à trois volets Propriétés de l'image s'affiche.

   Volet Général. Dans la zone Représentation de remplacement, saisissez un texte qui sera affiché par les visiteurs ayant désactivé le chargement des images (Figure 13.11). Ici, nous avons choisi : "Un escargot de Bourgogne".

   Volet Apparence. Dans la boîte à liste déroulante repérée par Alignement, sélectionnez Gauche.

6. **Terminez en cliquant sur le bouton OK pour valider ces options.** La Figure 13.12 montre comment l'image est maintenant affichée, partiellement entourée par le texte.

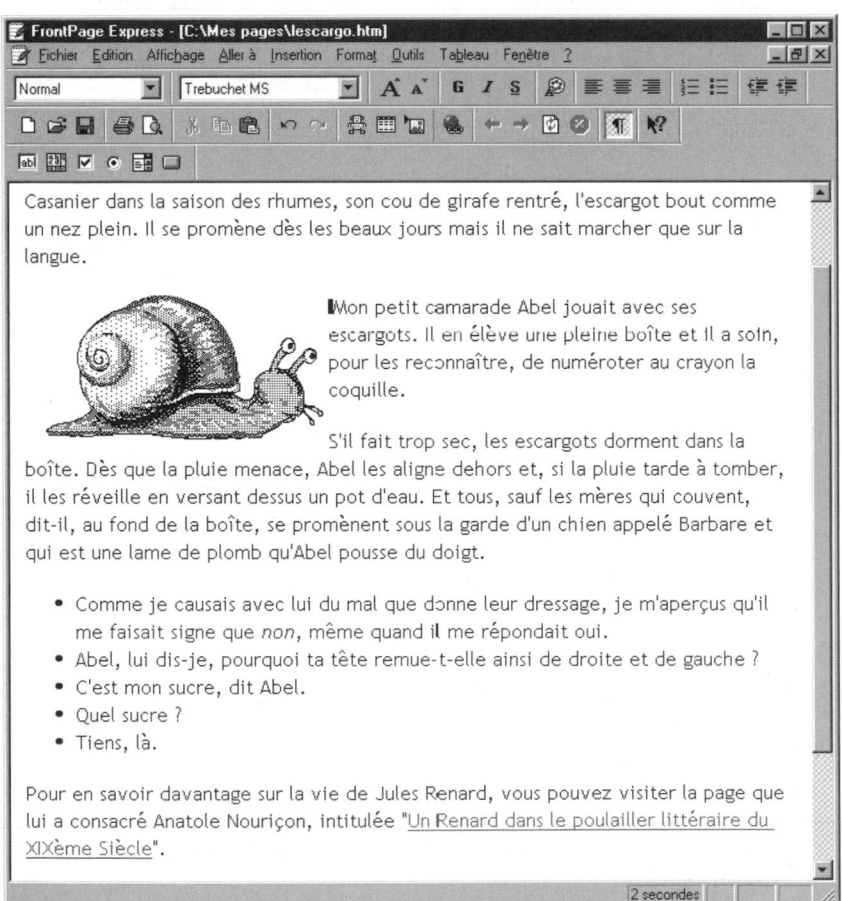

Figure 13.12 : Aspect de la page terminée.

Le code HTML généré

Pour voir le code HTML que FrontPage Express a généré, cliquez sur Affichage/HTML (ou tapez <Alt>+<H> suivi de <H>). Une grande fenêtre s'ouvre, à l'intérieur de laquelle se trouve le contenu réel du document HTML (Figure 13.13). Si vous connaissez bien HTML, vous pourrez constater que le code généré n'est pas toujours conforme à ce qu'il devrait être selon les spécifications du W3C (par exemple, les articles de liste ne devraient pas se terminer par ⟨/li⟩). Vous pouvez (avec prudence !) y apporter des modifications. Si vous refermez la fenêtre en cliquant sur le bouton OK, ces modifications seront validées, mais pour les enregistrer vous devrez ensuite cliquer sur Fichier/Enregistrer ou taper <Ctrl>+<S>.

Figure 13.13 :
Le code
HTML
généré par
FrontPage
Express.

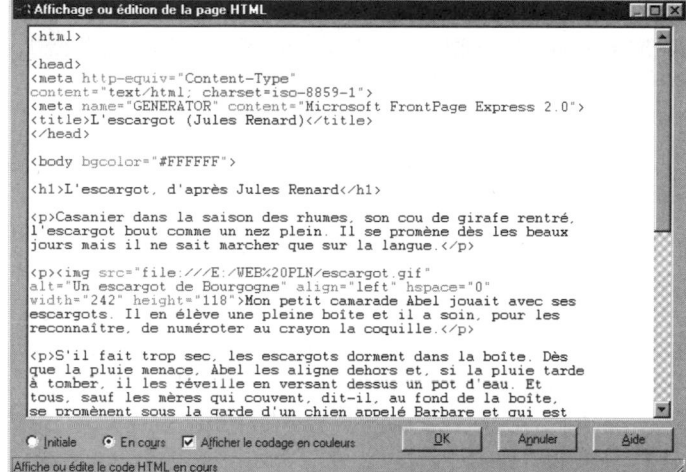

Publication de la page Web créée

Il ne faut pas oublier que FrontPage Express est une copie dépouillée et affadie de FrontPage 2000. C'est une des raisons pour lesquelles certaines fonctionnalités sont à la fois pauvrement implémentées et peu ou mal documentées dans l'aide en ligne. C'est ici le cas pour la fonction de transfert sur un serveur Web. Comme, en outre, aucune assistance n'existe pour ce logiciel, nous vous suggérons de ne pas utiliser cette fonction, mais, plutôt, d'opérer à l'aide d'un logiciel spécialisé de FTP, comme cela a été expliqué au Chapitre 11.

Au-delà de FrontPage Express

Un véritable site Web consiste en plusieurs pages reliées entre elles. Lorsque vous atteindrez ainsi une dizaine de pages, vous constaterez que la maintenance du site peut s'avérer délicate. Non pas que la gestion des liens pose de réels problèmes, pour peu que vous n'ayez pas dispersé vos documents HTML dans plusieurs répertoires, mais parce qu'il devient difficile de se rappeler quelle page appelle telle ou telle autre page.

FrontPage 2000 facilite dans une certaine mesure le suivi des liens, mais au prix d'une dépense supplémentaire. Pour une suite de pages personnelles, le jeu n'en vaut généralement pas la chandelle. Pour un site professionnel, dans la mesure où ce n'est pas vous qui financerez cette acquisition, cela peut être envisagé. Vous rentabiliserez de cette façon les connaissances que vous venez d'acquérir, puisque FrontPage reprend, en les développant et en les enrichissant, toutes les fonctionnalités que vous avez appris à connaître et à utiliser dans FrontPage Express.

Chapitre 14
Netscape Composer

. . . .

Dans ce chapitre :

▶ Les bases.

▶ Comment se procurer Netscape Communicator et Netscape Composer.

▶ Mise en œuvre de Netscape Composer.

▶ Au-delà de Netscape Composer.

. . . .

N etscape est l'entreprise qui a été à la base de l'explosion du World Wide Web. Créé dans la Silicon Valley par Jim Clark, fondateur de Silicon Graphics, et Marc Andreesen, assistés de quelques collègues échappés de l'université de l'Illinois, Netscape, d'abord appelé Mosaic Communications puis rebaptisé Netscape Communications, est devenu un exemple classique des réussites fulgurantes à l'américaine. Le navigateur Netscape Navigator a été l'application qui a mis le feu aux poudres en 1995 et a rendu l'exploration du Web facile, amusante et même passionnante.

Depuis, Netscape a étendu ses activités à d'autres domaines, particulièrement du côté des logiciels de serveur. Mais lorsque Microsoft a décidé de s'intéresser au Web et a lancé Internet Explorer, l'étoile de Netscape a commencé à pâlir, et l'entreprise a connu des pertes financières croissantes qui l'on conduite, fin 1998, à être rachetée par AOL.

La version actuelle de Netscape Communicator couramment disponible en France est la 4.75. La Figure 14.1 montre la page d'accueil du site Web de Netscape qui est consacrée à Netscape Composer. Son URL est la suivante :

```
http://sitesearch.netscape.com/communicator/composer/v4.5/index.html
```

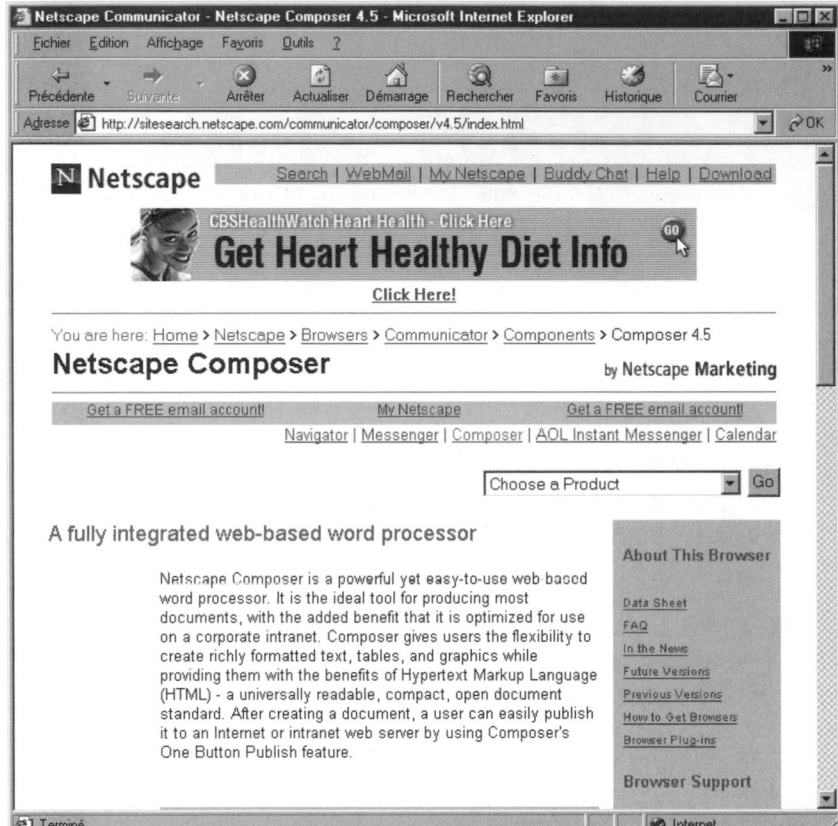

Figure 14.1 :
La page
d'accueil du
site de
Netscape
consacré à
l'édition
Web.

Une nouvelle version de Netscape Navigator, la 6.0, est sortie courant novembre 2000. La presse américaine a généralement souligné son manque de maturité et les nombreux bogues — cependant signalés par les *bêta testeurs* — qui subsistent. Ce manque de finition, joint à un processus d'installation contraignant, puisque celle-ci ne peut s'effectuer qu'en étant connecté au serveur de Netscape, n'en fera probablement pas l'outil de prédilection des surfeurs avant longtemps. Sauf, bien entendu, des snobs et de ceux qui se croiraient déshonorés s'ils ne disposaient pas du tout dernier gadget qui vient de sortir dans n'importe quel domaine. Ne comptez pas que nous l'utilisions dans ce livre.

FrontPage Express ou Netscape Composer ?

En tant que futur auteur Web, vous pouvez vous demander lequel de ces deux éditeurs vous devez choisir. Tous deux ont été écrits par des entreprises qui dominent le marché des navigateurs (quoique Netscape soit maintenant en retrait par rapport à son concurrent Microsoft). Voici quelques points de comparaison, vus à partir de Netscape Composer, qui pourront vous aider dans votre choix. Vous trouverez leur pendant dans le Chapitre 13 consacré à FrontPage Express, mais cette fois du point de vue du logiciel de Microsoft.

- **Totalement gratuit.** Les deux logiciels sont gratuits.

- **Extensions possibles**. Aucune, du côté de Netscape. Vers FrontPage 2000 pour son concurrent.

- **Plates-formes supportées**. Toutes les variétés de Windows et du Macintosh ainsi qu'un bon nombre de variétés d'UNIX. Pour sa part, FrontPage Express est limité à la famille Windows.

- **Intégration avec le module de navigation**. Netscape Composer est probablement mieux intégré à Netscape Communicator que FrontPage Express ne l'est à Internet Explorer[1].

- **Possibilité de contrôles programmés**. Alors que FrontPage Express permet d'incorporer des applets Java ou des contrôles Active-X, Netscape Composer n'offre rien de comparable. Voici, en effet, ce qu'on peut lire dans l'aide en ligne de ce logiciel : *"Si vous maîtrisez le langage HTML, vous pouvez insérer des étiquettes HTML, JavaScript et des codes de modules externes non disponibles dans le menu Format de Composer. Bien que celui-ci n'affiche pas ces objets, il signale leur présence par des icônes d'étiquettes HTML."* Adieu le WYSIWYG !

- **Assistants et modèles de pages**. Il existe des plugins pour réaliser des liens avec des images réactives, pour convertir des fichiers et assurer le support des caractères spéciaux. Vous pouvez les télécharger à partir de l'URL :

      http://developer.netscape.com/docs/examples/plugins/composer

    Sans ces plugins, Netscape Composer est plus limité que FrontPage Express, mais, lorsqu'ils sont installés, ils apportent des moyens supplémentaires, comparables à ceux qu'offrent d'autres éditeurs HTML et qui n'existent pas avec le logiciel de Microsoft. La Figure 14.2 montre un extrait de la liste de ces plugins[2].

---

1. Nous nous demandons ce que les auteurs veulent dire par là. S'il s'agit de la possibilité d'appeler le module de courrier électronique depuis celui de navigation, nous n'avons constaté aucune différence entre les logiciels de Netscape et ceux de Microsoft. *(N.d.T.)*

---

2. Malheureusement, ces plugins sont plutôt anciens, comme le révèle la Figure 14.2 où l'on peut voir proposé un bouton "Netscape 3.0". Mais peut-être conviennent-ils toujours pour les versions plus récentes ? *(N.d.T.)*

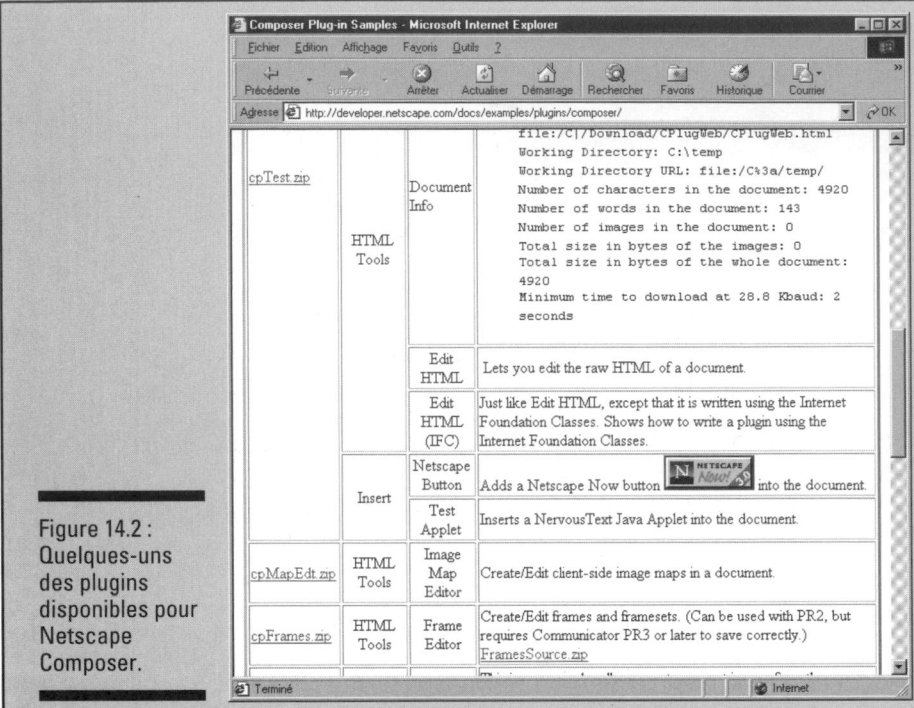

Figure 14.2 :
Quelques-uns
des plugins
disponibles pour
Netscape
Composer.

- **D**HTML. Les approches de Microsoft et de Netscape sont incompatibles, mais ce n'est pas un réel inconvénient, car, en dehors d'un intranet où on maîtrise complètement les logiciels en service, mieux vaut actuellement se dispenser de ces gadgets si on veut être vu dans de bonnes conditions par le plus de visiteurs possible.

- **Vérificateur d'orthographe.** Ici, Netscape Composer marque un point, car sa version française est pourvue d'un vérificateur, totalement absent chez l'enfant de Microsoft.

- **Dans l'ensemble**. Les revues d'informatique classent généralement Netscape Composer avant FrontPage Express. Beaucoup de gens considèrent que FrontPage Express n'est qu'une introduction à FrontPage 2000, alors que Netscape Composer est le seul outil d'édition Web de Netscape, ce qui, pour eux, implique de la part de Netscape davantage d'énergie dans la réalisation et le support de Netscape Composer que Microsoft n'en apporte dans celui de FrontPage Express.

Si on pèse ce qui manque à chacun des deux logiciels, on s'aperçoit qu'il est difficile d'aboutir à une conclusion objective. A vous de juger en fonction de vos goûts, de vos besoins et de vos habitudes. Et si vous avez un Mac, vous n'avez pas le choix : c'est Netscape Composer ou rien.

A la découverte de Netscape Composer

Contrairement à Internet Explorer, dont les trois modules peuvent être installés séparément, Netscape Composer (le logiciel d'écriture des pages Web) et Netscape Mesenger (le mailer de Netscape) sont étroitement intégrés à Netscape Communicator. Si sa fenêtre ressemble un peu à celle de FrontPage Express, son processus d'installation est différent. Alors qu'on peut installer Internet Explorer en omettant FrontPage Express, lorsqu'on installe le package Netscape Communicator, on installe en même temps ses deux modules frères. Est-ce pour cela que, lorsqu'on double-clique sur son icône, le temps de chargement de ce navigateur est nettement supérieur à celui de son concurrent ? Nous l'ignorons.

Il existe des versions de Netscape Communicator pour de nombreuses plates-formes (Windows 3.1, Windows 32 bits, Macintosh, une dizaine d'avatars d'UNIX et de Linux) et en plusieurs langues (brésilien, français, allemand, espagnol, japonais, coréen, etc.).

C'est une bonne base de départ pour tous ceux qui veulent se lancer dans le métier d'auteur Web, car c'est un éditeur WYSIWYG, admettant le couper/coller entre sa propre fenêtre et celle du navigateur. Une rubrique de menu permet d'accéder au code HTML généré en cas de besoin. Cet éditeur comporte à peu près toutes les fonctionnalités désirables.

Les bases de Netscape Composer

Bien que Netscape n'indique nulle part les spécifications minimales de l'ordinateur à utiliser, nous pensons qu'il faut une machine de puissance "raisonnable" avec le plus de mémoire vive possible. Pour Windows, un Intel 486/66 MHz avec 16 Mo de RAM devrait suffire. Pour le Macintosh, un 68040 ou un PowerPC équipé de 24 Mo de RAM est nécessaire. Cependant, 8 Mo supplémentaires[3] vous permettront de faire tourner ensemble Netscape Composer et Netscape Navigator. Sous UNIX, toute machine courante devrait suffire, car ces machines sont davantage des *stations de travail* que des ordinateurs personnels.

Bien qu'il existe d'autres éditeurs HTML plus richement dotés que lui, Netscape Composer, outre qu'il est gratuit, contient la plupart des fonctionnalités qu'on peut souhaiter trouver dans un éditeur HTML :

- Création et édition de pages Web sans voir les balises HTML.

---

3. Il est douteux qu'on puisse encore trouver, fin 2000, des barrettes de 8 Mo, surtout pour des machines aussi anciennes. *(N.d.T.)*

- Création de liens vers d'autres pages de votre site Web sans avoir à saisir leur URL ou leur chemin d'accès.

- Insertion d'images par glisser/déposer dans la page.

- Modification des dimensions des images.

- Création et édition des tableaux de façon très souple.

Il manque à Netscape Composer certaines fonctionnalités parmi lesquelles :

- Edition directe du code HTML généré. Pour cela, il faut recourir à un éditeur externe (le Bloc-notes de Windows ou SimpleText sur le Macintosh, par exemple).

- Support des formulaires et des frames (cadres) qui sont pourtant une extension d'origine Netscape et sont maintenant courants dans tous les sites Web, ce qui le classe d'office très en deçà des outils d'édition de qualité.

 Netscape Navigator crée des documents HTML tirant le meilleur profit de certaines extensions introduites à l'origine par Netscape. Comme 90 % des surfeurs utilisent soit Netscape Navigator, soit Internet Explorer qui sont pratiquement équivalents, on pourrait penser que cette spécificité n'est pas réellement un inconvénient sérieux. C'est là une vue de l'esprit.

Pour nous résumer

Netscape Composer est un outil commode pour commencer à écrire des pages Web et son apprentissage n'est pas difficile. L'absence de deux fonctionnalités importantes (les formulaires et les frames) serait plutôt un avantage pour les débutants qui pourront toujours, après avoir acquis quelque expérience, se procurer un outil d'édition plus complet.

Comment se procurer Netscape Communicator

Comme nous venons de le voir, on ne peut pas se procurer Netscape Composer tout seul, puisque les trois modules (navigateur, éditeur et mailer) sont réunis en un seul package. De même que pour FrontPage Express, il ne serait pas raisonnable de recourir au téléchargement pour se procurer le package Netscape Communicator, car la taille de ce module dépasse les 15 Mo. C'est donc au CD-ROM accompagnant régulièrement les revues d'informatique, et plus spécialement celles qui se consacrent à l'Internet, qu'on aura recours de préférence. Le nom du module correspondant à la version 4.75 (la plus récente, fin 2000) est **cb32e47.exe** (ou **cc32e47.exe**).

Quant à l'installation, elle se borne à lancer l'exécution de ce fichier et à choisir éventuellement quelques-unes des options ainsi que le répertoire de destination. Répétons qu'on installera nécessairement tous les composants du package, puisqu'on ne peut pas, comme pour FrontPage Express, exclure ceux dont on ne veut pas.

Mise en œuvre de Netscape Composer

Créer une page Web avec Netscape Composer est une surprise agréable, car vous avez sous les yeux un outil ressemblant à un navigateur. Netscape Composer associe les fonctionnalités d'un traitement de texte à celles d'un navigateur, et vous n'êtes pas limité par votre manque de connaissance de HTML. Vous pouvez essayer tout ce que vous voulez jusqu'à obtenir ce que vous souhaitez.

Netscape Composer a adopté la technique des infobulles : en laissant le pointeur de la souris immobile pendant au moins une seconde sur une icône, vous voyez apparaître dans une petite fenêtre rectangulaire jaune une courte explication du rôle de cette icône.

Voici quelques-unes des tâches que vous allez accomplir :

- Mettre un titre au début de la page.

- Saisir et mettre en forme du texte.

- Ajouter un lien.

- Ajouter une image.

- Voir quel est le code HTML généré.

- Publier la page ainsi réalisée.

Nous allons reprendre le même essai que celui que nous avons réalisé pour FrontPage Express au Chapitre 13, ce qui vous permettra de mieux comparer les deux logiciels.

Vous ne pouvez pas déposer l'icône de Netscape Composer sur le bureau de Windows, car il n'existe pas de module distinct pour cet éditeur : il fait, comme les autres composants du package, partie intégrante de Netscape Communicator.

Commencez par un titre

Commencez par ouvrir un nouveau document et dotez-le d'un titre.

1. **Lancez Netscape Composer.** Pour cela, il y a deux façons de procéder. Une fois lancé Netscape Communicator, vous pouvez cliquer sur Communicator/Composer dans la barre de menus ou taper <Ctrl>+<4>. Vous pouvez aussi lancer directement Netscape Composer : à partir du bouton Démarrer, cliquez sur Programmes puis sur Netscape Communicator et enfin sur Netscape Composer. De cette façon, vous ne chargerez qu'un module en mémoire, ce qui peut s'avérer précieux pour ceux d'entre vous qui ont une machine ne disposant que de peu de RAM.

2. **Cliquez sur Format/Propriétés et couleur de la page**.

   Une boîte de dialogue s'affiche. Dans la boîte de saisie placée à droite de Titre, saisissez le titre que vous voulez donner à la page. Pour notre exemple, ce sera : "L'escargot (Jules Renard)".

3. **Dans la boîte de saisie placée à droite de Mots-clés, tapez quelques mots clés en rapport avec le sujet de la page.**

   Ici, nous avons choisi : "Escargot", "Jules Renard" et "Histoires naturelles".

   Les moteurs de recherche utilisent le titre et ces mots clés pour indexer les pages Web. Aussi faut-il bien réfléchir sur le choix des mots clés qui vont décrire votre page.

4. **Cliquez sur le bouton OK pour valider les informations que vous venez de saisir.**

   La Figure 14.3 vous montre comment se présente la boîte de dialogue que vous venez de renseigner.

5. **Cliquez sur Fichier/Enregistrer sous...** Dans la boîte de sélection de fichier qui apparaît, choisissez un répertoire et un nom pour le fichier. Par défaut, son extension sera **.htm**.

Dans le même volet (Général), d'autres boîtes de saisie (Auteur, Description, Classification) sont là pour recevoir des informations complémentaires sur ce que va contenir la page. En cliquant sur l'onglet Couleurs et arrière-plan, vous pouvez modifier la couleur des appels de liens, du texte et du fond de page, et choisir éventuellement une trame d'arrière-plan qui sera reproduite par effet de mosaïque sur toute la page.

Propriétés de la page

| Générales | Couleurs et arrière-plan | Etiquettes META |

Adresse : file:///D|/EFirst/lescargo.html

Titre : L'escargot (Jules Renard)

Auteur :

Description :

Autres attributs

Séparez les mots ou phrases multiples par des virgules.

Mots-clés : Escargot, Jules Renard, Histoires naturelles

Classification :

OK   Annuler   Appliquer   Aide

Figure 14.3 :
La boîte de
dialogue des
Propriétés
de la page.

Inutile de vous préoccuper des balises élémentaires de tout document HTML : `<HTML>...</HTML>`, `<HEAD ... </HEAD>` et `<BODY> ... </BODY>`, car Netscape Composer les crée automatiquement.

Saisie et mise en forme de texte

Nous allons suivre la même démarche qu'au chapitre précédent pour FrontPage Express, en empruntant le texte qui suit à Jules Renard pour notre page consacrée à ce modeste gastéropode. Avant de passer à la saisie proprement dite, voici les étapes à parcourir :

1. **Tapez le titre que vous souhaitez voir affiché dans la fenêtre du navigateur.** Le plus simple (et, en même temps, le meilleur) est de reprendre, à un mot près, celui qui vous a servi pour le titre précédent. Ce sera donc : *L'escargot, d'après Jules Renard.* Ce sont les mots que vous allez donc saisir à l'endroit où se trouve le pointeur d'insertion, dans le coin supérieur gauche de la fenêtre de Netscape Composer. Ne terminez pas par <Entrée>.

2. **Cliquez sur la petite flèche à droite de la boîte à liste déroulante la plus à gauche et sélectionnez En-tête 1.** Les mots que vous venez de saisir grossissent instantanément et prennent l'aspect d'un titre.

3. **Le pointeur se trouvant à l'extrémité de la ligne du titre, appuyez sur <Entrée>.** Le curseur se place alors au début d'une nouvelle ligne et la boîte à liste déroulante affiche Normal.

Le curseur se trouvant toujours sur la ligne du titre, pour centrer celui-ci, cliquez sur Format/Aligner/Centre ou tapez <Ctrl>+<E>.

4. **Saisissez le texte qui suit :**

> Casanier dans la saison des rhumes, son cou de girafe rentré, l'escargot bout comme un nez plein. Il se promène dès les beaux jours mais il ne sait marcher que sur la langue.
>
> Mon petit camarade Abel jouait avec ses escargots. Il en élève une pleine boîte et il a soin, pour les reconnaître, de numéroter au crayon la coquille.
>
> S'il fait trop sec, les escargots dorment dans la boîte. Dès que la pluie menace, Abel les aligne dehors, et si la pluie tarde à tomber, il les réveille en versant dessus un pot d'eau. Et tous, sauf les mères qui couvent, dit-il, au fond de la boîte, se promènent sous la garde d'un chien appelé Barbare et qui est une lame de plomb qu'Abel pousse du doigt.
>
> Comme je causais avec lui du mal que donne leur dressage, je m'aperçus qu'il me faisait signe que non, même quand il me répondait oui.
>
> Abel, lui dis-je, pourquoi ta tête remue-t-elle ainsi de droite et de gauche ?
>
> C'est mon sucre, dit Abel.
>
> Quel sucre ?
>
> Tiens, là.

5. **Sélectionnez à l'aide du pointeur de la souris le texte que vous voulez mettre en forme.** Ici, ce sera le simple mot "non", au milieu du quatrième paragraphe (Figure 14.4).

6. **Cliquez sur l'outil de mise en italique, le "A" penché, situé un peu au-dessous de l'outil Recherche, dans la barre d'outils de Netscape Composer.** Le mot s'affiche immédiatement en italique.

7. **Pour que le dialogue apparaisse comme tel, nous allons faire une liste des quatre derniers paragraphes (Figure 14.5).** Pour cela, sélectionnez-les à l'aide de votre souris.

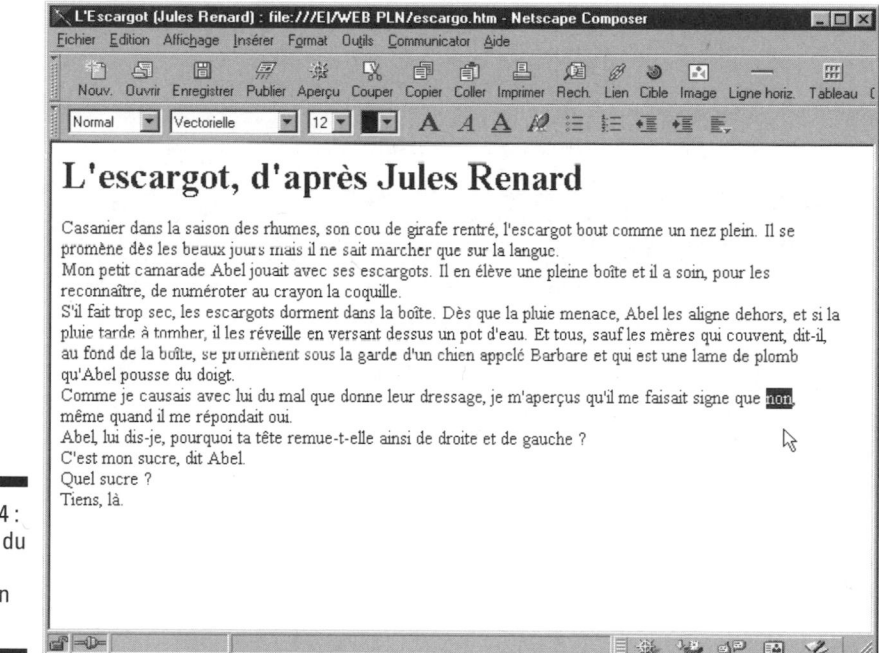

Figure 14.4 :
Sélection du
mot à
afficher en
italique.

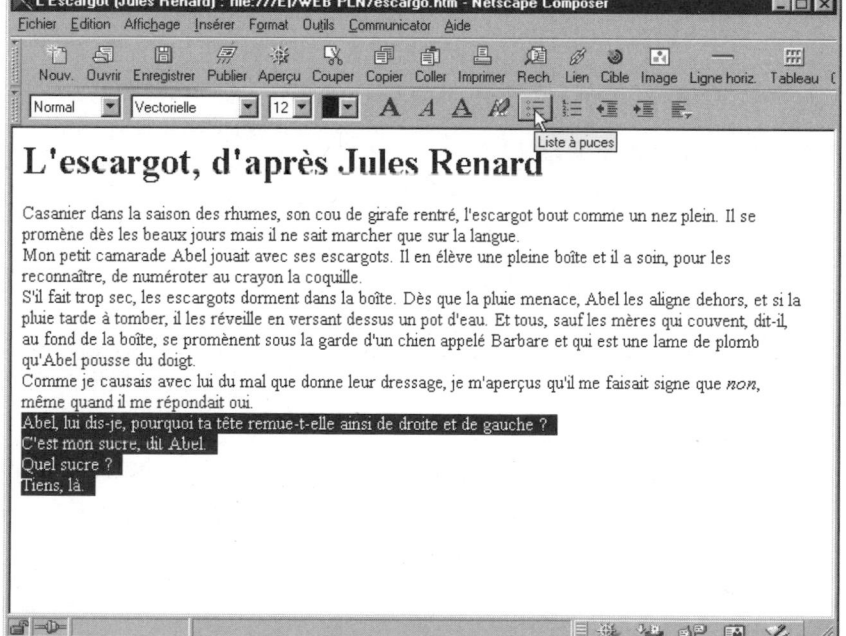

Figure 14.5 :
Sélection
des lignes à
présenter
sous forme
de liste.

8. **Cliquez sur l'outil "Liste à puces" qui se trouve dans la seconde barre d'outils et dont on voit l'infobulle sur la Figure 14.5.** Le texte se présente maintenant comme le montre la copie d'écran de la Figure 14.6.

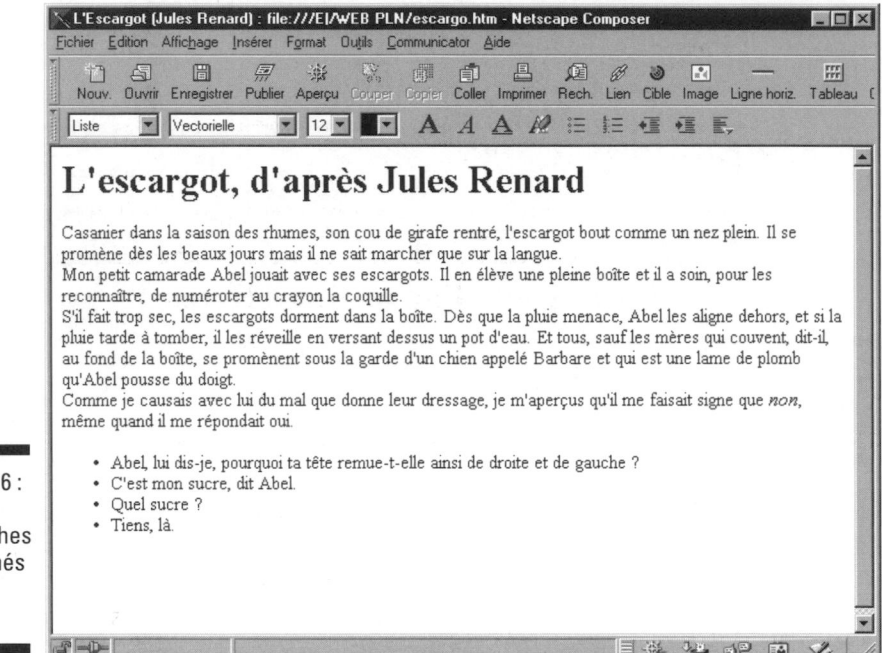

Figure 14.6 : Quatre paragraphes transformés en liste à puces.

Ajoutons un lien

Netscape Composer facilite l'inclusion des liens dans une page Web, mais il faut néanmoins être capable de distinguer parmi les différentes catégories de liens qui existent. N'oubliez pas, lors de l'évolution de votre site Web, de veiller à ce que les liens demeurent corrects. Des outils plus évolués comme FrontPage 2000 ou NetObjects Fusion apportent une aide certaine pour cette maintenance. Voici comment vous allez procéder pour insérer un lien avec Netscape Composer :

1. **Saisissez le texte suivant :**

Pour en savoir davantage sur la vie de Jules Renard, vous pouvez visiter la page que lui a consacré Anatole Nouriçon, intitulée "Un Renard dans le poulailler littéraire du XIXème siècle".

2. **Sélectionnez le texte entre guillemets qui va servir d'appel de lien.**

3. **Cliquez sur Insérer/Lien.** Vous pouvez aussi cliquer sur Insérer/Lien ou, plus simplement, taper <Ctrl>+<Maj>+<L>. Ou encore cliquer sur l'outil Lien, celui qui ressemble à un maillon, dans la première barre d'outils (Figure 14.7). La boîte de dialogue reproduite sur la Figure 14.8 s'affiche.

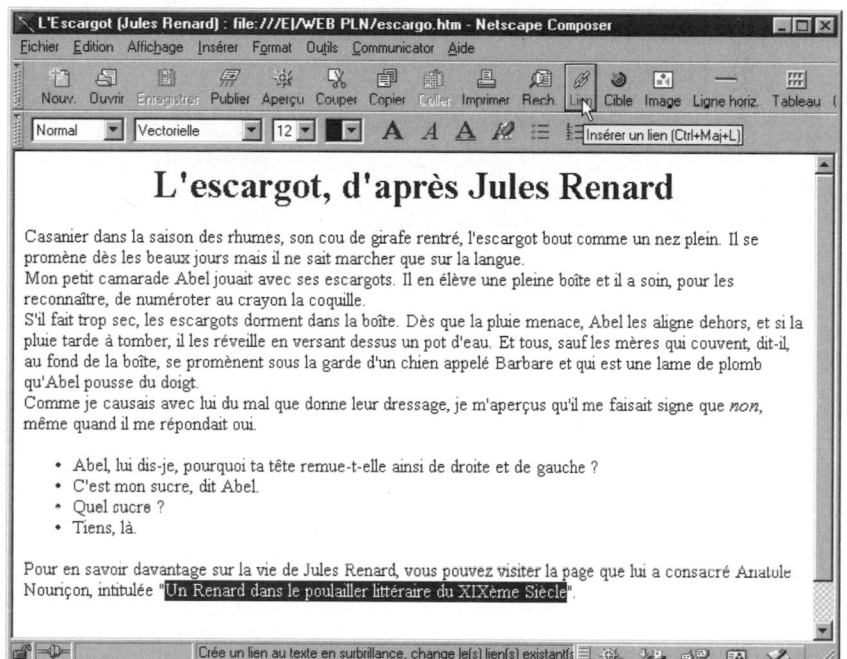

Figure 14.7 :
Création d'un
appel de lien.

4. **Dans la première boîte de saisie, tapez l'URL de la page vers laquelle doit pointer le lien.** Nous supposerons que c'est la suivante :

```
http://www.littera.com/anatole/renard
```

Vous pouvez aussi vous aider du bouton Choisir un fichier s'il s'agit d'un lien local, c'est-à-dire d'une page se trouvant sur le même serveur.

5. **Cliquez sur le bouton OK.** La boîte de dialogue disparaît et le texte qui était sélectionné apparaît maintenant sous forme de lien, c'est-à-dire souligné et affiché en bleu (Figure 14.9).

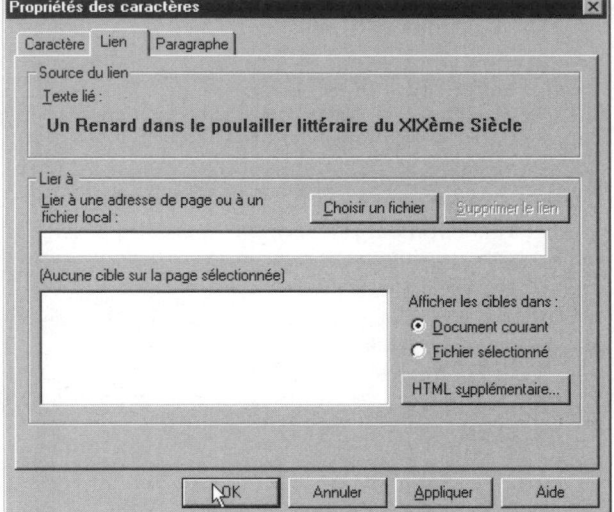

Figure 14.8 :
Boîte de
dialogue de
définition du
type de lien.

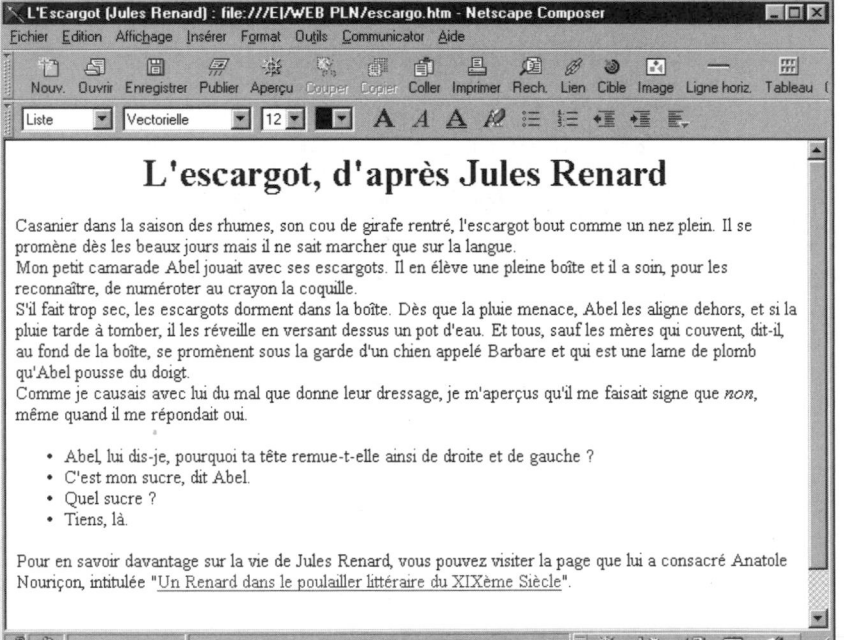

Figure 14.9 :
Le lien, une
fois créé, est
affiché en
bleu et
souligné.

Ajoutons une image

Pour insérer une image, vous pouvez la faire glisser dans la fenêtre de Netscape Composer à partir d'une autre fenêtre ou ouvrir un fichier. L'image doit être au format GIF, JPEG ou PNG. Il existe de nombreuses sources d'images gratuites sur le Web, mais, naturellement, vous pouvez aussi bien utiliser des images que vous avez créées vous-même. La marche à suivre ressemble à l'insertion d'un lien. Nous allons illustrer notre page au premier degré par l'insertion d'une image que nous possédons déjà : **escargot.gif**.

1. **Placez le pointeur de la souris dans la page, là où vous voulez qu'apparaisse l'image.**

2. **Cliquez sur Insérer/Image**. La boîte de dialogue Image s'affiche.

3. **Après avoir cliqué sur le bouton Choisir le fichier, sélectionnez l'image que vous voulez insérer.** Ne seront affichés que les noms des images dont le type est GIF, JPEG ou BMP.

   Si vous choisissez une image au format BMP, une boîte de dialogue va vous proposer de la convertir en image de type JPEG. Après votre acceptation, une seconde boîte de dialogue vous donnera le choix entre trois qualités : élevée, moyenne (option par défaut) et faible.

4. **Double-cliquez sur le nom du fichier de l'image que vous avez choisie.**

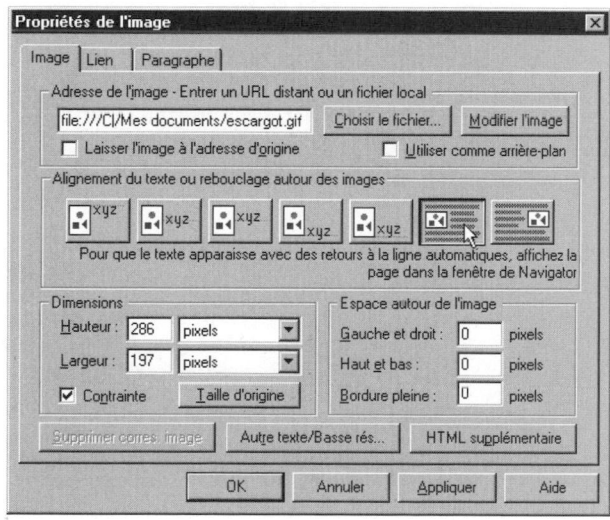

Figure 14.10 :
Choix de la
position de
l'image dans
la page.

5. **Vous devez maintenant définir sa position en cliquant sur l'une des icônes placées dans la zone Alignement du texte ou rebouclage autour de l'image.** Pour qu'elle se situe à gauche et soit entourée par le texte, nous choisirons l'avant-dernière, comme vous pouvez le voir sur la Figure 14.10.

6. **Cliquez sur le bouton Autre texte/Basse rés...** Dans la première boîte de saisie, tapez le texte qui sera affiché par les visiteurs ayant désactivé le chargement des images (voir la Figure 14.11). Par exemple : "Un escargot de Bourgogne". Ignorez l'autre boîte de saisie.

7. **Cliquez ensuite sur le bouton OK des deux boîtes de dialogue.**

8. **L'image apparaît immédiatement dans la page.** A l'endroit où se trouvait précédemment le pointeur de la souris, mais pas de la façon dont vous l'aviez prévu car elle n'est pas entourée par le texte (Figure 14.12). Il ne s'agit là que d'un bug de prévisualisation de Netscape Composer, ce qui prouve qu'il n'est pas prudent de se fier à l'aperçu que propose un éditeur HTML pour juger de la qualité (et des défauts) d'une page.

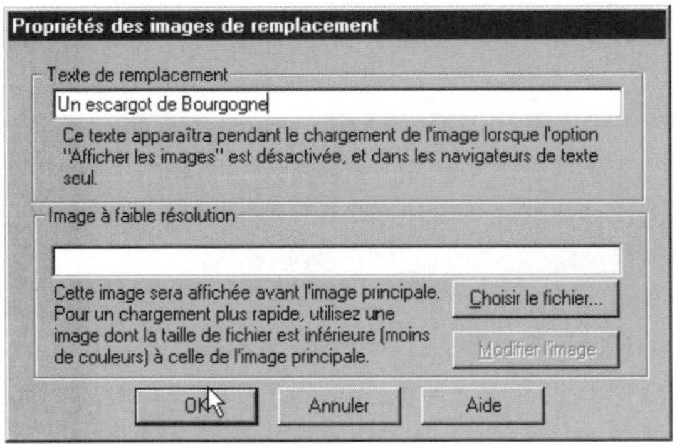

Figure 14.11 : Texte de remplacement.

9. **Pour vérifier la présentation de la page, cliquez sur l'outil Aperçu de la première barre d'outils.** Netscape Navigator est appelé et charge automatiquement la page. Si vous n'aviez pas sauvegardé votre page, une boîte de message vous demande de le faire. La Figure 14.13 vous montre la page terminée. Sa présentation est heureusement bien conforme à ce que nous désirions.

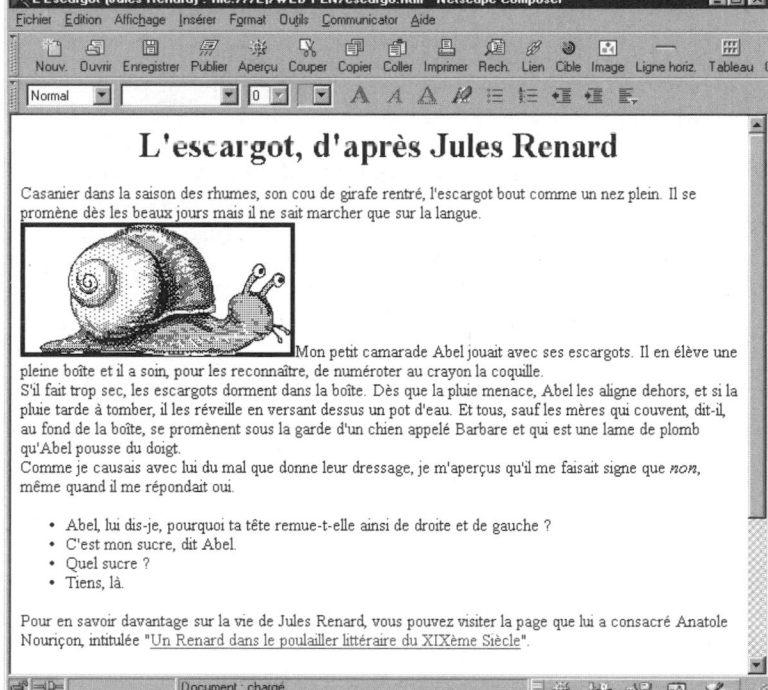

Figure 14.12 :
L'image
affichée
dans
Netscape
Composer
n'est pas
entourée par
le texte.

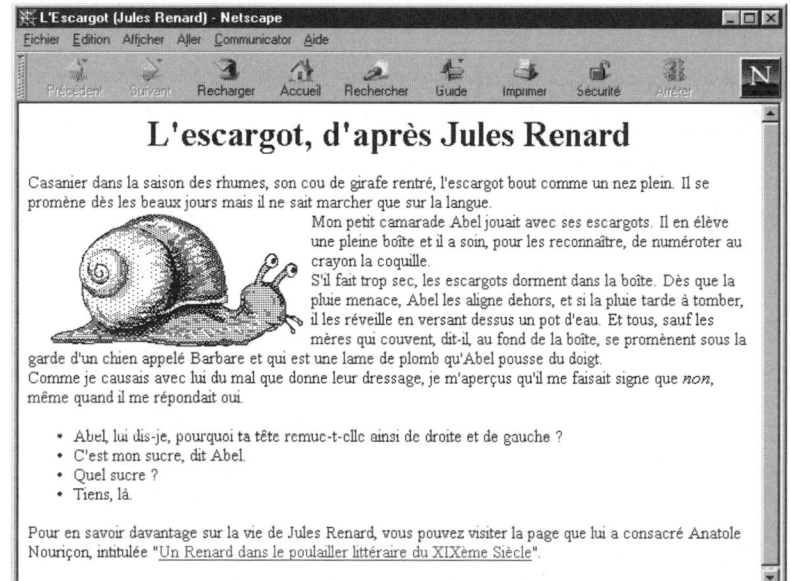

Figure 14.13 :
Aspect de la
page
terminée,
vue par
Netscape
Navigator.

Le code HTML généré

Pour voir ce qui a été généré par Netscape Composer, il suffit de cliquer sur Affichage/Source de la page. Contrairement à ce qui se passe avec FrontPage Express, vous remarquerez sur la Figure 14.14 que les caractères accentués ont bien été traduits par Netscape Composer en entités de caractères.

```
<!doctype html public "-//w3c//dtd html 4.0 transitional//en">
<html>
<head>
   <meta http-equiv="Content-Type" content="text/html; charset=iso-8859-1">
   <meta name="GENERATOR" content="Mozilla/4.7 [fr] (Win98; I) [Netscape]">
   <meta name="KeyWords" content="Escargot, Jules Renard, Histoires naturelles">
   <title>L'escargot (Jules Renard)</title>
</head>


<body>

<center>
<h1>
L'escargot, d'apr&egrave;s Jules Renard</h1></center>
Casanier dans la saison des rhumes, son cou de girafe rentr&eacute;, l'escargot
bout comme un nez plein. Il se prom&egrave;ne d&egrave;s les beaux jours
mais il ne sait marcher que sur la langue.
<br><img SRC="escargot.gif" ALT="Un escargot de Bourgogne" height=118 width=242 &
petit camarade Abel jouait avec ses escargots. Il en &eacute;l&egrave;ve
une pleine bo&icirc;te et il a soin, pour les reconna&icirc;tre, de num&eacute;ro
au crayon la coquille.
<br>S'il fait trop sec, les escargots dorment dans la bo&icirc;te. D&egrave;s
que la pluie menace, Abel les aligne dehors, et si la pluie tarde &agrave;
tomber, il les r&eacute;veille en versant dessus un pot d'eau. Et tous,
sauf les m&egrave;res qui couvent, dit-il, au fond de la bo&icirc;te, se
prom&egrave;nent sous la garde d'un chien appel&eacute; Barbare et qui
est une lame de plomb qu'Abel pousse du doigt.
<br>Comme je causais avec lui du mal que donne leur dressage, je m'aper&ccedil;us
qu'il me faisait signe que <i>non</i>, m&ecirc;me quand il me r&eacute;pondait
oui.
<ul>
<li>
Abel, lui dis-je, pourquoi ta t&ecirc;te remue-t-elle ainsi de droite et
de gauche ?</li>
```

Figure 14.14 : Le code généré par Netscape Composer.

Cependant, avec cette vue, il n'est pas possible de modifier le code. Si vous voulez procéder à quelques ajustements, vous devrez utiliser un éditeur externe que vous choisirez à votre convenance. Pour cela, cliquez sur Edition/Source HTML et, dans la boîte de sélection de fichier Sélectionner l'éditeur HTML qui s'ouvre, choisissez votre éditeur (éditeur de texte ou éditeur spécialisé HTML) puis double-cliquez sur son nom.

Cette rubrique de menu reste en grisé tant que vous n'avez pas enregistré votre page sur disque.

Ce choix est fait une fois pour toutes et ne vous sera plus proposé dans les sessions suivantes.

L'éditeur que vous venez de choisir est alors appelé et le contenu du fichier HTML que vous venez de créer y est chargé. Il ne vous reste plus qu'à effectuer vos retouches, à sauvegarder le résultat et à refermer l'éditeur que vous venez d'utiliser. Vous revenez alors à Netscape Composer.

Publication de votre page Web

Les fichiers HTML créés par Netscape Composer sont directement publiables. Pour cela :

1. **Cliquez sur l'icône Publier dans la barre d'outils supérieure de Netscape Composer.**

2. **Dans la boîte de dialogue Publier, renseignez les boîtes de saisie Adresse HTTP ou FTP de publication, nom d'utilisateur et mot de passe.**

   Ces informations peuvent être obtenues auprès de votre fournisseur d'accès. Par prudence, ne cochez pas la case placée en face d'Enregistrer le mot de passe.

3. **Cliquez sur OK.**

Au-delà de Netscape Composer

Comme nous l'avons signalé, Netscape ne propose pas d'autre éditeur de documents HTML. Si vous voulez aller plus loin, vous serez donc obligé d'acquérir un autre éditeur comme, par exemple, Arachnophilia que nous allons vous présenter au Chapitre 15.

Chapitre 15
Arachnophilia

L'édition américaine de ce livre consacrait le Chapitre 15 à l'étude d'un appareil appelé *WebTV*, une sorte de boîte noire dotée d'un clavier qui peut se connecter, d'une part, à une ligne téléphonique et, d'autre part, à un téléviseur pour permettre d'accéder à l'Internet. Annoncé plusieurs fois à grand renfort de publicité, ce genre de dispositif n'a pas convaincu chez nous. Sans doute en raison de son prix élevé, qui a du mal à lutter contre les prix, toujours en baisse, des micro-ordinateurs, et du fait que monopoliser le téléviseur de la famille pour se connecter à l'Internet n'est pas le genre d'opération propre à maintenir la paix dans les ménages.

Sur un plan technique, ce n'est pas non plus une remarquable idée, car on enferme ainsi l'utilisateur dans un carcan défini par le constructeur de la boîte noire. Fini la liberté de changer de mailer ou de navigateur ! Fini la mise à jour des logiciels Internet ! Et, généralement, fini aussi la possibilité de changer de fournisseur d'accès.

C'est pourquoi nous avons choisi de remplacer l'ancien contenu de ce chapitre par la présentation d'un éditeur HTML un peu particulier, non seulement par son mode d'"'acquisition" (c'est du *careware* !) mais aussi par ses étonnantes qualités.

Qu'est-ce qu'Arachnophilia ?

Arachnophilia, comme son nom le suggère, est un éditeur spécialisé dans ce qui touche au domaine des araignées, c'est-à-dire au World Wide Web. Ecrit par Paul Lutus (d'Ashland, dans l'Oregon), ce n'est ni un produit commercial, ni un shareware, ni un freeware : c'est, seul de son espèce, un *careware*. Ce n'est pas un éditeur WYSIWYG, car il travaille au niveau du code HTML.

Que ceux qui ne veulent pas se salir les mains avec HTML ne sautent pas cette section, mais qu'ils aillent directement à la dernière sous-section intitulée "La cerise sur le gâteau".

Qu'est-ce que le careware ?

Paul Lutus s'explique sur cette forme originale de distribution de logiciel :

"Beaucoup d'Américains sont mécontents de tout : c'est trop chaud, c'est trop froid, c'est trop sec. Si nous avons une journée de libre, nous ne sommes pas satisfaits parce que nous n'en avons pas deux.

Supposez qu'il ne vous reste que deux heures à vivre. Y a-t-il quelque chose d'important que vous voudriez dire à quelqu'un ? Un endroit que vous avez toujours voulu visiter ? Avez-vous jamais songé à remarquer la beauté de certaines choses ordinaires ?

Si, comme moi, vous êtes âgé, parlez-vous aux jeunes pour les encourager à grandir en sagesse ? Lorsque vous corrigez un jeune, vous demandez-vous : "C'est pour mon bien ou pour le sien ?"

Si vous êtes jeune, vous efforcez-vous à la patience lorsque vous parlez à un vieux, même s'il a l'esprit un peu lent pour vous ? Essayez-vous de vivre dans ce monde en ayant le sentiment que tout ce que vous faites a de l'importance pour tous ? Savez-vous apprécier les petites choses de la vie ?

Si vous répondez par l'affirmative à ces interrogations, alors vous êtes déjà en possession d'Arachnophilia. En fait, vous l'aviez déjà avant qu'il ne soit écrit. Si ce n'est pas le cas, pourquoi ne pas essayer ? Apprenez à vous émerveiller et à découvrir les beautés qui résident en chaque chose et qu'on ne prend pas toujours le temps de voir.

J'aimerais que vous viviez chaque jour de votre vie comme si c'était le dernier, comme si la moindre de vos actions prenait de l'importance. Mais je suis réaliste. Si vous faites cela ne serait-ce *qu'un seul jour*, alors vous aurez acquitté votre dette pour l'utilisation d'Arachnophilia.

Comment se procurer Arachnophilia

Cet éditeur peut être téléchargé à partir du site Web de son auteur, à l'URL :

```
http://www.arachnoid.com/arachnophilia/
```

Il est disponible sous plusieurs formes, version complète pour les nouveaux venus ou mises à jour pour ceux qui utilisent déjà d'anciennes versions. Fin 2000, la version complète porte le numéro 4.0 (build 5307 du 8 novembre 2000) et sa taille (très raisonnable) est de 1,6 Mo. Elle porte le nom de `arach_full.zip`.

Après vous être connecté sur le site indiqué ci-dessus, cliquez sur le type de version que vous voulez télécharger, et patientez environ une petite dizaine de minutes à 56 Kbps (enfin, plutôt à une quarantaine de kilobits par seconde, dans la réalité).

Installation d'Arachnophilia

Après avoir décompacté le fichier (à l'aide de WinZip, par exemple), lancez l'exécution de SETUP.EXE et suivez les quelques instructions (concernant essentiellement le répertoire d'installation) qui vous seront données.

Mise en œuvre d'Arachnophilia

Arachnophilia est un éditeur qui travaille au niveau des balises, mais son utilisation reste néanmoins très simple. Nous allons suivre le même plan que dans les trois précédents chapitres :

- Placer un titre dans la page.
- Saisir et mettre en forme du texte.
- Ajouter un lien.
- Ajouter une image.
- Voir le résultat obtenu.
- Publier la page une fois qu'elle est réalisée.

Commencez par un titre

Nous allons commencer par créer une nouvelle page avec Arachnophilia. Pour cela :

1. **Double-cliquez sur l'icône d'Arachnophilia pour lancer le programme.**

2. **Cliquez sur File/New File/HTML File.**

    Une boîte de dialogue vous propose de donner un titre à la page et de définir quelques paramètres généraux concernant la couleur du texte, du fond et des liens (Figure 15.1).

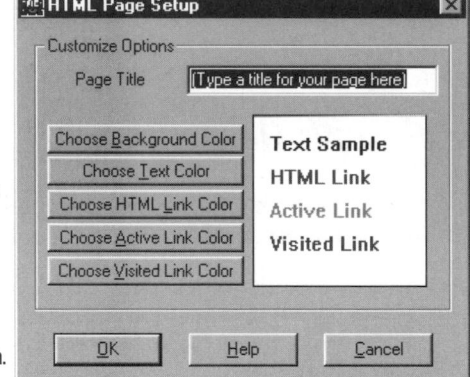

Figure 15.1 : La boîte de dialogue HTML Page Setup d'Arachnophilia.

3. **Dans la boîte de saisie Page Title, tapez le titre que vous allez donner à la page. Conservez les valeurs par défaut pour les autres options.**

    Pour nous, ce sera : "L'escargot (Jules Renard)". Un cadre général de page est généré, dans lequel figurent le titre que vous venez de taper (dans la balise ⟨TITLE⟩) ainsi que les balises de structure générale de la page.

4. **Pour faire apparaître la barre de boutons appropriée, cliquez sur le bouton Fonts, dans la barre inférieure de la fenêtre.**

    Une barre de boutons apparaît alors au-dessus de la fenêtre.

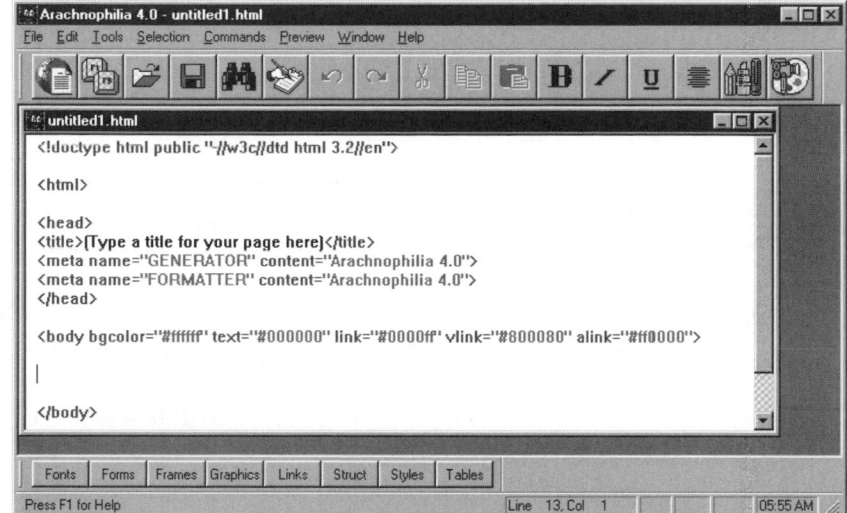

Figure 15.2 :
Les balises
générales
d'une
nouvelle
page.

5. **Cliquez sur le bouton H1 dans la barre supérieure de boutons.**

   Une paire de balises ⟨H1⟩ ⟨/H1⟩ apparaît à l'intérieur du conteneur ⟨BODY⟩.

6. **Sans modifier la position du pointeur de la souris, tapez le titre de la page.**

   Ce sera presque le même que celui de la balise ⟨TITLE⟩ : "L'escargot, d'après Jules Renard".

Pour recopier intégralement le contenu de la balise ⟨TITLE⟩, vous pouvez aussi sélectionner avec la souris les mots qui s'y trouvent, taper <Ctrl>+<C> (copier) puis ramener le pointeur dans le conteneur ⟨H1⟩ et taper <Ctrl>+<V> (coller).

Saisissez du texte et mettez-le en forme

La saisie de texte s'opère de façon classique, au kilomètre ; mais à la différence de ce qui se passe avec un traitement de texte, vous ne verrez pas se modifier l'apparence du texte si vous y pratiquez des enrichissements. Seules apparaîtront les balises nécessaires.

1. **Placez le pointeur de la souris au bout de la balise ⟨/H1⟩, appuyez sur <Entrée> pour aller à la ligne, et saisissez le texte suivant :**

Casanier dans la saison des rhumes, son cou de girafe rentré, l'escargot bout comme un nez plein. Il se promène dès les beaux jours mais il ne sait marcher que sur la langue.

Mon petit camarade Abel jouait avec ses escargots. Il en élève une pleine boîte et il a soin, pour les reconnaître, de numéroter au crayon la coquille.

S'il fait trop sec, les escargots dorment dans la boîte. Dès que la pluie menace, Abel les aligne dehors, et si la pluie tarde à tomber, il les réveille en versant dessus un pot d'eau. Et tous, sauf les mères qui couvent, dit-il, au fond de la boîte, se promènent sous la garde d'un chien appelé Barbare et qui est une lame de plomb qu'Abel pousse du doigt.

Comme je causais avec lui du mal que donne leur dressage, je m'aperçus qu'il me faisait signe que non, même quand il me répondait oui.

Abel, lui dis-je, pourquoi ta tête remue-t-elle ainsi de droite et de gauche ?

C'est mon sucre, dit Abel.

Quel sucre ?

Tiens, là.

2. Cliquez sur le bouton Styles dans la barre inférieure de la fenêtre.

Une seconde barre de boutons apparaît alors au-dessus de la fenêtre.

3. Placez le pointeur de la souris au début de la ligne vierge entre les deux premiers paragraphes que vous venez de saisir et cliquez sur ⟨P⟩ dans cette dernière barre de boutons. Faites de même pour les deux paragraphes suivants. (Ne placez pas de balise ⟨P⟩ devant chacune des quatre dernières lignes.)

4. Sélectionnez le mot : "non" dans le quatrième paragraphe.

5. Pour le mettre en italique, cliquez sur le bouton qui représente un I penché dans la barre d'icônes.

Vous voyez apparaître les deux balises de mise en italique :

```
... que <I>non</I>, même quand ...
```

6. Nous allons maintenant formater les quatre derniers paragraphes en liste à puces. Cliquez sur le bouton Struct dans la barre inférieure de la fenêtre.

Placez le pointeur au début de la première ligne de la future liste (celle qui commence par "Abel, lui dis-je") et, en maintenant le bouton de la souris enfoncé, étendez la sélection jusqu'à ce qu'elle englobe les quatre dernières lignes. Cliquez alors sur le bouton List dans la rangée de boutons apparu en haut de l'écran.

7. **Une petite boîte de dialogue (List Wizard) apparaît, dans laquelle il vous est proposé de choisir entre Ordered list (liste numérotée) et Unordered list (liste à puces).** Cliquez sur le bouton radio placé devant cette dernière option puis sur le bouton Create.

   Un conteneur ⟨UL⟩ encadrant quatre balises ⟨LI⟩ placées devant chacune des quatre lignes du dialogue s'affiche (Figure 15.3). Vous pouvez alors refermer le List Wizard en cliquant sur le bouton Hide (*cacher*) ou sur son bouton de fermeture dans le coin supérieur droit.

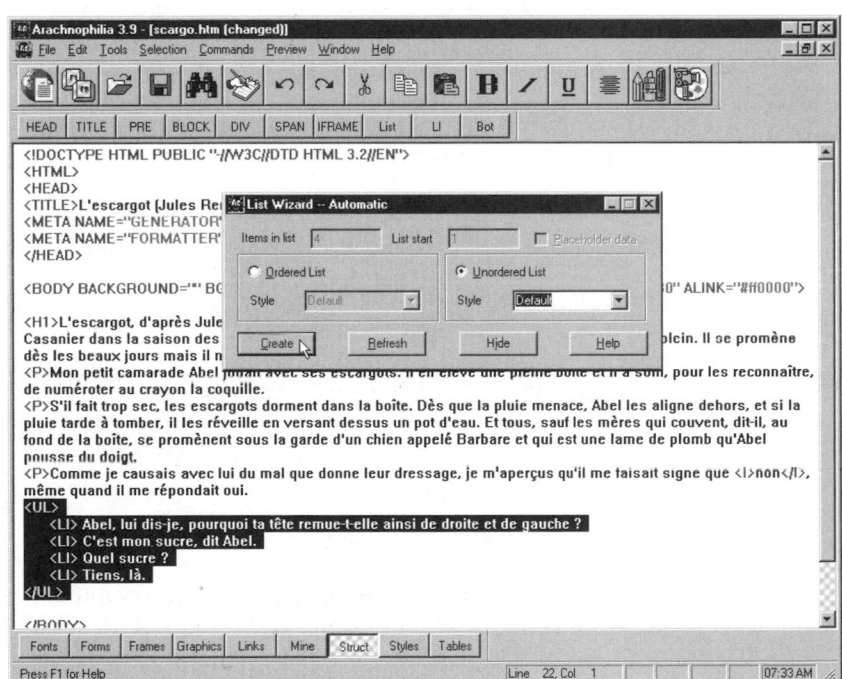

Figure 15.3 : Page en cours de composition (création d'une liste).

Insérez un lien

Pour que le chemin d'accès que vous allez insérer soit correctement codé, il faut commencer par sauvegarder la page en cours de création. Pour cela, procédez de la façon habituelle en cliquant sur File/Save As..., puis en tapant le nom que vous allez donner à la page (**scargo.htm**, par exemple) dans la boîte de sélection de fichier qui s'est affichée.

Commencez par agrandir la surface de travail sur l'écran en faisant disparaître les trois barres de boutons. Pour cela, cliquez une nouvelle fois sur les boutons de la barre inférieure Fonts, Styles et Struct. Pour faire apparaître la barre de boutons relative aux liens, cliquez ensuite sur Links.

Saisissez maintenant, à la suite de la liste à puces que nous venons de créer, le paragraphe suivant :

> Pour en savoir davantage sur la vie de Jules Renard, vous pouvez visiter la page que lui a consacré Anatole Nouriçon, intitulée "Un Renard dans le poulailler littéraire du XIXème siècle".

1. **Sélectionnez les mots placés entre guillemets à la fin du premier paragraphe. Ce sera notre appel de lien.**

2. **Cliquez sur le bouton Links, dans le bas de la fenêtre.** Une nouvelle rangée de boutons apparaît dans le haut de la fenêtre.

3. **Cliquez sur BareLNK dans la zone de boutons qui vient d'apparaître.** Le texte de l'appel de lien se présente maintenant ainsi :

```
"<A HREF="">Un Renard dans le poulailler littéraire
 du XIXème Siècle</A>".
```

Entre les deux guillemets suivant HREF=, tapez l'URL de la page de destination :

```
http://www.littera.com/anatole/renard
```

Le paragraphe se présente maintenant ainsi :

> Pour en savoir davantage sur la vie de Jules Renard, vous pouvez visiter la page que lui a consacré Anatole Nouriçon, intitulée "<A HREF="http://www.littera.com/anatole/renard">Un Renard dans le poulailler littéraire du XIXème Siècle</A>".

Lorsqu'il s'agit d'un lien vers une page interne, c'est bien plus simple, car on clique alors sur New URL et il suffit de choisir le nom de la page de destination dans la boîte de sélection de fichier qui s'affiche.

Insérez une image

Rappelons que l'image à insérer doit être du type GIF ou JPEG.

Placez le pointeur de la souris au début du deuxième paragraphe, devant "Mon petit camarade Abel...", puis cliquez sur le bouton Graphics au bas de la fenêtre.

1. **Dans la barre de boutons qui est apparue en haut de la fenêtre, cliquez sur NewImg, à l'extrême gauche.**

   Une boîte de message vous propose que l'image soit placée dans le même répertoire que le document HTML (si ce n'est pas déjà le cas). Cliquez sur OK pour accepter.

2. **Choisissez le fichier de l'image à insérer et cliquez sur Ouvrir.**

   Voici ce qui a été généré :

```
<IMG SRC="escargot.gif" WIDTH="242" HEIGHT="118" ALT="">
```

Les deux premiers attributs (WIDTH et HEIGHT) correspondent aux dimensions de l'image. Ils ne sont pas obligatoires mais permettent d'accélérer l'affichage de la page où se trouve l'image. Le troisième attribut, ALT, va permettre d'afficher un texte de remplacement entre les guillemets prévus à cet effet. Vous taperez ici "Un escargot de Bourgogne", comme dans les précédentes démonstrations.

Regardez le résultat

Arachnophilia dispose d'un navigateur interne qui vous permet d'avoir une première impression de la façon dont s'affichera votre page dans un véritable navigateur. Pour le mettre en service, commencez par cliquer sur la rubrique Instant View Mode du menu Preview (Figure 15.4). Vous voyez apparaître, au-dessous de la barre d'outils, deux larges boutons occupant chacun la moitié de la largeur de l'écran et marqués le premier **(browser)**, le second **scargo.htm**. En cliquant sur le premier, vous affichez votre page comme le montre la Figure 15.5. Mais vous pouvez (vous *devez*, pour plus de sécurité) vérifier le résultat avec un navigateur standard. Nous allons voir qu'il est possible d'en définir jusqu'à six.

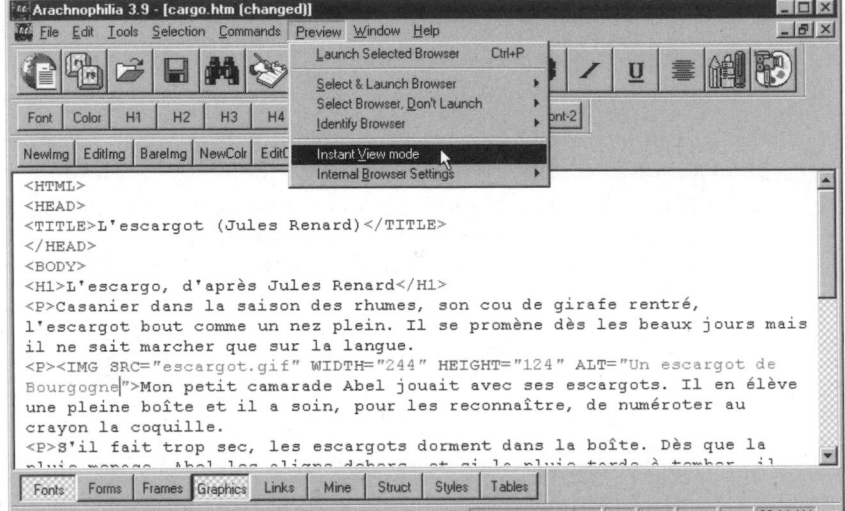

Figure 15.4 :
Comment
activer le
navigateur
interne
d'Arachnophilia.

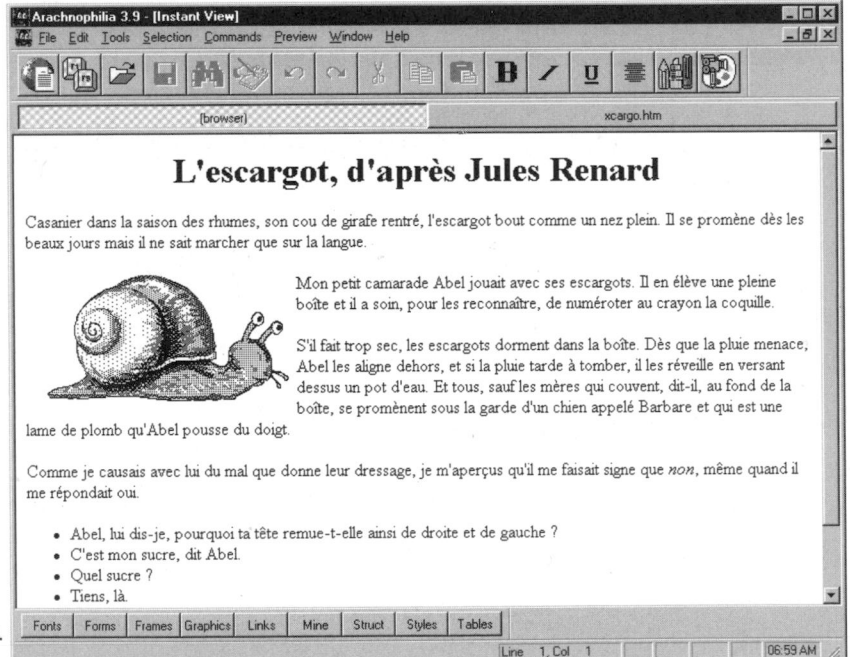

Figure 15.5 :
La page
terminée,
vue avec le
navigateur
interne
d'Arachnophilia.

Définition des navigateurs à utiliser

1. **Cliquez sur Preview/Identify Browser/Browser 1.**

   Pour les suivants, l'entrée de menu finale serait /Browser 2 et ainsi de suite jusqu'à 6.

2. **Dans la fenêtre Identify Browser (une boîte de sélection de programme), choisissez le navigateur que vous comptez utiliser sous ce numéro (de 1 à 6) et cliquez sur le bouton Ouvrir.**

3. **Dans la boîte de dialogue qui s'ouvre (Enter browser name), indiquez le nom que vous allez donner à ce navigateur.**

   Pas forcément son nom exact. Si c'est Netscape Navigator, vous pouvez, par exemple, lui donner le nom de Popeye (*the saylor man*).

Cette opération se fait en principe une fois pour toutes, sauf si vous voulez redéfinir certains de vos choix.

Sélection d'un navigateur

En cliquant sur Preview/Select Browser. Don't launch, vous allez simplement sélectionner le navigateur qui sera le navigateur par défaut mais sans le lancer.

En cliquant sur Preview/Select & Launch Browser, vous faites la sélection **et** vous lancez le navigateur.

Enfin, en cliquant sur Preview/Launch Selected Browser (ou en tapant <Ctrl>+<P>), vous lancez le navigateur couramment sélectionné. Vous pouvez aussi cliquer sur l'icône qui représente une palette, tout à fait à droite de la barre d'icônes.

Publication de votre page Web

Arachnophilia contient un outil logiciel destiné à la publication d'un site ou d'une page Web. Voici la marche à suivre pour télécharger la page que nous venons de créer sur un site d'hébergement :

1. **Cliquez sur Tools/Update Web Site.**

   La boîte de dialogue illustrée par la Figure 15.6 s'ouvre.

2. **Dans la boîte de saisie Local Directory, indiquez le nom du répertoire de votre disque où se trouve le fichier de votre page Web.**

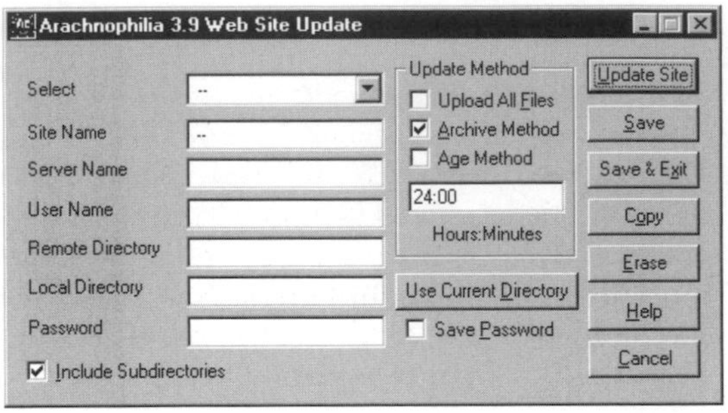

Figure 15.6 :
Boîte de
dialogue de
publication
sur le
serveur.

Si votre fichier est déjà chargé dans Arachnophilia, cette boîte de
saisie est automatiquement renseignée.

3. **Dans la boîte de saisie Remote Directory, indiquez le nom du répertoire qui vous a été attribué sur le serveur.**

   Si vous vous appelez Georges Dupont, ce répertoire pourrait être
   `~gdupont`.

4. **Dans la boîte de saisie Server name, indiquez l'adresse FTP de votre
serveur.**

   Si votre serveur s'appelle Marinet, cela sera généralement
   `ftp.marinet.fr`.

   Attention, ici **il ne faut pas** mettre de nom de protocole comme `ftp://` !

5. **Dans la boîte de saisie User Name, indiquez votre "nom de loggin".**

   Souvent, il vous aura été attribué d'autorité par le serveur qui vous
   héberge. Quelque chose comme `geodupont`.

6. **Dans la boîte de saisie Password, tapez votre mot de passe.**

   Il s'affichera sous forme d'astérisques. Vous pouvez le sauvegarder
   pour ne plus avoir à le retaper en cochant la case placée devant Save
   Password.

7. **Trois stratégies vous sont proposées dans la rubrique Update Method :**

   • **Upload All Files.** Tous les fichiers de votre site seront envoyés
     sur le serveur.

   • **Archive Method.** Seuls les fichiers modifiés seront téléchargés.
     Cette modification sera détectée par la présence du bit d'archi-
     vage dans le répertoire de vos fichiers. Celui-ci sera ensuite remis
     à zéro pour éviter un nouvel envoi.

Cette méthode peut être inefficace si vous manipulez vos fichiers avec d'autres utilitaires qui se serviraient, eux aussi, de ce bit.

- **Age Method.** Le critère d'envoi est ici la date de dernière modification du fichier. Cette option fonctionne en conjonction avec la boîte de saisie située au-dessous et marquée Hours: Minutes. Si vous saisissez 48 dans cette boîte, tous les fichiers dont la date de dernière modification est postérieure à avant-hier (à une heure près) seront envoyés.

8. **Cliquez sur Update.**

La connexion est alors lancée et la boîte de dialogue habituelle de Windows s'affiche. Une fois cette connexion réalisée, les fichiers sont envoyés un par un et, à la fin, vous voyez s'afficher la boîte de message reproduite sur la Figure 15.7 qui vous informe du succès de l'opération.

Figure 15.7 :
L'opération
de publica-
tion s'est
bien
déroulée.

Comme chaque fois que vous transférez des fichiers sur un serveur Web, faites attention à la casse de leur nom (minuscules et majuscules représentent généralement des noms différents) et à leur extension (.HTM ou .HTML).

Particularités intéressantes

Arachnophilia fourmille de détails intelligents et astucieux qui plairont aux véritables amateurs : ceux qui n'hésitent pas à mettre leurs mains dans le cambouis (pardon… le code HTML !). Nous allons en voir brièvement quelques-uns.

Le menu des commandes

En cliquant du bouton droit de la souris n'importe où dans une page, vous faites apparaître le menu des commandes les plus utilisées que vous montre la Figure 15.8. C'est sans doute la façon la plus agréable et la plus rapide d'insérer une balise pour peu qu'on connaisse suffisamment bien leur rôle.

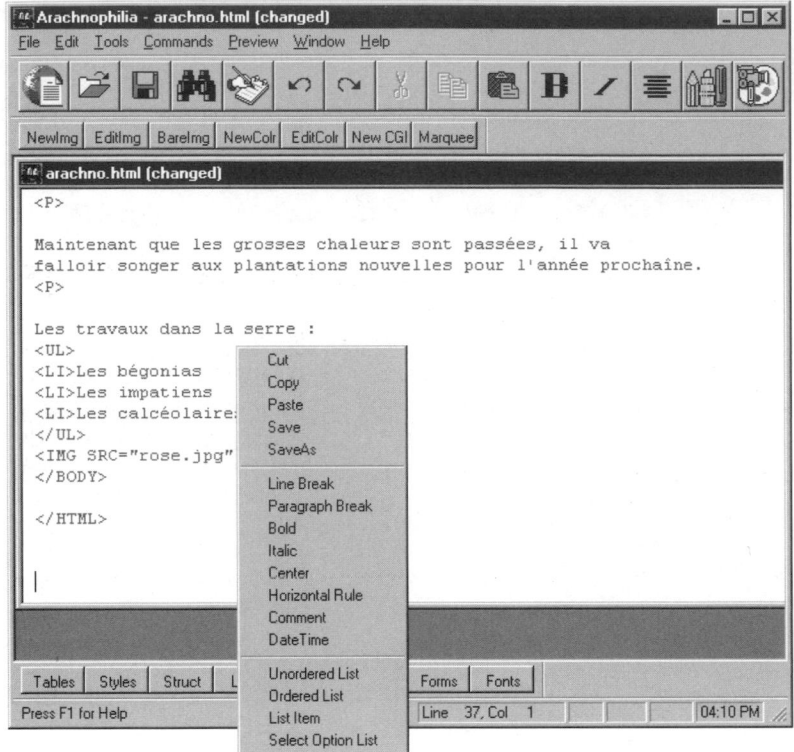

Figure 15.8 :
Menu des
commandes
les plus
utilisées.

Il ne s'agit pas d'un menu contextuel, puisque ce qui est affiché ne dépend pas de l'objet sur lequel vous avez cliqué.

Et les caractères accentués ?

Regrettons que l'option de conversion automatique (Tools/Options/Conversions/Convert Extended Chars to HTML) ne semble pas fonctionner du tout. On peut heureusement convertir les caractères a posteriori en cliquant sur Selection/Convert chars/Convert extended to HTML chars après avoir sélectionné les paragraphes sur lesquels doit porter la conversion.

Colorisation des balises

En cliquant sur l'icône Recolor HTML tags (celle qui se présente comme trois crayons de couleur, l'avant-dernière à droite), le texte ordinaire s'affiche en noir, les balises en bleu et les noms de fichiers en vert. C'est un moyen simple et efficace de déceler d'éventuelles erreurs de frappe comme des guillemets oubliés.

Personnalisation des barres de boutons

Les barres de boutons sont définies par des fichiers texte qui se trouvent dans le sous-répertoire TOOLBARS et dont l'extension est .TDB. L'aide d'Arachnophilia vous donnera toutes les indications sur la façon de les modifier à votre convenance. Pour l'atteindre, cliquez sur <u>H</u>elp/<u>H</u>elp Topics, volet Sommaire de l'aide, puis double-cliquez sur Arachnophilia Advanced features et, enfin, double-cliquez sur Custom définitions. A titre d'exemple, voici comment se présente un extrait du fichier **Structure-Lists.tbd** :

```
HEAD    <HEAD>\p|\p</HEAD> HEAD Tags
TITLE   <TITLE>|</TITLE> TITLE Tags
PRE     <PRE>\p|\p</PRE> Preserve Tabs Creates a block of text that
        preserves the original spacing and tabs
BLOCK   <BLOCKQUOTE>\p|\p</BLOCKQUOTE> BlockQuote Indented block
        of text
DIV     <DIV name="">\p|\p</DIV> DIV tags Structure division
SPAN    <SPAN name="">\p|\p</SPAN> SPAN Tags Structure section
```

La cerise sur le gâteau

Et si vous ne voulez pas vous salir les mains avec HTML, sachez que ce diable de Paul Lutus vous a concocté un générateur automatique de page personnelle très facile à utiliser. Bien sûr, vous ne risquez pas de remporter un prix aux *Web d'or* avec ce genre de page, mais le produit mérite d'être connu et rendrait service à bien des packages commerciaux ou installés sur de gros services en ligne. La génération du code est interactive et, pour l'utiliser, il faut donc se connecter à la page dont l'URL est :

```
http://www.arachnoid.com/lutusp/pagebuild.html
```

La Figure 15.9 montre le début de cette page et vous pouvez voir sur la Figure 15.10 un exemple de page réalisé de cette façon.

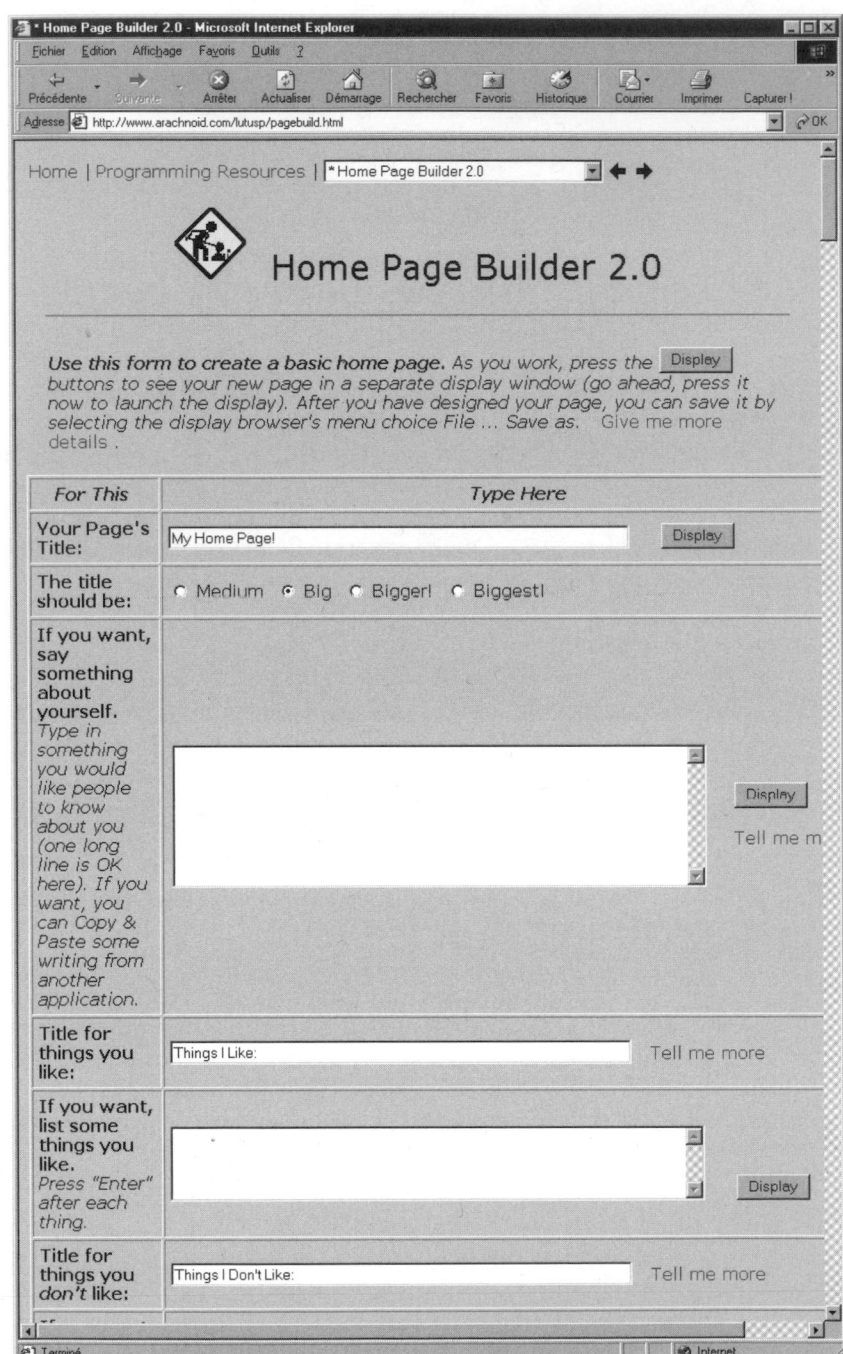

Figure 15.9 :
Générateur
de page
personnelle
simple en
ligne.

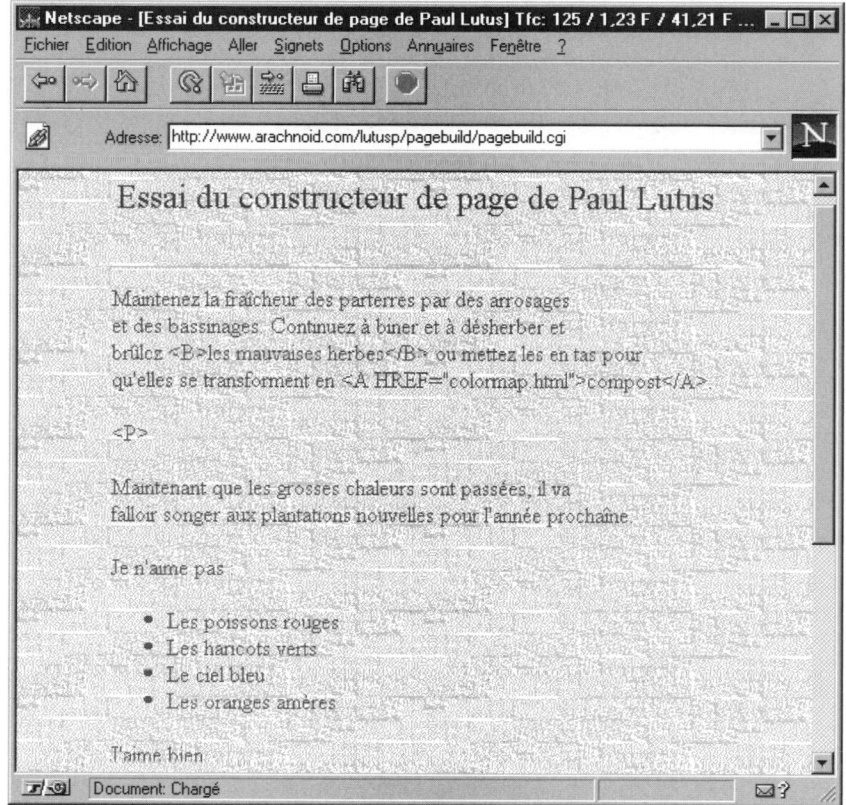

Figure 15.10 :
Page créée
avec le
générateur
interactif de
Paul Lutus.

Chapitre 16
WebExpert

Dans ce chapitre :

▶ Comment se procurer WebExpert ?
▶ Les bases de WebExpert.
▶ Utilisation de WebExpert.

L'édition américaine de ce livre consacrait son Chapitre 16 à l'étude de l'éditeur HTML PageMill dont la commercialisation a cessé au cours du troisième trimestre 2000. Nous avons donc décidé de vous proposer en ses lieu et place un éditeur canadien (pardon : québécois !) qui, outre ses propres qualités, a l'avantage d'utiliser couramment la langue française et d'être d'un prix très abordable (de l'ordre de 500 francs T.T.C.). *(N.d.T.)*

On sait les Québécois très attachés à tout ce qui touche à la francophonie. Il ne faut donc pas s'étonner qu'ils aient réalisé un éditeur HTML qui parle français et qui s'est acquis quelque notoriété. Ce n'est pas un éditeur WYSIWYG et il faut donc avoir déjà une bonne teinture de HTML pour pouvoir l'utiliser. Mais son excellente convivialité et une très bonne aide en ligne nous ont poussé à l'étudier ici. Il a été réalisé par Visicom Media inc., 1170, Sénécal, Brossard, Québec (Canada).

WebExpert ne fonctionne que sous Windows 32 bits.

Comment se procurer WebExpert ?

Tout simplement en téléchargeant la version d'essai sur le site de son éditeur, à l'URL :

```
http://www.visic.com/WebExpert/download.html
```

La version présentée ici date du 25 novembre 2000 et porte le numéro 4.20. La taille du fichier est de 5,72 Mo. Elle supporte les spécifications HTML 4.0 ainsi que les extensions Netscape et Microsoft.

Le prix de vente de WebExpert indiqué sur son site Web est de 445 francs français pour une acquisition en ligne. Comme on peut le voir sur la Figure 16.1, on peut aussi commander le produit sous forme de package complet, en boîte cartonnée, avec une notice d'utilisation. Dans ce dernier cas, il faut évidemment ajouter les frais d'expédition.

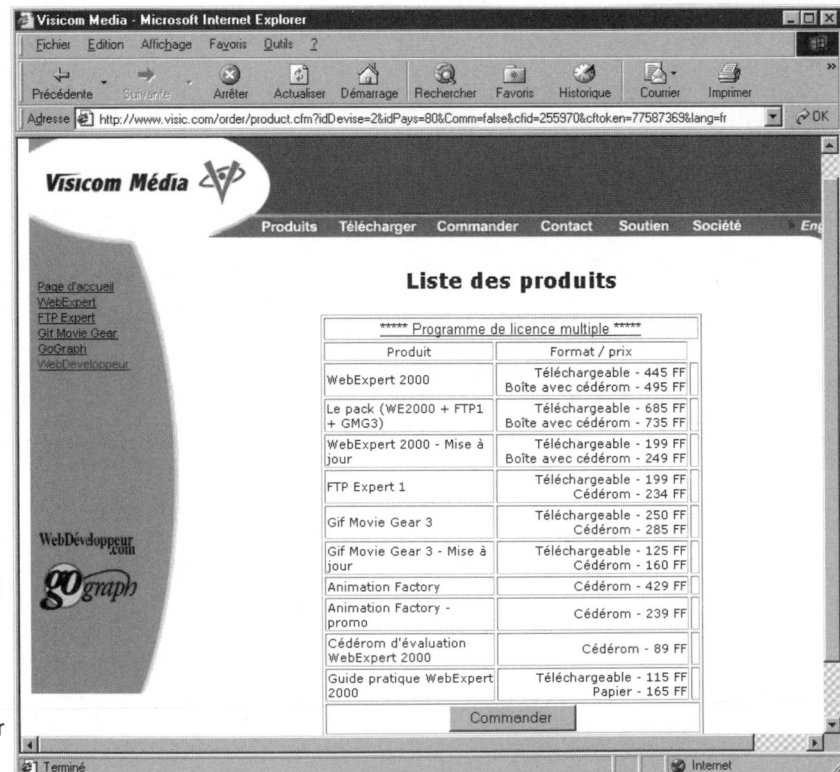

Figure 16.1 :
Tarif des différents logiciels proposés par Visicom.

Installation de WebExpert

Il suffit de lancer l'exécution du fichier autodécompactable `WE4200.EXE` en double-cliquant sur son nom dans l'Explorateur de Windows. Il n'y a rien de particulier à signaler pour cette installation et il n'est même pas nécessaire de redémarrer l'ordinateur pour que WebExpert soit immédiatement opérationnel. Au cours de cette installation, une fenêtre s'affiche (Figure 16.2), présentant les principales caractéristiques de WebExpert dont les plus importantes nous semblent être :

- 155 interfaces et thèmes graphiques ;

- Inspecteur de code ;

- Explorateur de code ;

- 30 modèles de sites Web ;

- 40 scripts DHTML tout prêts ;

- 60 scripts JavaScript prédéfinis ;

- 50 applets Java ;

- Editeur de styles CSS2 ;

- Banque de 2 500 graphiques ;

- Assistants visuels pour tableaux, cadres et formulaires ;

- Vérificateur de syntaxe HTML ;

- Importation de fichiers au format RTF.

Comme on l'aura remarqué, beaucoup de ces fonctionnalités vont bien plus loin que le contenu de ce livre, ce qui répond d'avance à la question que nous nous sommes posée à la fin de chacun des chapitres précédents : "Et au-delà ?" Bien entendu, fidèles au plan que nous nous étions tracé depuis le début (nous limiter aux bases de HTML), nous ne les étudierons pas dans ce chapitre.

- Recherche graphique intégrée fournit par GOgraph
- 155 interfaces et thèmes graphiques
- Interface hyperconviviale
- Inspecteur de code
- Explorateur de code
- Explorateur graphique des liens
- 30 modèles de sites Web
- 40 scripts DHTML prêts à l'emploi
- 60 JavaScript prédéfinis
- 50 applets Java
- Éditeur de feuilles de styles CSS2
- Gestionnaire de directives ASP, PHP et WML
- Vérificateur de la syntaxe HTML
- Références HTML 4, JavaScript 1.3, JScript 5, SSI et ASP
- Tutoriels DHTML, JavaScript et ASP
- Banque de 2500 graphiques
- 3 CGI prédéfinis
- Assistants visuels pour tableaux, cadres et formulaires
- Évaluation du poids du document
- Gestionnaire de projets avancé
- Importation de fichiers RTF
- Personnalisation avancée des barres d'outils
- Survol des images du document HTML
- Éditeur de références

Visicom Média

WebExpert 2000

L'éditeur HTML francophone PAR EXCELLENCE

Figure 16.2 :
Principales
caractéristi-
ques de
WebExpert.

Mise en œuvre de WebExpert

WebExpert utilise la technique des infobulles, c'est-à-dire qu'en laissant le pointeur de la souris immobile pendant au moins une seconde sur une icône, vous voyez apparaître dans une petite fenêtre rectangulaire jaune une courte explication du rôle de cette icône. Pour lancer WebExpert, il suffit, comme pour tout programme Windows, de double-cliquer sur son icône.

Les fenêtres flottantes

Ce qu'on remarque tout de suite, c'est que les trois fenêtres qui s'affichent sont indépendantes, comme le montre la Figure 16.3. Dans la fenêtre de composition de code, on peut voir que les balises du squelette du document HTML sont déjà présentes. Il faudra simplement insérer le titre de la page entre les balises ⟨html⟩ et ⟨/html⟩ et supprimer "auteur non enregistré" ou le remplacer par son nom ou son pseudonyme.

WebExpert a choisi d'écrire les balises en caractères minuscules et non en majuscules comme nous le préférons. Ce n'est pas un véritable inconvénient.

On peut directement exploiter ce squelette si on veut créer une nouvelle page Web, mais on peut faire mieux : choisir un des modèles préfabriqués que nous propose WebExpert. Pour cela, on referme en même temps la fenêtre Inspecteur de code et la fenêtre de composition en cliquant sur Fichier/

Eermer. La Figure 16.4 nous montre que nous pouvons choisir dans le premier volet le type de document à éditer : HTML, JavaScript, CSS (feuille de
style), WML, XML ou Perl.

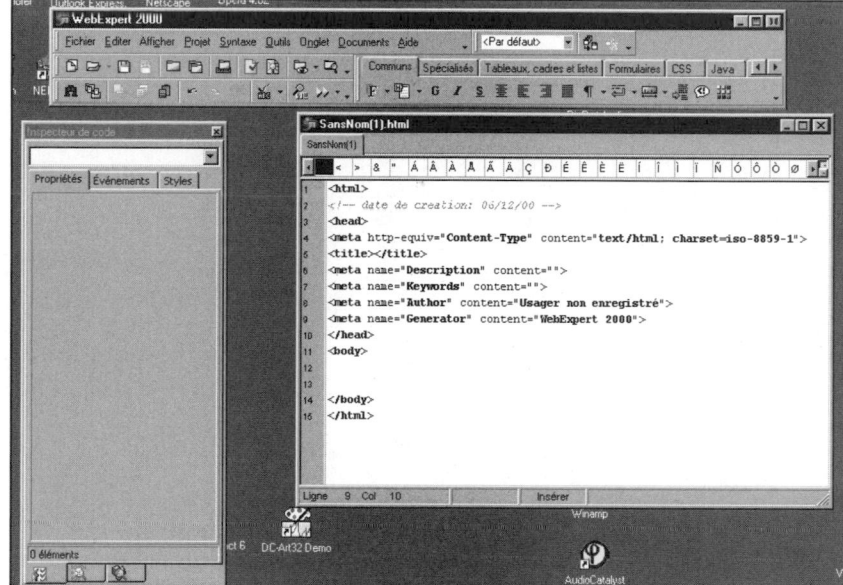

Figure 16.3 :
Les trois
fenêtres de
WebExpert
sont
flottantes.

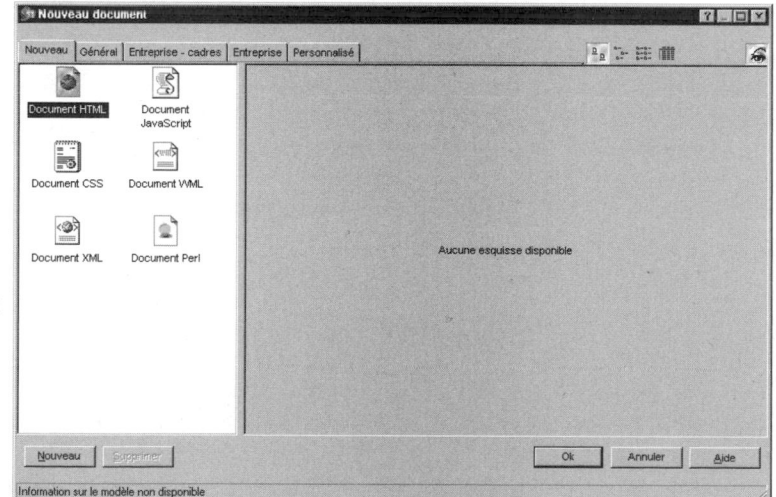

Figure 16.4 :
Choix du
type de
document
HTML à
créer.

Dans le second volet, nous sont proposés des modèles de documents à usage général (Figure 16.5). Si vous voulez créer un site Web professionnel, c'est sur le troisième ou le quatrième onglet qu'il faut cliquer, selon que vous vouliez créer un site avec cadres ou sans (Figure 16.6).

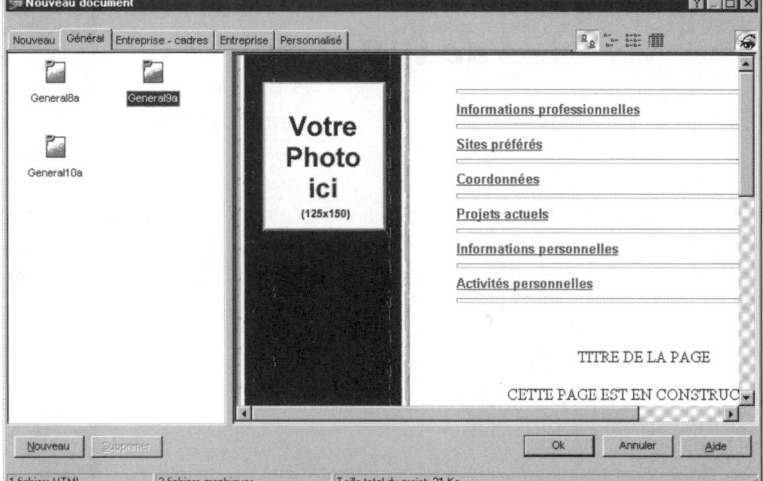

Figure 16.5 : Modèles de documents HTML à usage général.

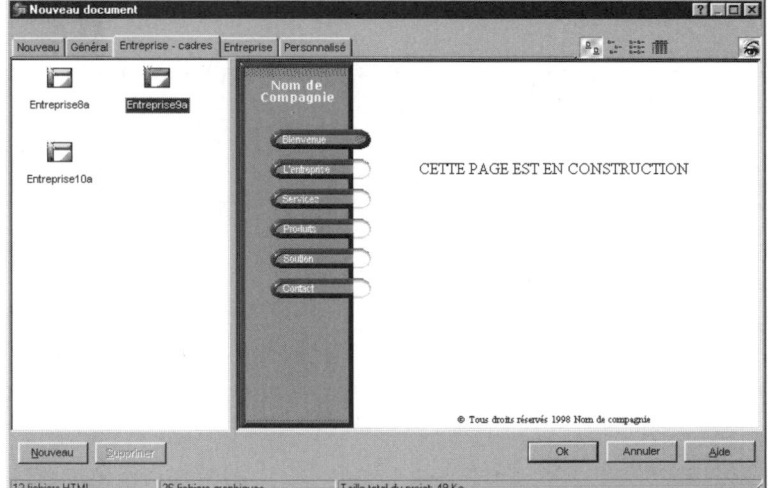

Figure 16.6 : Modèles de documents HTML d'entreprise.

Cela n'était destiné qu'à vous montrer la richesse de WebExpert. Pour le moment, nous allons suivre le même plan d'essai que pour les autres éditeurs que nous avons étudiés jusqu'ici, et conserver le squelette de document minimal qui nous était proposé initialement (voir Figure 16.3) dans lequel nous allons insérer "L'escargot (Jules Renard)".

Configuration de WebExpert

Il est possible de paramétrer WebExpert au moyen du menu Outils/Préférences générales, mais les choix par défaut sont bien étudiés et suffisent pour l'emploi courant. A une exception près : nous avons dit à plusieurs reprises qu'il était pratique lorsqu'on créait un site de petite envergure avec peu de fichiers de rassembler ceux-ci dans un même répertoire. On aura donc intérêt à cocher la case placée devant Copier automatiquement les fichiers référés dans le répertoire courant qui se trouve dans la rubrique Fichiers. La Figure 16.7 montre comment se présente cette boîte de dialogue.

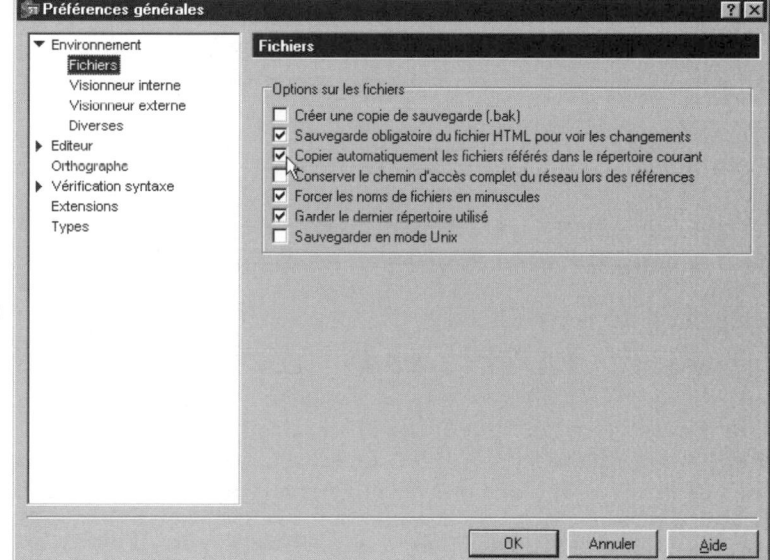

Figure 16.7 :
Comment rassembler tous les fichiers utilisés dans le même répertoire.

Et puis, pendant qu'on y est, pourquoi ne pas cocher aussi la case placée devant Forcer les noms de fichiers en minuscules pour éviter tout problème avec les serveurs UNIX qui distinguent la casse des noms de fichiers ?

Essai de WebExpert

Nous allons maintenant procéder au même essai que ceux que nous avons effectués dans les chapitres précédents avec d'autres éditeurs HTML.

Commencez par un titre

1. **Dans la fenêtre de composition, placez le pointeur d'édition sur la ligne 12, immédiatement au-dessous de la balise** `<body>`.

2. **Dans la ligne inférieure de la barre d'outils (celle qui a pour nom : "Communs"), cliquez sur la deuxième icône à partir de la gauche.** Ensuite, dans le menu qui se déroule, cliquez sur Style de titre 1 (ou tapez <Ctrl>+<Maj>+1). La paire de balises `<H1>` s'affiche, le pointeur de la souris étant placé entre elles.

3. **Sans déplacer le pointeur, tapez le titre.** Ici, ce sera : "L'escargot d'après Jules Renard".

4. **Vous allez maintenant centrer le titre.** Pour cela, sélectionnez toute la ligne qui vient d'être créée en cliquant à sa hauteur dans la zone verticale en grisé qui est à sa gauche, puis cliquez sur l'icône Centré de la barre d'outils Communs (la sixième à partir de la gauche). Vous pouvez aussi taper <Ctrl>+<E>.

Vous remarquerez que WebExpert a utilisé pour effectuer le centrage la balise `<DIV>` et non `<CENTER>` dont l'usage est déconseillé par le W3C.

Saisissez du texte et mettez-le en forme

Placez maintenant le pointeur à la fin de la ligne 13 (celle qui contient `</div>`) et appuyez sur la touche <Entrée> pour créer une nouvelle ligne (qui portera donc le numéro 14). Vous pouvez maintenant taper notre texte habituel :

Casanier dans la saison des rhumes, son cou de girafe rentré, l'escargot bout comme un nez plein. Il se promène dès les beaux jours mais il ne sait marcher que sur la langue.

Mon petit camarade Abel jouait avec ses escargots. Il en élève une pleine boîte et il a soin, pour les reconnaître, de numéroter au crayon la coquille.

S'il fait trop sec, les escargots dorment dans la boîte. Dès que la pluie menace, Abel les aligne dehors, et si la pluie tarde à tomber, il les réveille en versant dessus un pot d'eau. Et tous, sauf les mères qui couvent, dit-il, au fond de la boîte, se promènent sous la garde d'un chien appelé Barbare et qui est une lame de plomb qu'Abel pousse du doigt.

Comme je causais avec lui du mal que donne leur dressage, je m'aperçus qu'il me faisait signe que non, même quand il me répondait oui.

Comme vous le montre la Figure 16.8, le texte a été saisi au kilomètre et on ne remarque pas les fins de paragraphes (là où nous avons appuyé sur la touche <Entrée>). Pour que le document HTML présente chacun de nos quatre paragraphes distinctement, nous allons ajouter une marque de paragraphe au début de chacun d'eux en cliquant sur l'icône appropriée de la barre d'outils (la sixième à partir de la **droite**) après avoir placé le pointeur à leur commencement. Inutile d'en mettre une au début du premier paragraphe, puisqu'il suit une b <div> qui entraîne automatiquement le passage à la ligne de ce qui suit. Ensuite, vous allez mettre le mot "non", vers la fin du quatrième paragraphe, en italique. Après l'avoir sélectionné, cliquez sur le I penché (quatrième icône de la barre d'outils à partir de la gauche).

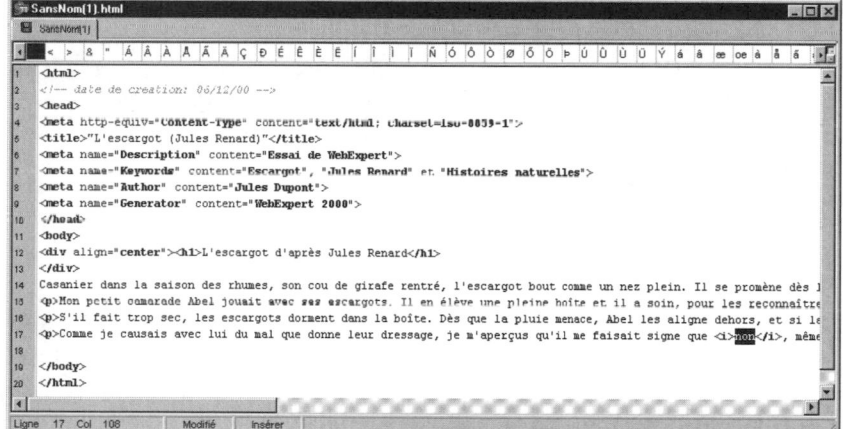

Figure 16.8 :
Fenêtre de composition après l'insertion du texte.

Saisissez maintenant, à la suite, les quatre courtes phrases du dialogue :

Abel, lui dis-je, pourquoi ta tête remue-t-elle ainsi de droite et de gauche ?

C'est mon sucre, dit Abel.

Quel sucre ?

Tiens, là.

Il faut indiquer qu'il s'agit d'un dialogue. Pour cela, nous allons utiliser l'outil de liste à puces :

1. **Commencez par afficher la barre d'outils appropriée en cliquant sur l'onglet Tableaux, cadres et listes de la fenêtre qui contient la barre d'outils.**

2. **Sélectionnez les quatre phrases à l'aide du pointeur de la souris.**

3. **Cliquez sur l'icône des listes à puces (la cinquième à partir de la gauche).** La Figure 16.9 vous montre que les balises de liste à puces ont été correctement générées.

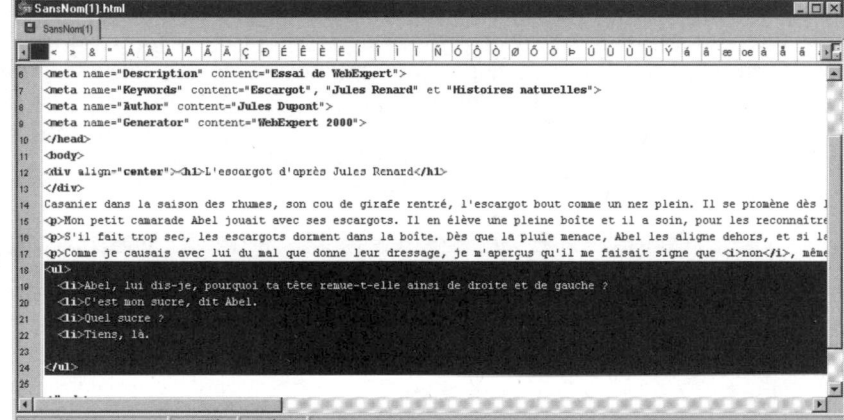

Figure 16.9 : Création d'une liste à puces avec WebExpert.

Insérez un lien

Nous allons terminer ce court exemple par la création d'un lien. Pour cela :

1. **Placez le pointeur au-dessous de la liste qui vient d'être créée.**

2. **Saisissez le texte suivant :**

    Pour en savoir davantage sur la vie de Jules Renard, vous pouvez visiter la page que lui a consacré Anatole Nouriçon, intitulée "Un Renard dans le poulailler littéraire du XIXème Siècle".

3. **Sélectionnez le texte entre guillemets qui va servir d'appel de lien.**

4. **Cliquez sur l'onglet Spécialisés.**

5. **Cliquez sur l'icône de l'outil Lien externe (la sixième à partir de la gauche).** Une boîte de dialogue à quatre volets s'ouvre. Tapez l'URL de la page de destination (http://www.littera.com/anatole/renard) dans la boîte de saisie Référence à un lien externe (Figure 16.10) puis cliquez sur OK.

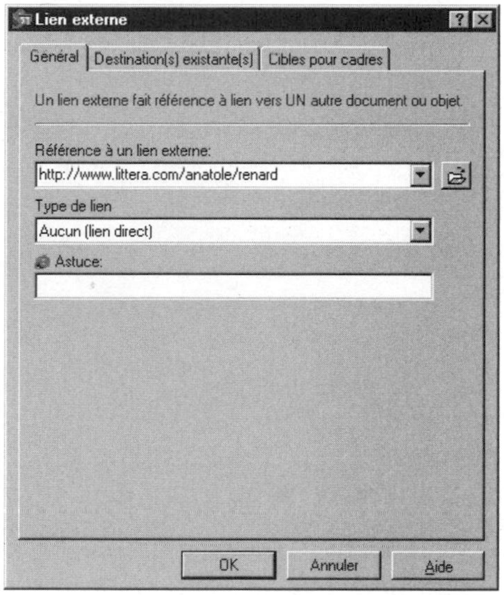

Figure 16.10 : Boîte de dialogue de définition d'un lien.

6. **Un message vous avertit que "le fichier source spécifié n'existe pas" et vous demande si vous voulez continuer.** C'est normal puisqu'il s'agit d'un lien externe à votre site. Vous pouvez donc cliquer sur Oui.

Insérez une image

Placez le pointeur de la souris devant le début du deuxième paragraphe, là où doit apparaître l'image. Ensuite :

1. **Toujours dans le deuxième onglet (Spécialisés), cliquez sur l'icône de l'outil Image (la troisième à partir de la gauche).**

2. **Dans la boîte de dialogue qui s'ouvre, renseignez les deux premières boîtes de saisie.**

3. **Pour la première (le nom du fichier d'image), aidez-vous du bouton placé à sa droite.** En cliquant dessus, vous faites apparaître une boîte de sélection de fichier dans laquelle vous sélectionnerez le fichier

approprié (ici : **escargot.gif**). Dès que vous aurez cliqué dessus, vous verrez s'afficher (pour contrôle) l'image dans la zone de gauche de la boîte de dialogue (Figure 16.11).

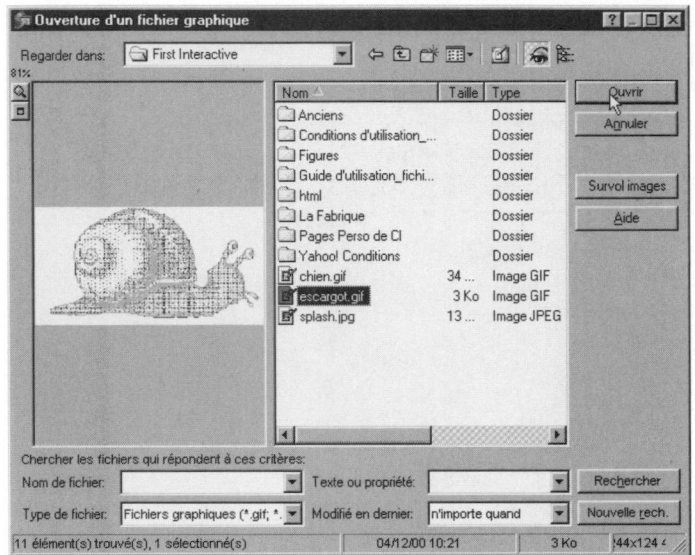

Figure 16.11 :
Boîte de
dialogue
d'insertion
d'image.

Cliquez sur le bouton Ouvrir. Si vous n'avez pas demandé que tous vos fichiers soient rassemblés dans le même répertoire (voir la section "Configuration de WebExpert"), un message vous informera qu'il est nécessaire de sauvegarder préalablement votre document HTML.

4. **Une seconde boîte de dialogue s'ouvre alors, dans laquelle vous allez définir le chemin d'accès et le nom de votre document HTML en construction.** Cela fait, cliquez sur le bouton Sauvegarder.

5. **Vous êtes revenu à la précédente boîte de dialogue.** Au bas de celle-ci, dans la zone Esquisse, vous pouvez voir l'image de l'escargot. Renseignez la boîte de saisie Alternative avec le texte de remplacement suivant : "Un escargot de Bourgogne" (sans les guillemets, bien sûr).

6. **Spécifiez maintenant l'alignement de l'image.** Pour cela, cliquez sur la petite flèche à droite de la boîte à liste déroulante placée devant Alignement et choisissez "A gauche".

La boîte de dialogue est alors complètement renseignée (voir la Figure 16.12) et vous pouvez la refermer en cliquant sur le bouton OK.

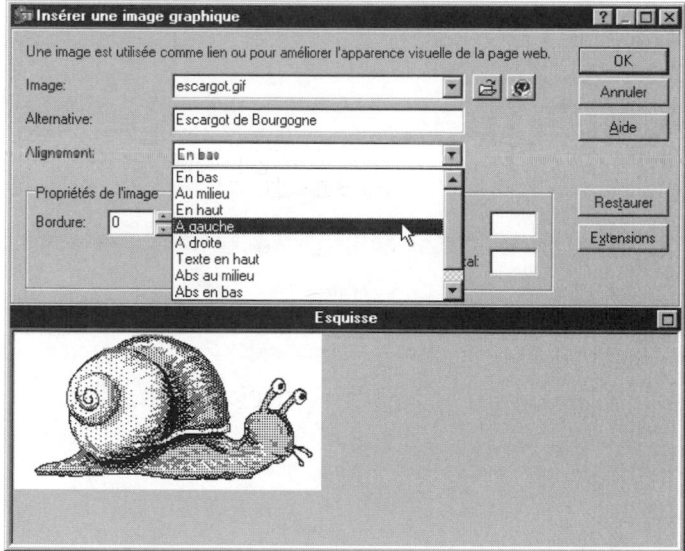

Figure 16.12 :
Tous les
attributs de
l'image ont
été définis
dans la boîte
de dialogue.

7. **Terminez en cliquant sur l'icône de l'outil Sauvegarde (le troisième de la barre d'outils générale). Vous pouvez également taper <Ctrl>+<S>.**

Un dernier "détail"

Il nous reste à convertir tous les caractères diacritiques de notre document HTML en entités de caractères. Pour cela, il suffit de cliquer sur Editer/Convertir caractères spéciaux ou de taper <Ctrl>+<M>. Une boîte de dialogue (Figure 16.13) s'affiche dans laquelle vous allez cliquer sur le bouton Débuter. N'oubliez pas de refaire une sauvegarde du fichier dont vous venez de modifier ainsi le contenu.

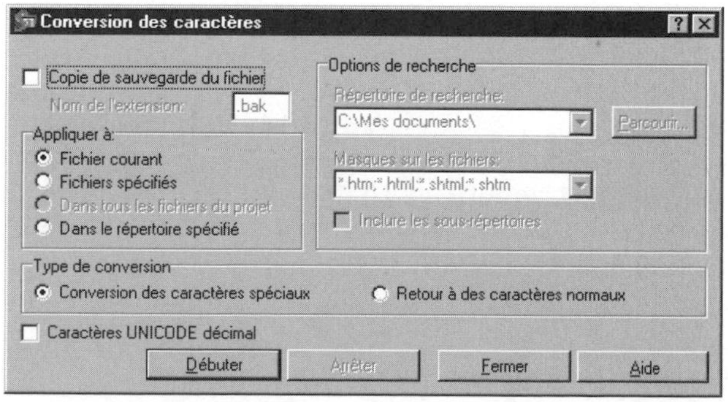

Figure 16.13 :
Conversion
des caractè-
res diacriti-
ques en
entités de
caractères.

Vous pouvez à tout moment revenir aux caractères "normaux" en cliquant sur Editer/Retour vers les caractères normaux ou en tapant <Maj>+<Ctrl>+<M>.

Pour voir le résultat, inutile d'appeler votre navigateur favori. Appuyez simplement sur la touche <F10> pour appeler le navigateur interne de WebExpert. La Figure 16.14 vous montre la page que vous venez de terminer.

Figure 16.14 : Votre première page HTML avec WebExpert.

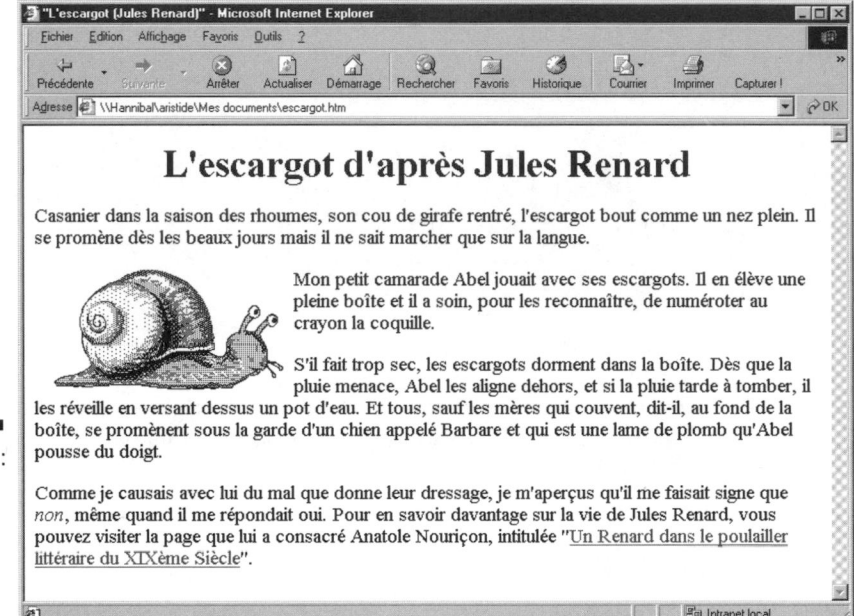

Nous vous rappelons qu'il est néanmoins fortement conseillé de vérifier comment se présente votre page avec un navigateur externe et même, par précaution, avec les deux ténors que sont Netscape Navigator et Internet Explorer.

Les finitions

Pour que la page soit complètement achevée, il reste deux opérations à effectuer qui ne sont pas toujours offertes par les éditeurs HTML, en particulier la vérification d'orthographe dans notre langue.

Vérification de l'orthographe

Elle demande que soit installé Office 97 ou Office 2000 avec un dictionnaire de mots de la langue à vérifier. Vous pouvez particulariser vos exigences en cliquant sur Options/Préférences générales/Orthographe. Ensuite, vous lancerez le contrôle au moyen de la touche <F5>.

Vérification de la syntaxe HTML

Figure 16.15 : Résumé des erreurs et avertisse- ments relatifs à la syntaxe du document HTML.

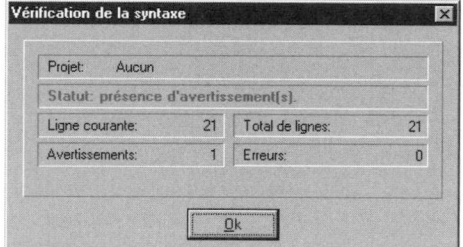

Cliquez sur Syntaxe/Vérification du document ou appuyez sur <Ctrl>+<F9>. Normalement, si vous n'avez pas modifié à la main le texte généré, vous ne devriez pas voir d'erreur. Cependant, un avertissement nous est prodigué, comme vous pouvez le voir sur la Figure 16.15. En double-cliquant sur la ligne explicative qui se trouve dans la partie inférieure de la fenêtre de composi-tion, la ligne fautive s'affiche en vidéo inverse (Figure 16.16). Eh oui, nous avons commis l'erreur de placer nos mots clés entre guillemets !

En résumé

WebExpert est un éditeur très agréable à utiliser qui sera particulièrement apprécié de tous ceux qui ne sont pas anglophones. Sans être réellement WYSIWYG, son navigateur interne lui confère des facilités d'examen qui permettent de ne pas être gêné par le travail au niveau des balises. Ses nombreux gadgets facilitent grandement la création et la gestion d'un site Web complexe.

On peut néanmoins regretter qu'il ne contienne aucun outil de publication des pages Web qu'il permet d'écrire. Il faut, en effet, recourir à un client FTP. Pour cela, Visicom, son éditeur, recommande son propre produit FTP Expert, mais rien n'empêche de se servir de produits plus universellement connus comme WS_FTP ou Cute FTP.

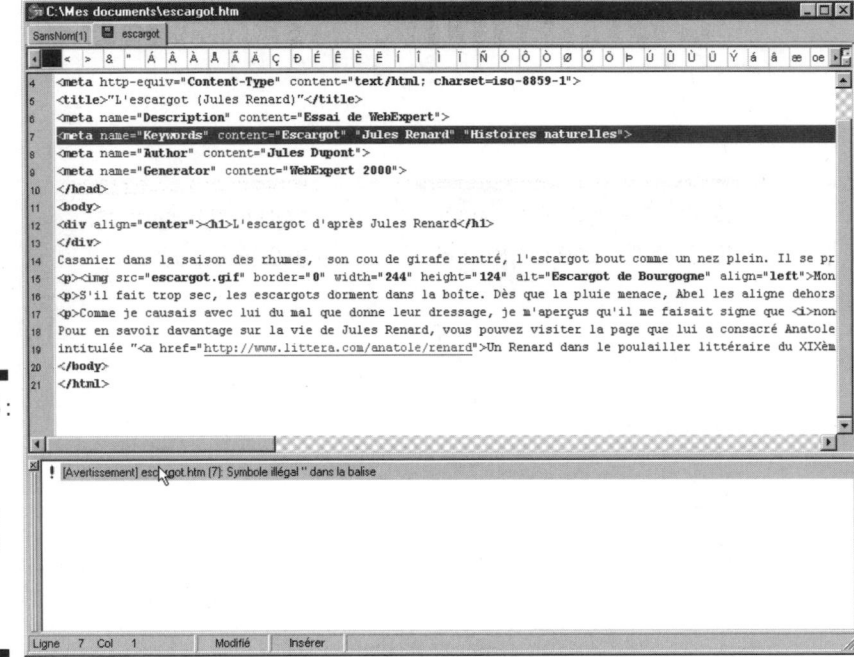

Figure 16.16 : Les mots clés de la balise <META> ne doivent pas être placés entre guillemets.

Sixième partie
Les dix commandements

"Andy commença bientôt à penser qu'il n'aurait pas dû choisir une connexion à bon marché au Web."

Dans cette partie...

Nos dix commandements vous seront présentés en deux parties : dix conseils à suivre et dix erreurs à éviter si vous voulez devenir un "bon" auteur Web.

Chapitre 17
Dix conseils à suivre

. . . .

Dans ce chapitre :

▶ Pensez à l'auditoire que vous visez.

▶ Prenez modèle sur de bons sites.

▶ Demandez l'autorisation avant de faire des emprunts à d'autres présentations.

▶ Insérez des liens vers d'autres sites externes.

▶ Ajoutez des images et du multimédia.

▶ Réfléchissez avant de créer.

▶ Demandez à vos visiteurs ce qu'ils pensent de vos pages.

▶ Testez soigneusement vos pages.

▶ Faites connaître votre site.

▶ Mettez fréquemment à jour votre site.

. . . .

Pensez à l'auditoire que vous visez

Quel public voulez-vous atteindre ? Un peu de réflexion sur ce sujet ne peut qu'augmenter l'intérêt de vos pages pour vos visiteurs. Avant de commencer à créer votre site Web, trouvez le *look and feel* qui lui conviendra le mieux et le style de présentation approprié aux goûts de votre auditoire. Insérez des liens susceptibles de l'intéresser et non pas simplement ceux que vous trouvez vous-même intéressants. Recherchez d'autres médias (journaux et revues, par exemple) qui s'adressent au même public que vous : vous y trouverez de bons et de mauvais exemples.

Prenez modèle sur de bons sites

Il y a çà et là beaucoup de bons sites. Inspirez-vous-en lorsque vous créerez le vôtre. Regardez autour de vous et retenez ceux qui vous semblent bons. Il n'y a rien de répréhensible à exploiter des idées répandues dans la communauté du Web. Regardez quelles sont les conventions observées dans la présentation des informations et auxquelles se sont habitués les familiers du Web. Vous serez surpris du grand nombre de bonnes idées que vous pourrez tirer de l'expérience des autres.

Demandez l'autorisation avant de faire des emprunts à d'autres présentations

Vous pouvez facilement vous emparer du fichier source de n'importe quelle page Web – c'est d'ailleurs un bon moyen d'apprendre de nouvelles techniques de conception –, mais vous pouvez tout aussi facilement devenir un copieur servile si vous faites plus que vous inspirer. En outre, ce n'est généralement pas légal.

Il n'est pas bien difficile de demander à l'auteur d'une présentation qui vous a plu l'autorisation de la reproduire partiellement. Si rien dans une page ne dit que son contenu peut être réutilisé librement, vous devez supposer qu'il est implicitement protégé par un copyright quelconque. Donc, vous ne pouvez pas y faire d'emprunt sans l'autorisation explicite de son auteur.

Sachez cependant qu'en règle générale nombre des auteurs sont très heureux de vous accorder cette permission, pourvu que vous citiez votre source et que vous insériez éventuellement un lien vers la présentation originale (le plus souvent, avec réciprocité). C'est un moyen de vous faire de nouveaux amis ou d'établir de nouveaux contacts commerciaux en évitant tout problème légal par la suite. Et si vous étiez tenté de passer outre, n'oubliez pas que tout se sait très vite dans ce monde de la communication qu'est le World Wide Web.

Insérez des liens vers d'autres sites externes

Quel que soit l'intérêt de votre présentation, vous passerez à côté de l'avantage le plus important du Web si vous n'y insérez pas de liens vers d'autres sites externes. Vous en trouverez toujours, quel que soit le sujet que vous traitiez. Les citer dans vos pages est un signe de courtoisie vis-à-vis de vos visiteurs. L'un des grands avantages du Web, c'est la possibilité d'y faire des découvertes imprévues. Donnez cette chance à vos visiteurs en leur ouvrant une fenêtre de plus sur le vaste monde.

Ajoutez des images et du multimédia

Ce qui fait l'attrait du Web, c'est sa possibilité d'aller plus loin que le texte. Mais il existe encore des auteurs que l'image intimide et qui n'ont pas le courage de s'y risquer. Insérez des images, des icônes, des menus graphiques ! Allez de l'avant ! essayez des images GIF transparentes et entrelacées ! Le multimédia est une autre source d'intérêt : un ou deux fichiers audio, une animation QuickTime ou même une simple image GIF animée peuvent donner de la vie à un site et le rendre bien plus intéressant que s'il ne contenait que du texte. Mais attention ! n'exagérez pas et consultez le chapitre suivant pour voir quelles sont les erreurs à éviter.

Réfléchissez avant de créer

Cela peut vous sembler tout naturel, mais vous seriez surpris de voir combien de gens se précipitent sur leur éditeur HTML sans trop savoir ce qu'ils vont mettre dans leur page et comment ils vont le présenter. Cette approche peut suffire à une page personnelle rudimentaire si vous ne cherchez qu'à vous amuser. Mais si vous voulez réellement faire bonne impression sur le Web, commencez donc par vous asseoir et par réfléchir à ce que vous allez dire et à la façon de l'exprimer. Notez vos idées sur papier. Soumettez-les à vos amis ou à vos collègues en leur demandant ce qu'ils en pensent. Cette façon de faire vous obligera à prendre en compte des choses auxquelles vous n'aviez même pas pensé : mise en page, conception graphique, relations entre pages et autres sujets qui, une fois correctement traités, feront de votre page un modèle dans son genre.

Demandez à vos visiteurs ce qu'ils pensent de vos pages

Vous serez très étonné d'apprendre ce que vos visiteurs pensent de vos pages. Certains des commentaires que vous recueillerez seront peut-être même flatteurs. Ceux qui n'ont jamais vu votre site auront sur lui un oeil neuf et pourront vous signaler des défauts ou des améliorations auxquelles vous n'aviez même pas songé. Non seulement la critique faite par votre auditoire est utile, mais surtout elle enrichira votre expérience. Vous apprendrez beaucoup en découvrant ce que vos visiteurs attendent. Une critique ne peut blesser que votre orgueil et elle sera toujours susceptible d'améliorer votre site.

Testez soigneusement vos pages

Il est facile de tester ses propres pages avant de les publier. Vous n'envoyez probablement pas de courrier sans l'avoir relu (bien que lorsqu'on voit ce qui s'écrit sur les news et dans les listes de diffusion, on serait tenté de mettre en doute cette assertion). Ne mettez pas en circulation des pages Web sans les avoir scrupuleusement examinées. Commencez par les regarder sur votre machine, en local, avant de les présenter sur le Web. Suivez les liens, observez les images, et voyez si elles se placent correctement au milieu du texte, etc. Dans la mesure du possible, testez vos pages avec d'autres navigateurs et sur d'autres plates-formes. Demande ! éventuellement à vos amis de le faire pour vous. Et surtout, vérifiez l'orthographe de vos textes !

Faites connaître votre site

Rien n'est plus frustrant que d'avoir créé un site que personne ne vient visiter. Heureusement, il existe beaucoup de moyens de faire connaître son existence. Par exemple Submit-It :

```
http://www.submit-it.com
```

Vous pouvez également poster une annonce sur les news, publier un communiqué de presse ou le crier sur les toits. Il nc suffit pas de réaliser un site pour que tout le monde s'y précipite. C'est à vous de faire connaître son existence.

En France, les deux forums publics recommandés pour annoncer un site sont :

```
fr.comp.infosystemes.www.annonces
fr.comp.infosystemes.www.annonces.d
```

Mettez fréquemment à jour votre site

Un site statique est un site ennuyeux. Si vous voulez que les gens y reviennent, vous devez leur proposer des nouveautés. Les meilleurs sites sont ceux qui savent se renouveler. Vous pouvez y incorporer des rubriques comme "La pensée du jour", "Liens vers des sites originaux"... Signalez à vos utilisateurs la périodicité moyenne de vos mises à jour et n'oubliez pas de bien signaler les nouveautés. L'icône "New" ("Nouveau" si vous êtes un francophone convaincu) a été faite pour cela.

Chapitre 18
Dix erreurs à éviter

Ne limitez pas involontairement votre auditoire

Lorsque vous concevez vos pages Web, évitez d'utiliser des balises HTML trop récentes ou de nature propriétaire que seuls les utilisateurs possédant un navigateur particulier pourraient voir dans de bonnes conditions. Restez-en à un bon vieil HTML de base, style 3.2. Avant d'utiliser des cadres (*frames*), des applets Java ou des présentations Active-X, réfléchissez-y à deux fois. Si vous décidez de passer outre à ces recommandations, avertissez vos visiteurs des particularités que vous avez mises en œuvre et du type de navigateur qu'ils doivent utiliser pour les afficher correctement. Ou alors, prévoyez un autre jeu de pages, moins spécifiques. Si vous utilisez des médias peu courants (RealAudio ou ShockWave, par exemple), prévoyez des liens vers les sites de diffusion des plug-ins nécessaires.

Ne violez pas la netiquette

La "netiquette", c'est l'ensemble des règles — généralement non écrites — de l'Internet. La violer vous conduirait à subir certaines formes d'opprobre. A la limite, votre service d'hébergement pourrait supprimer votre présentation Web. Sur le Web, certains sujets (révisionnisme, néonazisme, pornographie, pédophilie...), qui ne relèvent pas directement de la netiquette mais sont contraires aux bonnes moeurs, aux lois ou aux usages, vous exposeraient à ce type de sanctions, sans préjudices d'éventuelles poursuites en justice. De récentes affaires ont montré que la Justice française pouvait frapper vite et dur, parfois même un peu vite et souvent plutôt durement.

Les autres formes de violation de la netiquette, le *spamming*, par exemple, qui consiste à inonder de publicités commerciales – le plus souvent douteuses – les boîtes aux lettres électroniques, ne peuvent se pratiquer que par le courrier électronique et les news. Il n'y a donc pas lieu d'en parler davantage dans ce livre. Pour en savoir plus sur la netiquette, vous pouvez consulter le site Web :

```
http://www.fdn.org/fdn/doc-misc/SavoirComm.html
```

N'"empruntez" rien sans demander la permission

Non seulement, ce serait du vol pur et simple, mais vous vous exposeriez à d'éventuelles poursuites judiciaires. Demandez **toujours** la permission au légitime propriétaire de réutiliser ce qui lui appartient (texte, image, multimédia...) et abstenez-vous de reproduire des œuvres (littéraires, musicales, graphiques...) qui ne soient pas tombées dans le domaine public.

Images et multimédia : ni trop, ni trop peu

Le gros défaut des débutants et même des auteurs confirmés est de ne pas savoir résister à la tentation d'illustrer leurs pages avec des images trop nombreuses et/ou de trop grande taille. Tout le monde n'est pas, comme c'est le cas dans les grandes entreprises ou les universités, relié à l'Internet par des lignes à haut débit. La plupart des surfeurs du Web utilisent une ligne téléphonique ordinaire sur laquelle les débits les plus courants se situent au voisinage de 40 Kbps. Idéalement, la taille d'une page, texte et images compris, ne devrait pas dépasser 100 Ko. Voici quelques moyens d'atteindre cet objectif :

- Convertissez toutes vos images photographiques au format JPEG.

- Utilisez des icônes et des bannières simples, sans trop de couleurs ni de textures élaborées, et au format GIF.

  Adoptez une mise en page qui vous permette de répartir harmonieuse-ment vos images dans chaque page sans accumulation dans les unes et rien du tout dans les autres.

- Utilisez des vignettes pour laisser au visiteur le soin de décider s'il affiche ou non certaines images en vraie grandeur.

A l'opposé, fuyez ces longues pages de texte arides, sans images, ressemblant au *Journal officiel*. On s'y ennuie et on s'y perd.

Utilisez l'attribut ALT à bon escient

Pour diverses raisons, certains utilisateurs du Web désactivent le chargement des images. Que ce soit par suite d'un certain attachement au passé (emploi du navigateur Lynx) ou par souci d'économie (pour diminuer leur temps de connexion), ou encore parce que leur vue ne leur permet pas d'apprécier correctement les images (peut-être sont-ils daltoniens). Pensez donc à inclure systématiquement, comme nous vous l'avons expliqué au Chapitre 8, l'attri-but ALT et à le renseigner dans vos marqueurs ⟨IMG⟩ de façon qu'il y ait toujours quelque chose d'affiché. Et si vous utilisez des menus graphiques, redoublez d'attention.

N'oubliez pas les bases

Votre site est certainement ce qu'il y a de plus génial depuis l'invention de l'eau tiède, mais si vous oubliez d'y placer des informations permettant de vous contacter, comment voulez-vous savoir ce qu'en pensent vos visiteurs ? C'est particulièrement vrai lorsqu'il s'agit d'un site d'entreprise. Par exemple, dans ce dernier cas, vous n'aurez pas beaucoup de clients pour votre dernier gadget si vous avez placé la page qui permet d'en commander cinq niveaux plus bas que sa présentation.

- Pensez à la balise `mailto:` suivie de votre adresse *e-mail* pour que vos visiteurs puissent vous envoyer un message directement depuis leur navigateur.

- N'oubliez pas de protéger votre chef-d'œuvre par un copyright. Inscrivez cette mention suivie de l'année et éventuellement de votre nom au bas de la page.

- N'ajoutez pas d'index ! Ce serait dépourvu de sens puisque la notion de page, sur le Web, n'a rien à voir avec celle de la chose imprimée.

- Citez vos sources (textes, images...).

- Mettez les informations importantes en évidence.

- "Vingt fois sur le métier remettez votre ouvrage." Et tenez compte des remarques de vos visiteurs chaque fois que vous pratiquez une mise à jour.

Ne commencez pas en créant votre propre serveur Web

Il existe plusieurs packages de logiciels serveur soi-disant prêts à l'emploi. Mais même avec leur aide, sachez que créer et maintenir un serveur Web peut devenir la partie la plus onéreuse, la plus compliquée et la plus frustrante de toute publication Web. Donc, si vous n'êtes pas du métier, mieux vaut ne pas vous y risquer. Souvenez-vous des difficultés que vous avez eues à configurer votre système pour vous connecter à l'Internet (à moins que vous n'ayez acheté une configuration toute prête), et songez qu'un serveur est autrement plus complexe. Lorsque vous aurez acquis un peu plus d'expérience, vous pourrez éventuellement y réfléchir de nouveau.

Ne rendez pas la navigation dans votre site trop ardue

C'est un défaut classique chez les débutants d'organiser leur site de manière si confuse qu'eux-mêmes ont souvent du mal à s'y retrouver. Si votre site a plus de deux niveaux, réfléchissez-y un peu avant de vous lancer, car personne n'aime errer de lien en lien en cherchant désespérément la page attendue. De la même façon, il est très désagréable de se retrouver dans une impasse, c'est-à-dire dans une page où ne figure aucun lien. Conservez des relations simples et intuitives entre les pages. Pensez à proposer un plan de votre site.

Dans World Wide Web, "World" signifie "monde"

N'oubliez pas que vos pages Web sont accessibles depuis le monde entier. Pensez un peu à votre auditoire étranger. Devez-vous prévoir plusieurs versions dans des langues étrangères ? Utilisez-vous des expressions familières ou des termes techniques trop ciblés ou que des visiteurs d'autres pays que le vôtre seront incapables de comprendre ? Par exemple, si vous faites de l'humour, vous pouvez être certain que beaucoup de visiteurs risquent de passer à côté, même s'ils parlent votre langue. Pis encore, d'autres pourront se vexer parce qu'ils auront compris tout autre chose ou que, malheureusement, ils n'ont pas votre sens de l'humour. Lorsque vous coiffez la casquette d'auteur Web, vous devenez un citoyen du monde et vous devez vous souvenir que vous jouez sur la scène mondiale.

 Ces recommandations concernent surtout les anglophones. Quant aux particularités linguistiques, elles sont certainement valables pour les Québécois dont la lecture des pages se révèle souvent un régal pour les Français. *(N.d.T.)*

N'ayez pas peur d'en apprendre davantage

La conception de pages Web et l'astronautique sont deux choses bien distinctes. L'informatique, elle-même, n'est pas une science mais une technique. Aussi n'ayez pas peur d'expérimenter, de faire des essais nombreux. Ne vous laissez pas effrayer par les nouveautés. Les chiens méchants ne mordent que ceux qui ne les connaissent pas. Apprivoisez donc ces nouveautés.

Le Web est un monde en perpétuelle évolution où les nouveautés apparaissent à jet continu : Java, JavaScript VRML, RealAudio, HTML 4.0, feuilles de style, DHTML, XML, jeux en réseau... Tout cela, vous pouvez le comprendre et sans doute l'utiliser sans être un spécialiste. Ne vous laissez pas intimider. Si vous êtes arrivé ici, c'est sans doute que vous n'êtes pas aussi Nul que vous le croyez !

Septième partie
Annexes

"Chérie, notre navigateur Web est sorti la nuit
dernière et il a déversé un tas d'ordures dans
la page d'accueil de M. Durand."

Dans cette partie...

Vous trouverez dans cette septième partie des annexes qui constituent un pont vers une large gamme de ressources : définitions de mots couramment employés sur le Web, fournisseurs d'accès, définition et classement des balises HTML et ressources pour les développeurs.

Annexe A
Les mots du Web qu'il faut connaître

accueil (page d') Premier écran affiché par un serveur Web lorsque l'on s'y connecte. En anglais : *home page*.

adresse absolue Description de l'emplacement d'un fichier commençant par le nom de la machine ou du disque où il se trouve. Voir également **chemin d'accès**.

adresse relative Description de l'emplacement d'un fichier par rapport au répertoire courant. Voir également **chemin d'accès**.

ADSL Type de liaison Internet à haut débit qui ne concerne pour le moment qu'environ 200 villes importantes de France. Elle autorise l'établissement simultané d'une connexion à l'Internet et d'une conversation téléphonique.

AltaVista Puissant moteur de recherche initialement créé et contrôlé par Digital Equipment. Son URL est http://www.altavista.com.

ancrage L'une des extrémités d'un lien entre deux fichiers. Lorsque vous regardez une page Web, un ancrage est le plus souvent matérialisé par un ou plusieurs mots soulignés et affichés avec une couleur différente (générale-ment le bleu). En cliquant dessus, vous provoquez le chargement d'une autre page qui est l'autre extrémité du lien.

animée (image GIF) Fichier d'image en format GIF contenant plusieurs images qui peuvent s'afficher en succession rapide, donnant ainsi l'illusion du mouve-ment.

AOL American On Line. Le plus important fournisseur d'accès au monde par le nombre de ses abonnés (environ 25 millions). A racheté CompuServe et, plus récemment, Netscape. Propose une interface dite "propriétaire" parce qu'elle ne respecte pas les standards établis, ce qui cause quelques problèmes à ceux de ses abonnés qui souhaitent utiliser d'autres logiciels que ceux du kit de connexion d'AOL.

assistant (**helper**) Application utilisée pour voir des informations associées à une page Web, mais que le navigateur est incapable de traiter par ses propres moyens.

attribut Avec HTML, un attribut est une suite de caractères placés dans une balise et destinée à modifier ou à compléter l'objectif de celle-ci. Dans la commande HTML `<IMG SRC="monimage.gif">`, SRC est *l'attribut* de la balise `<IMG>`.

balise (**tag**) Elément non affiché servant au formatage d'un document HTML. Les balises sont toujours placées entre deux chevrons ("<" et ">").

baud Terme technique caractérisant la vitesse de modulation d'un signal sur une voie de transmission. A ne pas confondre avec **bps** (voir ce sigle) qui caractérise le débit efficace de la voie. Une ligne à 2 400 bauds supporte facilement un débit supérieur à 28 800 bps si elle est de bonne qualité.

bps (bits par seconde) Unité de mesure du débit d'une voie de transmission et caractérisant ce qu'on appelle improprement la "vitesse" d'un modem. Ne pas confondre avec **baud** (voir ce mot).

browser Voir **navigateur**.

byte Voir **octet**.

câble télévision Moyen d'accès rapide à l'Internet qui ne concerne que les villes où est assurée la diffusion de la télévision par câble. Les premières installations ont donné lieu à de nombreuses récriminations de la part des abonnés.

CGI (script) Programme exécuté sur un serveur et destiné à traiter des informations saisies par l'utilisateur d'une page Web dans un formulaire.

chemin d'accès Description de l'arborescence conduisant à un fichier donné. Peut être spécifié de façon absolue (par rapport à la racine de l'arbre des répertoires) ou relative (par rapport au chemin d'accès courant).

Club-Internet Fournisseur d'accès français, récemment racheté à la hauteur de 90 % par Deutsche Telekom, qui pratique des tarifs très corrects. Ses utilisateurs en sont généralement satisfaits.

CompuServe (CIS) Aux Etats-Unis, l'un des plus importants fournisseur d'accès à valeur ajoutée. Il est également implanté en France depuis plusieurs années. Outre l'accès aux ressources de l'Internet, il propose des forums semblables aux groupes de news dont certains concernent des aspects techniques de l'utilisation des ordinateurs. A été racheté par AOL.

domaine Nom officiel d'un ordinateur sur l'Internet. C'est ce qui est écrit immédiatement à droite du caractère @ dans une adresse **e-mail**. Dans ninternet@dummies.com, le nom du domaine est dummies.com. Le suffixe peut être, aux Etats-Unis, com, org, net, us... Dans les autres pays du monde, c'est un code de deux lettres représentatif du nom du pays (**fr** : France, **uk** : Royaume-Uni (Angleterre), **ch** : Suisse, etc.).

downloading Mot n'ayant pas d'équivalent strict en français et qui signifie téléchargement **à partir** d'un serveur.

e-mail Courrier électronique. Système d'acheminement de messages personnels par l'Internet.

entrelacée (image) Image en format GIF affichée graduellement. On commence par montrer les lignes dont le rang est multiple de 4 en commençant par la première ligne. On continue de même en partant de la deuxième ligne. Et ceci, deux fois encore pour tout afficher. Le visiteur peut ainsi voir à quoi ressemblera l'image avant que celle-ci ne soit totalement visible.

FAQ (Frequently Asked Question) *Foire Aux Questions*. Ensemble des questions les plus fréquemment posées, regroupées avec leurs réponses dans la plupart des groupes de news. Beaucoup de sites **Web** (voir ce mot) possèdent aussi une page de FAQ regroupant les questions et réponses issues du dialogue avec leurs visiteurs.

fichier Collection d'informations considérée comme une unité de traitement par un ordinateur.

fichier (transfert de) Méthode utilisée pour échanger des fichiers d'un ordinateur vers un autre au moyen d'une ligne téléphonique ou d'un réseau selon un protocole particulier. Sur l'Internet, le moyen le plus utilisé s'appelle **FTP** (voir ce mot).

formulaire Moyen utilisé dans une page Web pour transmettre des informations au serveur au moyen de boîtes de saisie, de cases à cocher et de boutons radio. Les informations ainsi transmises sont généralement traitées sur le serveur par un **script CGI** (voir ce mot).

fournisseur d'accès Entreprise commerciale disposant d'une connexion permanente à l'Internet, et par l'intermédiaire de laquelle vous devez passer pour vous raccorder vous-même au Net lorsque vous ne disposez que d'une ligne téléphonique ordinaire. Il en existe de différents types et à des conditions tarifaires très diverses.

freeware Logiciel distribué gratuitement. Les puristes parlent de *graticiel*. Les informaticiens disent *freeware*.

FTP (File Transfer Protocol) Protocole de transfert de fichiers très largement utilisé entre sites raccordés à l'Internet.

garde-barrière (firewall) Système de protection (matériel, logiciel ou combinaison des deux) installé sur un réseau local pour le protéger contre les intrusions.

GIF (Graphics Interchange Format) Format d'image initialement défini par CompuServe et maintenant très largement utilisé sur l'Internet et ailleurs. Par suite de problèmes de copyright, on a essayé de le remplacer sans grand succès par un nouveau format : PNG. Voir aussi **entrelacée (image)** et **animée (image)**.

gigaoctet Unité de mesure de la taille d'un fichier ou de la capacité d'un disque dur. Représente exactement 1×10^9 octets, soit mille **mégaoctets** (voir ce mot).

hardware Littéralement : *quincaillerie*. Désigne tout ce qui fait partie du matériel dans un système informatique. Opposé à **software** (*logiciel*). Le jeu de mot initial opposait *hard* (dur) à *soft* (doux).

hit Littéralement : *coup au but*. C'est sous ce terme qu'on a coutume de désigner les accès à une page Web. Plus une page est fréquentée et plus elle reçoit de *hits*.

HTML (HyperText Markup Language) Langage dérivé de SGML utilisé pour coder les pages Web. C'est un langage à balises.

HTML 3.2 Version de HTML apparue en mai 1996 dont elle serait la plus répandue actuellement. Elle est supportée par tous les navigateurs.

HTML 4.0 La plus récente version de HTML dont les navigateurs dignes de ce nom supportent un grand nombre de balises. C'est le cas, en particulier, d'Internet Explorer et de Netscape Navigator (à partir de leur version 4.x). Elle a été annoncée par le **W3C** (voir ce mot) le 8 juillet 1997.

HTTP (HyperText Transfer Protocol) Protocole de transfert des pages Web.

HTTPS Variante de HTTP utilisant le chiffrement pour sécuriser un transfert d'informations sur le Web.

hypermédia L'ensemble des types de médias autres que le texte associés à l'hypertexte (images, sons, animations).

hypertexte Système de représentation et de diffusion d'informations par lequel on peut présenter sous forme unitaire des documents éparpillés sur différents sites d'un même réseau.

IETF (Internet Engineering Task Force) C'est le groupe qui développe les nouveaux standards pour l'Internet.

image animée Voir **animée (image)**.

image en ligne Image incorporée à un document HTML.

image map Voir **image réactive**.

image réactive Image dont certaines parties, appelées *zones sensibles*, provoquent le chargement d'autres pages lorsqu'on clique dessus. Souvent utilisée comme menu de navigation sur la page d'accueil. En anglais : *image map* ou *clickable map*.

image téléchargeable Image associée à une page Web mais qui ne sera affichée que si l'utilisateur clique sur une image plus petite appelée *vignette*.

Internet Réseau mondial interconnectant une multitude d'ordinateurs.

Internet Explorer Navigateur édité par Microsoft. La plus récente version porte le numéro 5. Elle est diffusée depuis le 18 mars 1999.

Internet Protocol (IP) Protocole de transport de paquets d'informations utilisé sur l'Internet.

Internet Society Organisation qui se consacre au développement de l'Internet. Peut être contactée à l'adresse isoc@isoc.org.

intranet Version de l'Internet utilisée sur des réseaux locaux.

ITOO Nom donné par France Télécom à une des formes de commercialisation de son réseau numérique de transmission de données. Particulièrement adapté aux besoins des particuliers.

Java Langage de programmation inventé par Sun Microsystems et totalement portable sur toutes plates-formes car semi-compilé. Sa lenteur d'exécution et une relative insécurité en sont les principaux défauts.

JavaScript Langage de script inspiré du langage C mais dépourvu de ce qui fait toute la difficulté (et la beauté) de ce langage. Créé par Netscape. Si Netscape Navigator et Internet Explorer (qui l'appelle *JScript*) l'interprètent à peu près correctement, il n'en va pas de même pour d'autres navigateurs.

JPEG Format d'image très utilisé sur le Web pour numériser des photos.

JScript Nom donné par Microsoft à son implémentation de JavaScript.

kilo-octet Unité de mesure de la taille d'un fichier ou de la capacité d'un disque dur. Représente exactement 1 x 10^3 octets, soit mille octets.

liaison Voir **lien**.

lien Plusieurs sens. En ce qui concerne les réseaux, synonyme de connexion. Pour le Web, lien logique entre plusieurs documents non nécessairement situés au même endroit.

LINUX UNIX gratuit tournant principalement sur des ordinateurs personnels. Voir le forum `comp.os.linux.announce`. Connaît depuis peu un regain de popularité, principalement de la part de ceux qui ne l'ont pas réellement utilisé pour des applications un peu à l'écart des sentiers battus. La position de plus en plus dominatrice de Microsoft est une autre raison du regain de faveur de LINUX.

liste à puces Type de liste HTML dans laquelle chaque article est précédé d'une puce (généralement un gros point). On dit aussi *liste non numérotée*.

liste de définition Type de liste HTML dans laquelle chaque terme est placé dans une colonne sur le côté gauche de l'écran, sa définition occupant une colonne plus large, en face, du côté droit.

liste numérotée Type de liste HTML dans laquelle chaque article porte un numéro croissant.

Lynx Navigateur fonctionnant en mode texte dont l'emploi n'est pas recommandable en raison de la nature graphique de la plupart des documents HTML. Ses partisans mettent en avant le gain de temps qu'on réalise en n'affichant pas les images, oubliant un peu rapidement que tous les navigateurs ont une option qui permet d'interdire le chargement des images.

mégaoctet Unité de mesure de la taille d'un fichier ou de la capacité d'un disque dur. Représente exactement 1 x 10^6 octets, soit mille kilo-octets.

MIDI Façon de coder de la musique électronique sous une forme bien plus compacte que des sons numérisés. Pratique pour les transferts sur l'Internet. La qualité sonore résultante dépend étroitement de celle de la carte audio utilisée sur la machine réceptrice.

miroir Serveur FTP sur lequel on trouve les mêmes fichiers que sur un autre site, considéré comme leur distributeur principal.

modem Modulateur-démodulateur. Dispositif électronique chargé de convertir des signaux électriques entre un ordinateur et une ligne téléphonique. Existe sous forme de carte à insérer dans un connecteur interne de l'ordinateur ou sous forme de boîtier externe qu'on raccorde, selon le modèle, à la sortie série (RS232) de la machine où à un connecteur USB. Caractérisé par son débit maximal exprimé en bits par seconde. On parle parfois (à tort) de vitesse à ce propos. Exemple : les modems les plus rapides destinés à être raccordés au RTC fonctionnent théoriquement à 56 Kbps.

Mosaic (notez l'absence de tréma). Navigateur créé par le NCSA et dont il a existé des versions pour Windows, le Macintosh et UNIX. A été longtemps considéré comme le meilleur avant que n'arrive Netscape. Tombé dans l'oubli depuis 1997.

MPEG Système de compression de fichiers de sons et d'images élaboré par le Motion Picture Group. Les fichiers ont l'extension `.mpg`.

multimédia Désigne généralement tous supports d'informations autres que le texte et l'image.

navigateur (browser, brouteur, fureteur, butineur...) Programme d'exploration du Web.

Netscape Comunicator 4.75 Plus récente version stabilisée du navigateur de Netscape qui consiste en un véritable package de plusieurs programmes orientés vers la communication par l'Internet.

Netscape Navigator 6.0 Toute dernière version du navigateur de Netscape, sortie le 16 novembre 2000. Aux Etats-Unis, ceux qui l'ont essayée estiment que sa sortie a été prématurée et que son niveau la situe plutôt à celui d'une version *bêta* (c'est-à-dire préliminaire) renfermant encore de nombreux bugs.

Net Raccourci familier désignant l'Internet.

network Réseau. En abrégé : **net** (avec un petit "n").

news Système d'échange de messages publics organisé par sujets. Son accès nécessite l'emploi d'un logiciel spécialisé.

NIC (Network Information Center) Coordinateur d'un ensemble de réseaux chargé d'assurer la cohérence des adresses et des appellations sur l'Internet. Son adresse électronique, pour les Etats-Unis, est `rs.internic.net`.

Numéris Réseau de transmission de données numérisées. Voir **RNIS**.

octet Groupe de huit bits généralement utilisé comme unité de mesure de la capacité de mémorisation de certains organes de stockage d'un ordinateur.

outil Un outil logiciel est tout simplement un programme d'application destiné à effectuer une fonction bien précise comme l'édition de documents HTML.

page Unité d'information fictive utilisée sur le Web. Une page Web est censée représenter les informations pouvant être affichées sur un seul écran. Mais comme la taille d'un écran est très variable, cette notion reste très floue.

paquet Ensemble d'informations envoyées sur un réseau. Chaque paquet contient l'adresse de son destinataire.

pays (code) Suffixe de deux lettres d'une adresse Internet pour tous les pays autres que les Etats-Unis. `fr` représente la France, `ch`, la Suisse, `uk`, le Royaume-Uni, etc.

PDF (fichier) Système de formatage de documents créé par Adobe. Le logiciel de lecture, Acrobat, est distribué gratuitement par cet éditeur à l'URL `http://www.adobe.com/acrobat`.

plugin (assistant) Module de programme qu'on incorpore à un navigateur pour lui permettre de décoder et d'interpréter des fichiers qu'il est incapable de traiter de façon native.

présentation Web Ensemble cohérent de pages Web organisées autour d'un sujet donné et pourvues de liens entre elles. Synonyme : *site Web*.

protocole Ensemble de conventions grâce auxquelles deux ordinateurs peuvent communiquer entre eux. Il en existe de nombreux sur l'Internet.

publication (d'une page Web) Opération par laquelle on transfère l'ensemble des fichiers d'une présentation Web sur un serveur Web. Elle s'effectue le plus souvent par un client **FTP** (voir ce mot).

QuickTime Format de fichiers vidéo multiplate-forme créé par Apple et dont il existe des versions pour Windows et d'autres systèmes. Assez largement utilisé sur l'Internet.

QuickTime Standard multiplate-forme utilisé pour représenter les images en réalité virtuelle.

RealAudio Format de codification de fichier audio permettant une transmission et une audition simultanées. Ne fonctionne correctement qu'avec des connexions réseau à haut débit. A moins de 56 Kbps, de nombreuses coupures interviennent en cours d'audition ou bien le bruit de fond est très important. Voir par curiosité `http://www.realaudio.com`.

recherche (moteur de) Logiciel utilisé pour effectuer des recherches sur des bases de données.

répertoire Partie d'une structure arborescente gouvernant l'organisation des fichiers d'un ordinateur.

RNIS Réseau numérique à intégration de services. Réseau créé par France Télécom pour assurer des débits plus élevés que le RTC (supérieurs ou égaux à 64 kbps).

RTC Réseau téléphonique commuté.

script CGI Voir **CGI (script)**.

sécurité Sur un réseau, la sécurité consiste essentiellement à interdire l'entrée dans une machine à ceux qui n'y sont pas autorisés par l'administrateur du système.

serveur Ordinateur destiné à fournir un service à d'autres ordinateurs d'un réseau. Par exemple, un serveur archie permet aux utilisateurs de l'Internet de bénéficier des services archie. Un serveur se connecte à un **client** (voir ce mot).

serveur Web Ordinateur connecté à l'Internet et diffusant des présentations Web.

shareware Logiciel qu'on peut essayer avant de l'adopter. Lorsqu'on s'y décide, on est moralement obligé de verser une contribution à l'auteur. Certains puristes ont tenté de remplacer ce mot par *partagiciel*.

Shockwave Standard multimédia interactif utilisé sur le Web. Voir le serveur `http://www.macromedia.com/shockwave/`.

site Web Ensemble cohérent de pages Web organisées autour d'un sujet donné et pourvues de liens entre elles. Synonyme : *présentation Web*.

software Logiciel. Tout ce qui, dans un ordinateur, ne relève pas du matériel.

SSL (Secure Socket Layer) Technique utilisée sur le Web pour sécuriser certaines connexions.

streaming (audio) Système permettant d'acheminer des fichiers audio sur le Net de telle façon qu'on commence à les entendre presque immédiatement, sans attendre que l'intégralité du fichier soit transmise. Le plus populaire est RealAudio.

surfer Se promener nonchalamment et sans but précis sur le Web.

TCP/IP (Transmission Control Protocol/Internet Protocol) Protocole de connexion utilisé sur l'Internet.

texte (fichier) Fichier ne contenant que du texte pur, sans formatage.

texte (éditeur de) Programme permettant de créer et de modifier un fichier texte sans mise en forme.

texte (traitement de) Programme permettant de créer et de modifier un fichier texte avec une mise en forme pouvant être très élaborée.

transparente (image GIF) Image qui a été traitée de façon qu'une couleur particulière ne soit pas réellement affichée, permettant ainsi de voir ce qu'il y a sur l'écran derrière elle.

UNIX Système d'exploitation soulevant les passions à défaut des montagnes. On peut, en toute objectivité, lui reprocher d'utiliser le langage de commande le plus abscons qui se puisse imaginer. Difficile, voire impossible à utiliser par des profanes.

uploading Mot n'ayant pas d'équivalent strict en français et signifiant téléchargement *vers* un serveur. C'est ce qu'on pratique lorsqu'on publie une page Web.

URL (Uniform Resource Locator) Façon de désigner une ressource de l'Internet au moyen d'une adresse électronique précédée d'un préfixe dépendant du type de la ressource concernée. Les navigateurs en font un très large usage.

V90 C'est le standard de transmission le plus rapide utilisable sur une ligne du réseau téléphonique commuté (RTC) avec des modems ne faisant appel qu'aux techniques traditionnelles. En réalité, ce débit n'est jamais atteint et on plafonne à une valeur réelle comprise entre 40 et 48 Kbps selon la qualité des tronçons de ligne traversés.

vignette Petite image sur laquelle un utilisateur peut cliquer pour afficher la même image en plus grand format.

virus Parasite logiciel destiné à perturber le fonctionnement d'un ordinateur. Sur les Macintosh, on en compte une douzaine, alors qu'on en dénombre une dizaine de milliers sur les PC. Pratiquement inconnus sous UNIX. Il circule régulièrement sur le Net des annonces de virus qui ne sont que des attrape-gogos, propagées par des naïfs, des ignorants et de mauvais plaisantins. Au nombre de ces leurres, citons *Penpal greetings, Solidaridad con Brian* et *Join the crew*. Le seul résultat concret de la diffusion de ces sottises est d'accroître encore un peu plus l'engorgement de l'Internet.

visualisation (logiciel de) Programme destiné à afficher des images numérisées.

VRML Langage destiné à construire des pages en réalité virtuelle sur le Web.

W3C Organisme chargé de coordonner, d'élaborer et de diffuser les spécifications concernant le Web.

Wanadoo Fournisseur d'accès français, filiale de France Télécom et qui compte environ deux millions d'abonnés. Ne sait pas gérer ses abonnements autrement que par courrier postal.

WAV (fichier) Format utilisé sous Windows pour les fichiers audio.

Web Littéralement "araignée". En réalité, il s'agit du **World Wide Web** qui est un système d'informations hypertexte et hypermédia.

webmaster La personne responsable d'un site Web. On dit *webmistress* lorsque ce rôle est tenu par une femme.

Windows Système d'exploitation à fenêtrage créé par Microsoft pour les PC. Les versions les plus couramment utilisées sont Windows 95, Windows 98, Windows 2000, Windows Millenum, Windows NT 3.51 et Windows NT 4.0. C'est ce qu'on appelle les *Windows 32 bits*.

World OnLine Fournisseur d'accès apparu au cours du premier trimestre 1999 qui s'est fait remarquer en proposant un abonnement gratuit à ses services pendant un an aux 200 000 premiers abonnés qui s'inscriraient.

World Wide Web Voir **Web**.

Yahoo! Moteur de recherche sur le Web accessible par l'URL http://www.yahoo.com. Son antenne française a pour URL http://www.yahoo.fr.

Quelques fournisseurs d'accès à l'Internet

Cette annexe a été totalement réécrite pour que son contenu cadre avec la situation de la fourniture d'accès qu'on rencontre dans notre pays. La multiplicité des formules proposées a de quoi laisser perplexe. Nous allons tenter d'en faire rapidement le tour.

Frais de communications téléphoniques à la charge de l'abonné

Depuis la fin du premier semestre 2000, il n'existe pratiquement plus de fournisseurs d'accès qui fassent payer leur abonnement à la fourniture d'accès (généralement sans limitation de durée). Peut-être auront-ils complètement disparu en 2001 ? C'est World Online qui, le premier, en avril 1999, a proposé un raccordement gratuit à l'Internet ; depuis, concurrence oblige, presque tout le monde lui a emboîté le pas.

Abonnement payant

Il doit bien exister encore quelques fournisseurs d'accès qui fassent payer leurs prestations. Dans une certaine mesure, cela peut rassurer certains esprits inquiets, croyant qu'ils obtiendront de meilleures prestations s'ils les payent. Mais c'est un leurre, car, l'on voit mal le fournisseur d'accès faire deux poids deux mesures pour le même produit. Parmi ceux qui continuent de proposer cette formule, on trouve Wanadoo et Club-Internet.

Abonnement gratuit

C'est maintenant la formule générale : on s'inscrit – la plupart du temps sur un site Web – et, dans le quart d'heure qui suit, on reçoit par e-mail son identificateur de login et son mot de passe. Ceux qui n'ont pas encore d'accès à l'Internet peuvent aussi opérer par téléphone. Ce type d'abonnement, qui est le plus répandu, laisse à votre charge les communications téléphoniques. Nous verrons plus loin quelques détails sur la tarification pratiquée par France Télécom, fournisseur en position de monopole pour la "boucle locale" jusqu'en fin 2000. Voici quelques-uns des prestataires avec l'adresse Web de leur site :

- **Free** : `http://www.free.fr` ;

- **FreeSurf** : `http://www.freesurf.fr` ;

- **LibertySurf** : `http://www.libertysurf.com` ;

- **Lokace** : `http://www.lokace-online.com` ;

- **Mageos (FNAC)** : `http://www.mageos.com` ;

- **VooNoo (Société Générale)** : `http://www.voonoo.com` ;

- **VnuNet** : `http://www.vnunet.fr/VNU2/cgv1.htm` ;

- **World Online** : `http://www.worldonline.fr`.

Les forfaits

Dans cette formule, sans doute la plus intéressante pour l'internaute, les frais de communication téléphonique sont compris dans le prix de l'abonnement. Il existe plusieurs types d'offres allant de 3 heures à 20 heures et même plus puisque quelques fournisseurs d'accès se sont risqués à proposer une formule dite "illimitée" qu'on pourrait croire non limitée dans le temps utilisé. Comme vous pouvez le lire dans l'encadré qui suit, ils ont du bien vite se rendre à la dure réalité des choses.

Le mirage du forfait illimité

World Online en premier, OneTel ensuite, AOL en dernier, se sont risqués à offrir un forfait proposant un nombre d'heures de connexion illimité pour une somme très raisonnable (de l'ordre de 200 francs ou moins par mois). Rapidement, les deux premiers ont jeté l'éponge, tant il est vrai que l'internaute français, ayant depuis longtemps été sévèrement rationné en ce qui concerne la durée de ses connexions en raison de leur coût, s'est jeté goulûment sur cette aubaine. Si goulûment, même, que les téméraires initiateurs de cette offre ont rapidement été débordés et leurs installations proprement engorgées.

AOL, dernier en date des promoteurs de ce type d'accès, a été submergé de plaintes de ses anciens abonnés se plaignant de la diminution de qualité des connexions par surcharge du système informatique. Une première mesure a consisté à interrompre d'autorité toute connexion dont la durée excédait 30 minutes en rendant inefficace toute nouvelle tentative de connexion avant que ne se soit écoulé un délai de cinq minutes. Comme cela n'a pas suffi, au bout de deux mois, cette offre a été purement et simplement retirée.

Un quatrième opérateur, Tiscalinet, avait annoncé le même type d'offre mais, après avoir été repoussée deux fois de suite, celle-ci semble maintenant reportée *sine die*.

Même en l'assortissant de limitations draconiennes, telles que le volume d'octets téléchargés (dans le sens montant ou dans le sens descendant), le jour de la semaine et/ou l'heure de la journée, l'impossibilité d'utiliser des ressources comme l'ICQ ou le jeu en réseau, ce type d'offre ne semble pas – tout au moins actuellement en France – reposer sur un modèle économique fiable.

Forfait payant

C'est la formule qui semble la plus intéressante dès l'instant où on cerne à peu près le nombre d'heures mensuelles de connexion dont on a besoin. Chez nous, des statistiques dignes de foi montrent que l'internaute moyen (qui est, bien entendu, comme la ménagère de moins de cinquante ans chère aux fanatiques de l'audimat, une vue de l'esprit enfantée par les statistiques) consomme une dizaine d'heures par mois, moins même, s'il n'utilise que le courrier électronique.

Le marché de l'offre d'accès à l'Internet est l'archétype du marché dynamique, mouvant et peu fiable. Ce qui est vrai à un instant donné risque fort d'avoir changé dans le mois qui suit. Aussi les tarifs que vous allez trouver ici ne doivent-ils être pris que comme des indications générales et non comme des valeurs sûres et précises.

Voici quelques offres représentatives du marché français. Au-delà du nombre d'heures prévu au forfait, le temps de connexion est facturé à la minute, selon un barème propre à chaque fournisseur mais toujours inférieur (sauf évidemment pour Wanadoo) au prix plafond de 28 centimes la minute en période normale. Souvent, le nouvel abonné peut bénéficier de conditions promotionnelles telles qu'un certain nombre d'heures gratuites pendant les premiers mois de son abonnement. Le numéro d'appel indiqué correspond au service client du fournisseur d'accès. C'est lui que vous pourrez appeler si vous envisagez de vous abonner par téléphone.

- **AOL.** (0825 12 12 12) 2 heures par mois pour 35 francs, 15 heures pour 99 francs ou 30 heures pour 155 francs.

- **Club-Internet.** (0801 800 900) 5 heures par mois pour 47 francs, 20 heures pour 97 francs ou 40 heures pour 157 francs.

- **Freesbee.** (0805 025 000) 3 heures pour 1 franc (!), 6 heures pour 49 francs, 12 heures pour 75 francs, 20 heures pour 95 francs ou 25 heures pour 90 francs.

- **Infonie.** (0825 845 825) 3 heures par mois pour 15 francs ou 8 heures pour 39 francs. Autre offre : 20 heures pour 47 francs ou 40 heures pour 199 francs.

- **Wanadoo.** (0810 609 609) 3 heures pour 39 francs, 10 heures pour 79 francs, 15 heures pour 99 francs ou 25 heures pour 90 francs.

Le principal avantage du forfait, c'est de vous permettre de vous affranchir des tranches horaires de France Télécom (voir plus bas), puisque, dans cette formule, il n'y a pas de créneau horaire. De cette façon, vous n'êtes plus contraint d'attendre 19 heures ou 22 heures ou de vous lever tôt le matin pour accéder à l'Internet au meilleur prix.

Forfait gratuit

C'est une variante du forfait illimité mais beaucoup moins risquée pour le fournisseur d'accès puisque limitée en durée mensuelle. Au moment où ces lignes sont écrites (décembre 2000), il n'en existe plus que deux en France :

- **Libertysurf.** 4 heures par mois.

- **Oreka.** 6 heures par mois (limitées à 4 heures pendant les premiers mois d'abonnement). Début décembre 2000, cette offre a été ramenée à 6 heures par mois, mais les anciens abonnés conservent leurs 18 heures promises.

Les fournisseurs d'accès sont-ils des philanthropes ?

La réponse est évidemment : non. Il s'agit d'un coup de poker dont l'issue est incertaine. Certains fournisseurs d'accès ont négocié avec leur opérateur téléphonique (pas nécessairement France Télécom car, pour la clientèle commerciale, le marché du téléphone est depuis quelque temps déjà soumis à concurrence) le reversement d'un pourcentage sur les frais de connexion téléphonique, un peu comme cela se pratique avec le Minitel 3615. Tous espèrent attirer des sites commerciaux et peuvent même aller jusqu'à proposer des listes d'abonnés qui constituent une clientèle potentielle ciblée. C'est pour cette raison que, par exemple, Mageos (dont le propriétaire est le même que celui de la FNAC) demande au futur abonné de remplir un questionnaire assez fourni – voire indiscret – sur ses passe-temps favoris et ses habitudes de consommation. Souvent, au moment de la connexion, une page d'accueil surchargée de bandeaux publicitaires est affichée. Enfin, presque tous pratiquent des tarifs d'assistance téléphonique élevés (2,23 F/mn, par exemple).

Actuellement, tous perdent de l'argent (on parle de 2 millions d'euros perdus en 1999 par le plus important fournisseur d'accès français). Un peu comme le joueur qui s'obstine à miser malgré ses pertes, ils espèrent atteindre le seuil de rentabilité en deux ans, peut-être plus. D'ici là, les plus faibles (économiquement parlant) auront disparu ou auront été rachetés par ceux qui ont les reins plus solides.

Accès sans abonnement

C'est une formule qui ne peut guère convenir qu'à ceux qui utilisent l'Internet de façon sporadique, car elle repose sur la mise en oeuvre d'une ligne téléphonique à tarification spéciale (supérieure à celle d'une ligne téléphonique ordinaire). Comme pour le Minitel, une partie des sommes ainsi dépensées va à l'opérateur téléphonique (pour couvrir les frais de communication) et l'autre au fournisseur d'accès. On atteint ainsi très rapidement des sommes élevées ; aussi ce type d'accès ne convient-il à la rigueur que pour consulter épisodiquement une boîte aux lettres électronique. En France, cette formule est principalement proposée par BD Way, France Explorer et Wanadoo.

Facturation de la liaison téléphonique

En dehors des formules à forfait, lorsque l'accès proprement dit à l'Internet est gratuit, seules restent à payer les communications téléphoniques. La tarification actuelle pratiquée par France Télécom depuis le 1er octobre 1997 pour le réseau téléphonique commuté (RTC) obéit à des règles faisant intervenir la distance, la durée et le moment d'un appel. Elle a été modifiée en novembre 2000 d'une façon qui pénalise l'internaute puisque le coût des communications locales est resté le même, mais que celui de l'abonnement a été fortement majoré.

Jusqu'à fin 2000, France Télécom possède le monopole de la *boucle locale*, c'est-à-dire du raccordement des particuliers au central téléphonique dont ils dépendent. Cette situation n'existera plus à partir du 1er janvier 2001, date à laquelle, vous pourrez – théoriquement, du moins – choisir votre opérateur téléphonique pour vous raccorder au réseau. Il est fort probable que cette offre concernera d'abord les gros consommateurs, et qu'elle ne sera étendue aux simples particuliers que très progressivement, et en priorité au voisinage des grandes villes.

La règle actuellement appliquée par France Télécom pour la tarification compte le temps d'utilisation d'une ligne téléphonique banalisée (RTC) selon la formule suivante :

- Un "crédit temps" non modulable, de 50 centimes par appel, qui correspond à 1 minute de connexion (formule "kiosque" ou communications dites "locales") ;

- Un montant dépendant du nombre de secondes de connexion utilisées une fois ce crédit temps épuisé.

La journée ordinaire est divisée en deux périodes : la période normale, entre 8 h et 19 h, et la période à tarification réduite, dite "demi-tarif", de 19 h à 8 h et les samedis, dimanches et jours fériés. La Figure B.1 vous présente une copie d'écran de la page du serveur de France Télécom (http://www.francetelecom.fr/vfrance/guide/f_prix.htm) qui détaille le tarif applicable.

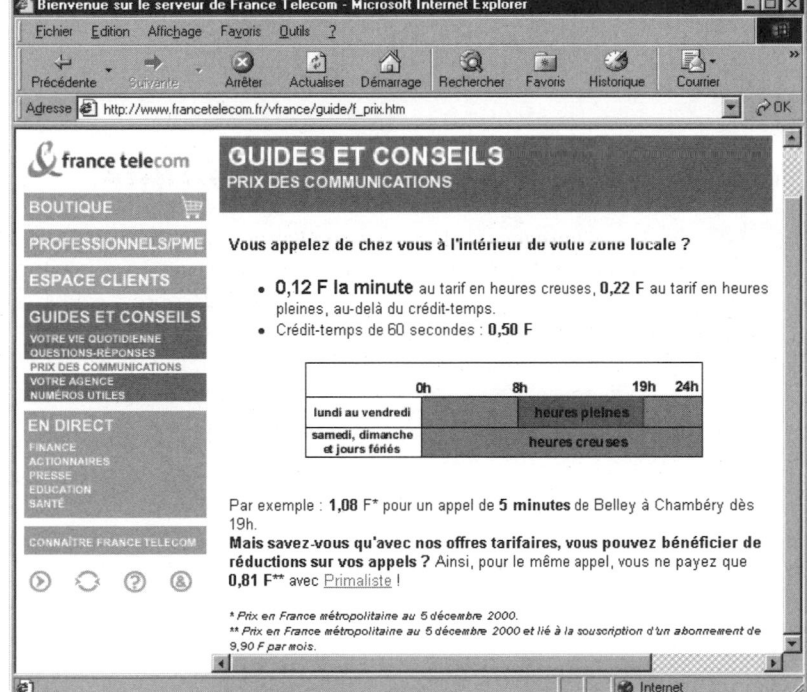

Figure B.1 :
Tarif
appliqué par
France
Télécom
pour les
communica-
tions
téléphoni-
ques dites
"locales".

France Télécom propose de nombreuses formules d'abonnement à prix réduit. Trois d'entre elles semblent mieux adaptées que les autres à l'utilisation d'Internet :

- **Primaliste.** Consiste en une réduction de 25 % sur six numéros d'appel nationaux. Ceux-ci peuvent être choisis par l'abonné ou être automatiquement déterminés comme étant ceux ayant entraîné la dépense la plus élevée dans chaque période de facturation. Le coût de l'abonnement mensuel est de 9,90 F.

- **Primaliste Internet.** Accorde une remise supplémentaire de 50 % entre 22 h et 8 h moyennant un abonnement mensuel de 9,90 F sur **un seul numéro national** ou l'un des numéros suivants : 08 36 01 13 13, 08 36 01 93 01 et de 08 36 06 13 10 à 08 36 06 13 19.

- **Temporalis.** Consiste en une réduction progressive de 10 à 30 % sur tous les appels de plus de 5 mn en France hors appels mobiles, Audiotel et Télétel (10 % de la 6e à la 10e minute, 20 % de la 11e minute à la 15e minute et 30 % au-delà de la 15e minute). L'abonnement mensuel est de 15 F par mois. Cette formule semble la moins intéressante des trois pour les internautes.

 Comme on peut s'en douter, ces formules, bien adaptées à celui qui doit payer l'intégralité des communications téléphoniques correspondant à son temps de connexion, n'ont pas d'intérêt, pour les forfaits tout compris.

Annexe C
Petit guide
des balises HTML

U ne des meilleures ressources d'informations sur le Web, disponible
elle-même sur le Web, est *The Bare Bones Guide to HTML* (*L'essentiel de
HTML*) dont il existe une version française appelée *Le guide rapide du langage
HTML*. Au moment où ces lignes sont écrites, elle liste à peu près toutes les
balises contenues dans la dernière version de HTML (4.0) avec, en plus, les
extensions Netscape. Ce site a été développé et est maintenu par Kevin
Werbach, un diplômé de Harvard ayant exercé les fonctions d'avocat à la FCC
de Washington. La version originale est disponible sur le site :

```
http://www.werbach.com/barebones/index.html
```

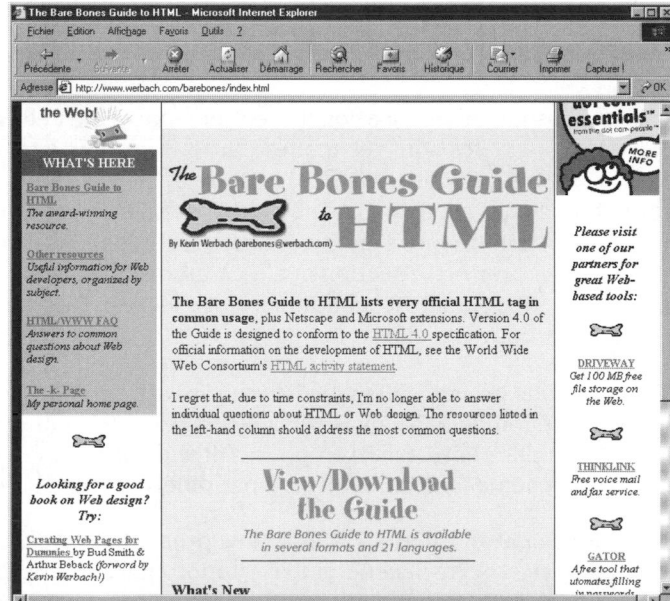

Figure C.1 :
Page
d'accueil de
site Web de
Kevin
Werbach.

dont la Figure C.1 montre la page d'accueil.

Il en existe 21 traductions, ce qui fait, en comptant l'édition originale en anglais, un total de 22 versions. Pour prendre connaissance de la version française, cliquez sur le bouton Text que vous pouvez voir sur la Figure C.2.

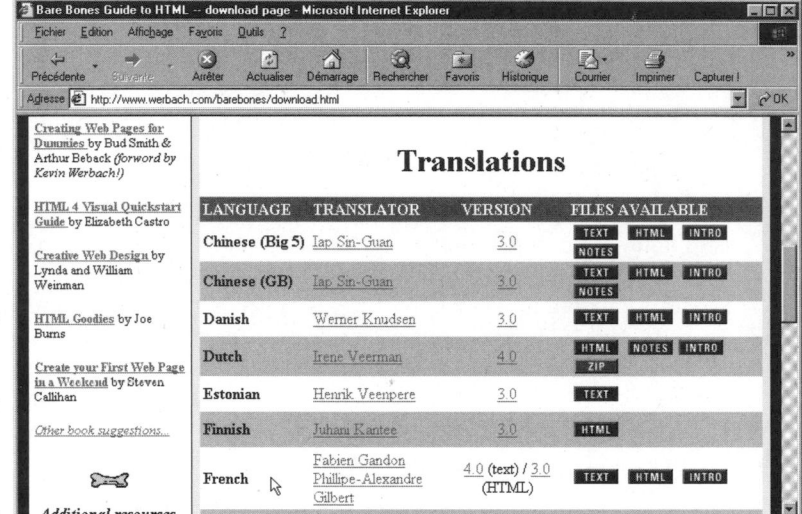

Figure C.2 :
Version
française du
guide de
Kevin
Werbach.

Les différentes versions de HTML

Les balises que nous allons décrire constituent une partie de celles qui sont définies par HTML 4.0 ; elles sont reconnues par tous les navigateurs modernes. Aussi, si vous êtes peu intéressé par l'histoire ancienne (pour le Web, cela concerne tout ce qui est arrivé avant l'année dernière) et ne vous souciez pas de ceux de vos visiteurs qui s'entêtent à conserver leur antique navigateur, vous pouvez ignorer cette section et aller tout droit aux tableaux. Mais si vous êtes curieux d'archéologie, continuez votre lecture. Les versions de HTML décrites dans cette annexe sont :

- **HTML 2.0.** Tous les navigateurs existant à l'heure actuelle reconnaissent cette version de base, mais certaines balises peuvent être interprétées de façon différente. Par exemple, un titre de premier niveau (⟨H1⟩) peut être affiché de façon très diverse par différents navigateurs.

- **Netscape Navigator 1.0 et 1.1.** Ces toutes premières versions de Netscape Navigator déclenchèrent l'évolution que l'on sait du Web.

Elles furent les premières à reconnaître des options comme le centrage du texte, les images flottantes et l'emploi de la couleur pour l'arrière-plan et le texte. Pour cela Netscape avait créé des extensions officieuses, c'est-à-dire non reconnues par le W3C (*World Wide Web Consortium*, organisation ayant en charge la définition des standards du Web). La plupart de ces extensions ont, depuis, été adoptées par les autres éditeurs de navigateurs.

- **HTML 3.2.** Cette version sans doute la plus largement reconnue date de mai 1996. La plupart des idées originales qui figuraient dans le *draft* (brouillon) de HTML 3.2 comme les tableaux et l'alignement des paragraphes, étaient déjà supportées par Netscape Navigator 1.0 et 1.1.

- **Netscape Navigator 2.0.** C'est l'une des versions de Netscape Navigator qui a été parmi les plus largement utilisées. Elle implémentait quelques extensions mineures en plus d'une innovation importante : les *frames* (cadres), qui permettent de partager l'écran du navigateur en plusieurs fenêtres indépendantes pouvant être mises à jour indépendamment.

- **HTML 4.0.** C'est la version la plus récente dont les spécifications aient été agréées par le W3C[1]. Elle renferme quelques-unes des extensions proposées par Microsoft et Netscape, ainsi que certaines balises d'un usage délicat, voire difficile, toujours incomplètement (voire incorrectement) implémentées par les navigateurs même les plus récents.

Au cours du temps, les navigateurs ont connu de multiples mises à jour destinées à élargir leurs possibilités. Cependant, bon nombre d'utilisateurs sont restés fidèles à la première version, parfois fort ancienne, de leur navigateur. C'est pourquoi vous ne devez pas supposer qu'il suffit qu'un éditeur sorte une nouvelle version pour que tout le monde s'empresse de l'adopter.

Comment utiliser cette annexe

Pour bien utiliser cette annexe lorsque vous créerez vos pages Web, commencez par le premier tableau qui contient une liste des balises conformes aux spécifications HTML 2.0 et 3.2 et reconnues par à peu près tous les navigateurs. Si vous vous contentez de ces balises, vos pages pourront bénéficier de la plus large audience possible. Vous pourrez ensuite les pimenter çà et là avec quelques balises plus récentes extraites des différentes extensions que vous trouverez dans les tableaux suivants. Vous pouvez aussi utiliser cette liste pour créer plusieurs versions de vos pages : une pour tous les navigateurs et une autre pour les navigateurs plus récents.

---

1. En réalité, il en existe une plus récente – la 4.01–, mais elle ne contient surtout que des modifications "cosmétiques" par rapport à la 4.0. (*N.d.T.*)

Dans cette annexe, vous trouverez beaucoup de balises HTML dont nous n'avons pas parlé au cours des chapitres précédents. Essayez-les et, si vous voulez en savoir davantage à leur sujet, consultez, chez le même éditeur et dans la même collection, *HTML 4 pour les Nuls*, par Ed Tittel, Natanya Pitts et Chelsea Valentine.

L'attribut ALIGN

Il convient de noter que l'usage de l'attribut ALIGN est déconseillé d'une façon générale par la spécification officielle de HTML 4 au profit de l'emploi des feuilles de style CSS. *(N.d.T.)*

Comment exploiter les tableaux

A l'intérieur des tableaux, vous remarquerez certaines balises qui **ne sont pas** précédées d'un tiret, contrairement à leurs *attributs* qui les suivent et qui, eux, le sont. Exemple :

Texte préformaté	`<PRE> </PRE>`	Affiche les espaces, tabulations et retours chariot.
- Largeur	`<PRE WIDTH=?> </PRE>`	Largeur en caractères.

Le Tableau C.1 donne la liste des conventions typographiques utilisées dans les tableaux qui suivent.

Tableau C.1 : Conventions typographiques.

Symbole	Signification
URL	URL d'un fichier externe (ou simplement nom de fichier si le fichier se trouve dans le même répertoire).
?	Nombre quelconque. Par exemple, `<H?>` signifie `<H1>`, `<H2>` ... `<H6>`.
%	Pourcentage arbitraire. Par exemple, `WIDTH=%` peut représenter `WIDTH=40%`.

Symbole	Signification
***	Texte quelconque. Par exemple, `ALT="***"` indique que vous devez placer du texte entre les guillemets.
$$$$$$	Nombre hexadécimal quelconque. Par exemple, `BGCOLOR="#$$$$$$"` peut signifier `BGCOLOR="#00FF1C"`.
:::	Date de modification.
|	Choix mutuellement exclusif entre plusieurs valeurs. Par exemple, `ALIGN=LEFT|CENTER|RIGHT` signifie que vous devez choisir entre ces trois valeurs possibles.
- *Option*	Option ou attribut d'une balise.

Balises conformes aux spécifications HTML 2.0 et HTML 3.2

Les balises des Tableaux C.2 à C.10 sont décrites dans les spécifications HTML 2.0 et 3.2 et devraient être reconnues par tous les navigateurs.

Tableau C.2 : Tout document HTML devrait, en principe, contenir toutes ces balises.

Nom de la balise	Balise	Notes
Type de document	`<HTML> </HTML>`	Début et fin du fichier.
Titre	`<TITLE> </TITLE>`	Doit se trouver dans la section d'en-tête.
En-tête	`<HEAD> </HEAD>`	Informations descriptives comme le titre.
Corps	`<BODY> </BODY>`	Contenu de la page.

Tableau C.3 : Définitions structurales : leur apparence est contrôlée par les options de configuration (Préférences) du navigateur.

Nom de la balise	Balise	Notes
Titre	`<H?> </H?>`	HTML 2.0 reconnaît 6 niveaux.
Bloc de citation	`<BLOCKQUOTE> </BLOCKQUOTE>`	Généralement indenté.
Mise en valeur	`<EM> </EM>`	Généralement affiché en italique.
Forte mise en valeur	`<STRONG> </STRONG>`	Généralement affiché en gras.
Citation	`<CITE> </CITE>`	Généralement affiché en italique.
Code	`<CODE> </CODE>`	Pour les listings de code source.

Nom de la balise	Balise	Notes
Exemple	`<SAMP> </SAMP>`	
Saisie au clavier	`<KBD> </KBD>`	
Variable	`<VAR> </VAR>`	
Adresse de l'auteur	`<ADDRESS> </ADDRESS>`	

Tableau C.4 : Format de présentation ; c'est l'auteur qui spécifie l'apparence du texte.

Nom de la balise	Balise	Notes
Gras	`<B> </B>`	
Italique	`<I> </I>`	
Machine à écrire	`<TT> </TT>`	Affiché avec une police à pas fixe.
Texte préformaté	`<PRE> </PRE>`	Affiche les espaces, tabulations et retours chariot.
- Largeur	`<PRE WIDTH=?> </PRE>`	Largeur en caractères.

Tableau C.5 : Liens et images.

Nom de la balise	Balise	Notes
Lien	`<A HREF="URL"> </A>`	
Lien vers une cible	`<A HREF="URL#***"> </A>`	Si situé dans un autre document.
	`<A HREF="#***"> </A>`	Si situé dans le même document.
Définition d'une cible	`<A NAME="***"> </A>`	
Affichage d'une image	`<IMG SRC="URL">`	
- Alignement	`<IMG SRC="URL" ALIGN =TOP|BOTTOM|MIDDLE|RIGHT|LEFT>`	
- Texte de remplacement	`<IMG SRC="URL" ALT="***">`	
- Image réactive	`<IMG SRC="URL" ISMAP>`	Exige l'existence d'un script.

Tableau C.6 : Séparateurs.

Nom de la balise	Balise	Notes
Paragraphe	`<P>`	Avec insertion d'une ligne vierge.

Nom de la balise	Balise	Notes
Rupture de ligne	` `	Sans insertion de ligne vierge.
Filet horizontal	`<HR>`	A partir de HTML 3.2.

Tableau C.7 : Listes (peuvent être imbriquées).

Liste à puces	`<UL> <LI> </UL>`	`<LI>` Avant chaque article de la liste.
Liste ordonnée	`<OL> <LI> </OL>`	`<LI>` Avant chaque article de la liste.
Liste de définitions	`<DL> <DT> <DD> </DL>`	`<DT>` = terme, `<DD>` = définition.

Tableau C.8 : Caractères spéciaux (doivent être tous écrits en minuscules).

Nom de la balise	Balise	Notes
Caractère spécial	`&#?;`	? représente le code de l'un des caractères de l'alphabet ISO 8859-1.
<	`&lt;`	
>	`&gt;`	
&	`&amp;`	
"	`&quot;`	
Marque déposée	`&#reg;`	
Copyright	`&#copy;`	

Vous trouverez une liste complète des caractères spéciaux à l'URL :

```
http://www.bbsinc.com/symbol.html
```

Tableau C.9 : Formulaires (nécessitent généralement l'existence d'un script CGI sur le serveur).

Nom de la balise	Balise	Notes
Définition d'un formulaire	`<FORM ACTION="URL" METHOD=GET|POST></FORM>`	
Champ de saisie	`<INPUT TYPE="TEXT|PASSWORD|CHECKBOX|RADIO|IMAGE|HIDDEN|SUBMIT|RESET">`	
- Nom du champ	`<INPUT NAME="***">`	
- Valeur du champ	`<INPUT VALUE="***">`	

Nom de la balise	Balise	Notes
- Coché ?	`<INPUT CHECKED>`	Cases à cocher et boutons radio.
- Taille du champ	`<INPUT SIZE=?>`	En nombre de caractères.
- Longueur maximale	`<INPUT MAXLENGTH=?>`	En nombre de caractères.
Liste de sélection	`<SELECT></SELECT>`	
- Nom de la liste	`<SELECT NAME="***"></SELECT>`	
- Nombre d'options	`<SELECT SIZE=?></SELECT>`	
- Choix multiples	`<SELECT MULTIPLE>`	Plusieurs sélections possibles.
Option	`<OPTION>`	Liste d'articles à choisir.
- Option par défaut	`<OPTION SELECTED>`	
Taille de la boîte de saisie	`<TEXTAREA ROWS=? COLS=?></TEXTAREA>`	
- Nom de la boîte	`<TEXTAREA NAME="***"> *** </TEXTAREA>`	

Tableau C.10 : Divers.

Commentaire	`<!-- *** -->`	Texte non affiché par le navigateur.
Prologue	`<!DOCTYPE HTML PUBLIC " -//IETF// DTD HTML 2.0//EN">`	
URL de ce fichier	`<BASE HREF="URL">`	Doit se trouver dans la section d'en-tête.
Relations	`<LINK REV="***" REL="***" HREF="URL">`	Dans la section d'en-tête.
Meta Information	`<META>`	Doit se trouver dans la section d'en-tête.

Autres balises largement utilisées

Les balises des Tableaux C.11 à C.17 sont comprises de presque tous les navigateurs actuels. Pour plus de détails, consulter *The Bare Bones Guide to HTML* à l'URL citée au début de cette annexe.

Tableau C.11 : Définitions structurales : apparence contrôlée par les préférences du navigateur.

Nom de la balise	Balise	Notes
- Alignement de titre	`<H? ALIGN=LEFT|CENTER|RIGHT></H?>`	HTML 3.2.
Division	`<DIV></DIV>`	HTML 3.2.

Nom de la balise	Balise	Notes
- Alignement de division	`<DIV ALIGN=LEFT|RIGHT|CENTER|JUSTIFY></DIV>`	HTML 3.2.
Grande police	`<BIG> </BIG>`	HTML 3.2.
Petite police	`<SMALL> </SMALL>`	HTML 3.2.

Tableau C.12 : Format de présentation : apparence du texte spécifiée par l'auteur.

Nom de la balise	Balise	Notes
Indice	`<SUB> </SUB>`	HTML 2.0.
Exposant	`<SUP> </SUP>`	HTML 2.0.
Centrer	`<CENTER> </CENTER>`	Très utilisé depuis Netscape 1.0 pour le texte et les images[2].

Tableau C.13 : Images.

Nom de la balise	Balise	Notes
Dimensions	`<IMG SRC="URL" WIDTH= "?" HEIGHT= "?">` exprimées en pixels.	HTML 3.2. Largeur et hauteur de l'image sont

Tableau C.14 : Séparateurs.

Nom de la balise	Balise	Notes
Paragraphe	`<P> </P>`	HTML 3.2.
- Alignement de texte	`<P ALIGN=LEFT|CENTER|RIGHT|JUSTIFY> </P>`	HTML 3.2.
- Pas de retour à la ligne	`<P NOWRAP> </P>`	Internet Explorer seulement.

---

2. L'usage de l'attribut CENTER est déconseillé par la spécification officielle de HTML 4.0. *(N.d.T.)*

Tableau C.15 : Arrière-plan et couleurs.

Nom de la balise	Balise	Notes
Arrière-plan en mosaïque	`<BODY BACKGROUND="URL">`	HTML 3.2.
Couleur de fond	`<BODY BGCOLOR="#$$$$$$">`	HTML 3.2 (ordre des couleurs : rouge, vert, bleu).
Couleur du texte	`<BODY TEXT="#$$$$$$">`	HTML 3.2 (ordre des couleurs : rouge, vert, bleu).
Couleur des liens	`<BODY LINK="#$$$$$$">`	HTML 3.2 (ordre des couleurs : rouge, vert, bleu).
Liens activés	`<BODY ALINK="#$$$$$$">`	HTML 3.2 (ordre des couleurs : rouge, vert, bleu).
Liens visités	`<BODY VLINK="#$$$$$$">`	HTML 3.2 (ordre des couleurs : rouge, vert, bleu).

Vous pourrez en apprendre davantage à l'URL :

```
<http://www.werbach.com/web/wwwhelp.html
```

Tableau C.16 : Tableaux.

Nom de la balise	Balise	Notes
Définition de tableau	`<TABLE> </TABLE>`	HTML3.2.
- Bordure de tableau	`<TABLE BORDER> </TABLE>`	HTML 3.2. Son absence implique l'absence de bordure.
- Bordure de tableau	`<TABLE BORDER=?> </TABLE>`	HTML 3.2. Sert à définir la largeur de la bordure en pixels.
- Espacement des cellules	`<TABLE CELLSPACING=?>`	HTML 3.2.
- Ajustement des cellules	`<TABLE CELLPADDING=?>`	HTML 3.2.
- Largeur souhaitée	`<TABLE WIDTH=?>`	HTML 3.2 (en pixels).
- Largeur souhaitée	`<TABLE WIDTH=%>`	HTML 3.2 (en pourcentage de la largeur de la fenêtre).
Ligne de tableau	`<TR> </TR>`	HTML 3.2.
- Alignement	`<TR ALIGN=LEFT|RIGHT|CENTER VALIGN=TOP|MIDDLE|BOTTOM>`	HTML3.2.
Cellule de tableau	`<TD> </TD>`	HTML 3.2. Doit se trouver à l'intérieur d'une ligne.
- Alignement	`<TD ALIGN=LEFT|RIGHT|CENTER VALIGN=TOP|MIDDLE|BOTTOM>`	HTML 3.2.
- Pas de retour à la ligne	`<TD NOWRAP>`	HTML 3.2.
- Expansion de colonne	`<TD COLSPAN=?>`	HTML 3.2.
- Expansion de ligne	`<TD ROWSPAN=?>`	HTML 3.2.
- Largeur souhaitée	`<TD WIDTH=?>`	HTML 3.2 (en pixels).
- Largeur souhaitée	`<TD WIDTH=%>`	HTML 3.2 (en pourcentage de la largeur du tableau).
- Hauteur souhaitée	`<TD HEIGHT=?>`	HTML 3.2 (en pixels).

Nom de la balise	Balise	Notes
- Hauteur souhaitée	`<TD HEIGHT=%>`	HTML 3.2 (en pourcentage de la largeur de la fenêtre).
En-tête de tableau	`<TH> </TH>`	HTML 3.2 (Identique à DT mais centré et en gras).
- Alignement	`<TH ALIGN=LEFT|RIGHT|CENTER VALIGN=TOP|MIDDLE|BOTTOM>`	HTML 3.2.
- Pas de rupture de ligne	`<TH NOWRAP>`	HTML 3.2
- Expansion de colonne	`<TH COLSPAN=?>`	HTML 3.2
- Expansion de ligne	`<TH ROWSPAN=?>`	HTML 3.2
- Largeur souhaitée	`<TH WIDTH=?>`	HTML 3.2 (en pixels).
- Largeur souhaitée	`<TH WIDTH=%>`	HTML 3.2 (en pourcentage).
- Hauteur souhaitée	`<TH HEIGHT=?>`	HTML 3.2 (en pixels).
- Hauteur souhaitée	`<TH HEIGHT=%>`	HTML 3.2 (en pourcentage de la largeur de la fenêtre).
Titre du tableau	`<CAPTION> </CAPTION>`	HTML 3.2.
- Alignement	`<CAPTION ALIGN=TOP|BOTTOM>`	HTML 3.2 (Au-dessus ou au-dessous du tableau).

Tableau C.17 : Divers.

Nom de la balise	Balise	Notes
Script interne	`<SCRIPT> </SCRIPT>`	
Script externe	`<SCRIPT SRC="URL"> </SCRIPT>`	
Type de script	`<SCRIPT TYPE="***"> </SCRIPT>`	
Langage du script	`<SCRIPT LANGUAGE="***"> </SCRIPT>`	
Applet Java	`<APPLET>`	HTML 3.2.
- Nom de l'applet	`<APPLET NAME="***">`	HTML 3.2.
- Texte de remplacement	`<APPLET ALT="***">`	HTML 3.2.
- Emplacement du code de l'applet	`<APPLET CODE="URL">`	HTML 3.2.
- Répertoire de base du code	`<APPLET CODEBASE="URL">`	HTML 3.2.
- Hauteur de la fenêtre de l'applet	`<APPLET HEIGHT=?>`	HTML 3.2 (en pixels).
- Largeur de la fenêtre de l'applet	`<APPLET WIDTH=?>`	HTML 3.2 (en pixels).
- Décalage horizontal	`<APPLET HSPACE=?>`	HTML 3.2 (en pixels).
- Décalage vertical	`<APPLET VSPACE=?>`	HTML 3.2 (en pixels).
- Alignement	`<APPLET ALIGN=[left|right|top|middle|bottom]>`	HTML 3.2.
Paramètres de l'applet	`<PARAM>`	HTML 3.2.
Nom et valeur du paramètre	`<PARAM NAME="nom applet" VALUE="valeur du paramètre">`	HTML 3.2.
Prologue 3.2	`<!DOCTYPE HTML PUBLIC"-//W3C//DTD HTML 3.2 FINAL//EN">`	HTML 3.2.

Balises moins fréquemment utilisées

Certaines balises (voir Tableaux C.18 à C.27) introduites par Netscape ont été adoptées moins rapidement par les autres navigateurs. Actuellement, elles peuvent être utilisées sans problème[3].

Tableau C.18 : Définitions structurales, contrôle de l'apparence.

Nom de la balise	Balise	Notes
Définition de contenu	`<SPAN> </SPAN>`	HTML 4.0
Citation	`<Q> </Q>`	Courtes citations (HTML 4.0).
- Citation	`<Q CITE="URL"> </Q>`	Pour signaler les nouveautés dans un document HTML. HTML 4.0.
Insertion	`<INS> </INS>`	HTML 4.0.
- Date de la modification	`<INS DATETIME=":::"> </INS>`	HTML 4.0.
Suppression	`<DEL> </DEL>`	HTML 4.0.
- Date de la suppression	`<DEL DATETIME=":::"> </DEL>`	HTML 4.0.
- Commentaires	`<DEL CITE="URL"> </DEL>`	HTML 4.0.
Acronyme	`<ACRONYM> </ACRONYM>`	HTML 4.0.
Abréviation	`<ABBR> </ABBR>`	HTML 4.0.

Tableau C.19 : Format de présentation : apparence du texte spécifiée par l'auteur.

Nom de la balise	Balise	Notes
Clignotement	`<BLINK> </BLINK>`	Netscape Navigator 1.0[4].
Taille de la police	`<FONT SIZE=?> </FONT>`	HTML 3.2 (de 1 à 7, 3 par défaut).
Changement de taille de la police	`<FONT SIZE=+|-?> </FONT>`	HTML 3.2.
Taille de base de la police	`<BASEFONT SIZE=?>`	HTML 3.2 (de 1 à 7 — 3 par défaut).
Couleur de la police	`<FONT COLOR="#$$$$$$"> </FONT>`	HTML 3.2.
Souligné	`<U> </U>`	HTML 2.0.
Barré	`<S> </S>`	HTML 2.0.
Choix d'une police	`<FONT FACE="***"> </FONT>`	HTML 4.0.

---

3.   Faux pour certaines en ce qui concerne Internet Explorer. *(N.d.T.)*

---

4.   L'utilisation des balises <BLINK>, <FONT> et <BASEFONT> est déconseillée par la spécification officielle de HTML 4.0. *(N.d.T.)*

Tableau C.20 : Liens et images et sons.

Nom de la balise	Balise	Notes
- Fenêtre cible	`<A HREF="URL" TARGET- "***"> </A>`	HTML 4.0.
Action sur un clic	`<A HREF="URL" ONCLICK="***"> </A>`	HTML 4.0
Souris sur un objet	`<A HREF="URL" ONMOUSEOVER="***"> </A>`	HTML 4.0.
Souris hors d'un objet	`<A HREF="URL" ONMOUSEOUT="***"> </A>`	HTML 4.0.
- Alignement	`<IMG SRC="URL" ALIGN=LEFT|RIGHT| TEXTTOP|ABSMIDDLE|BASELINE|ABSBOTTOM>`	Netscape Navigator 1.0.
- Image réactive	`<IMG SRC="URL" USEMAP="URL">`	HTML 3.2.
- Carte de navigation	`<MAP NAME="***"> </MAP>`	HTML 3.2.
- Section	`<AREA SHAPE="RECT" COORDS="#, #,#, " HREF="URL"|NOHREF>`	HTML 3.2.
- Bordure	`<IMG SRC="URL" BORDER=?>`	HTML 3.2 (en pixels).
Espace d'environnement	`<IMG SRC="URL" HSPACE=? VSPACE=?>`	HTML 3.2 (en pixels).
Image à faible résolution	`<IMG SRC="URL" LOWSRC="URL">`	
"Client Pull"	`<META HTTP-EQUIV="Refresh" CONTENT="?; URL=URL">`	HTML 2.0.
Inclusion d'un objet	`<EMBED SRC="URL">`	Navigator 2.0.
- Taille de l'objet	`<EMBED SRC="URL" WIDTH="?" HEIGHT="?">`	Navigator 2.0, Internet Explorer.
Objet	`<OBJECT> </OBJECT>`	HTML 4.0.
Paramètres	`<PARAM>`	HTML 4.0.

Tableau C.21 : Séparateurs.

Nom de la balise	Balise	Notes
- Arrêt entourage image	`<BR CLEAR=LEFT|RIGHT|ALL>`	HTML 3.2.
- Alignement d'un filet	`<HR ALIGN=LEFT|RIGHT|CENTER>`	HTML 3.2.
- Epaisseur d'un filet	`<HR SIZE=? >`	HTML 3.2 (en pixels).
- Longueur d'un filet	`<HR WIDTH=?>`	HTML 3.2 (en pixels).
- Longueur d'un filet	`<HR WIDTH= %>`	HTML 3.2 (en pourcentage de la largeur de la fenêtre du navigateur).
- Filet sans effet de relief	`<HR NOSHADE>`	HTML 3.2.
Suppression d'alinéa	`<NOBR> </NOBR>`	Netscape Navigator 1.0.
Césure de mots	`<WBR>`	Netscape Navigator 1.0. Emplacement de la césure si elle est nécessaire.

Tableau C.22 : Listes (peuvent être imbriquées).

Nom de la balise	Balise	Notes
- Liste à puces	`<UL TYPE=DISC|CIRCLE|SQUARE> </UL>`	HTML 3.2. Pour toute la liste.
	`<LI TYPE=DISC|CIRCLE|SQUARE>`	HTML 3.2. S'étend aux articles suivants.
- Liste ordonnée	`<OL TYPE=A|a|I|i|1> </OL>`	HTML 3.2. Pour toute la liste.
	`<LI TYPE=A|a|I|i|1>`	HTML 3.2. S'étend aux articles suivants.
- Valeur de départ	`<OL START=?>`	HTML 3.2.
- Comptage	`<OL VALUE=?>`	HTML 3.2. Pour toute la liste.

Tableau C.23 : Arrière-plan et couleurs.

Nom de la balise	Balise	Notes
Lien actif	`<BODY ALINK="#$$$$$$">`	HTML 3.2.

Pour en savoir davantage, pointez votre navigateur sur l'URL :

`http://www.werbach.com/web/wwwhelp.html#color`

Tableau C.24 : Formulaires. Demandent généralement la présence d'un script CGI sur le serveur.

Nom de la balise	Balise	Notes
- Téléchargement de fichier vers le serveur	`<FORM ENCTYPE="multipart/form-data"> </FORM>`	HTML 4.0.
- Passage à la ligne automatique	`<TEXTAREA WRAP=OFF|VIRTUAL|PHYSICAL> </TEXTAREA>`	HTML 2.0.
Bouton	`<BUTTON> </BUTTON>`	HTML 4.0.
- Nom du bouton	`<BUTTON NAME="***"> </BUTTON>`	HTML 4.0.
- Type de bouton	`<BUTTON TYPE"=SUBMIT|RESET|BUTTON> </BUTTON>`	HTML 4.0.
- Valeur par défaut	`<BUTTON VALUE"="***"> </BUTTON>`	HTML 4.0.
Etiquette	`<LABEL> </LABEL>`	HTML 4.0.
Etiquette avec nom	`<LABEL FOR="***"> </LABEL>`	HTML 4.0.
Option de groupe	`<OPTGROUP LABEL="***"> </OPTGROUP>`	HTML 4.0.
Groupe d'éléments	`<FIELDSET> </FIELDSET>`	HTML 4.0.
Légende	`<LEGEND> </LEGEND>`	HTML 4.0.
- Alignement	`<LEGEND ALIGN =TOP|BOTTOM|RIGHT|LEFT> </LEGEND>`	HTML 4.0.

Tableaux C.25 : Tableaux.

Nom de la balise	Balise	Notes
- Alignement de tableau	`<TABLE ALIGN=LEFT|RIGHT|CENTER> </TABLE>`	HTML 4.0.
- Couleur d'un tableau	`<TABLE BGCOLOR="#$$$$$$>< </TABLE>`	HTML 4.0.
- Encadrement d'un tableau	`<TABLE FRAME=VOID|ABOVE|BELOW|HSIDES|VSIDES|LHS|RHS|BOX|BORDER> </TABLE>`	HTML 4.0.
- Séparations des cellules d'un tableau	`<TABLE RULES=NONE|GROUPS|ROWS|COLS|ALL> </TABLE>`	HTML 4.0.
- Largeur d'une cellule	`<TD WIDTH=?>`	HTML 4.0 (en pixels).
- Couleur d'une cellule	`<TD BGCOLOR="#$$$$$$>`	HTML 4.0.
- Largeur d'une cellule d'en-tête	`<TH WIDTH=?>`	HTML 4.0 (en pixels).
- Couleur d'une cellule d'en-tête	`<TH BGCOLOR="#$$$$$$>`	HTML 4.0.
Corps d'un tableau	`<TBODY>`	HTML 4.0.
Pied d'un tableau	`<TFOOT> </TFOOT>`	HTML 4.0 (doit être situé après `<THEAD>`).
En-tête d'un tableau	`<THEAD> </THEAD>`	HTML 4.0.
Colonne	`<COL> </COL>`	HTML 4.0.
- Regroupement de colonnes	`<COL SPAN=?> </COL>`	HTML 4.0.
- Largeur de colonnes	`<COL WIDTH=?> </COL>`	HTML 4.0 (en pixels).
- Largeur de colonnes	`<COL WIDTH="%"> </COL>`	HTML 4.0 (en pourcentage).
Groupes de colonnes	`<COLGROUP> </COLGROUP>`	HTML 4.0.
- Regroupement	`<COLGROUP SPAN=?> </COLGROUP>`	HTML 4.0.
- Largeur	`<COLGROUP WIDTH=?> </COLGROUP>`	HTML 4.0 (en pixels).
- Largeur	`<COLGROUP WIDTH="%"> </COLGROUP>`	HTML 4.0 (en pourcentage).

Tableau C.26 : Frames : définition et manipulation de zones d'écran indépendantes.

Nom de la balise	Balise	Notes
Définition des frames	`<FRAMESET> </FRAMESET>`	HTML 4.0. Remplace `<BODY>`.
- Hauteur des lignes	`<FRAMESET ROWS="#, #,#,"> </FRAMESET>`	HTML 4.0 (en pixels ou en pourcentage).
- Hauteur des lignes	`<FRAMESET COLS=*> </FRAMESET>`	HTML 4.0 (taille relative).
- Largeur des colonnes	`<FRAMESET COLS="#, #,#,"> </FRAMESET>`	HTML 4.0 (en pixels ou en pourcentage).
- Largeur des colonnes	`<FRAMESET COLS=*> </FRAMESET>`	HTML 4.0 (taille relative).
Définition d'un cadre	`<FRAME>`	HTML 4.0.
- Document à afficher	`<FRAME SRC="URL">`	HTML 4.0.

Nom de la balise	Balise	Notes
- Nom du cadre	`<FRAME NAME="***|_blank|_self|_parent|_top">`	HTML 4.0.
- Largeur de marge	`<FRAME MARGINWIDTH=?>`	HTML 4.0 (à gauche et à droite).
- Hauteur de marge	`<FRAME MARGINHEIGHT=?>`	HTML 4.0 (en haut et en bas).
- Barre de défilement	`<FRAME SCROLLING=YES|NO|AUTO>`	HTML 4.0.
- Non redimensionnable	`<FRAME NORESIZE>`	HTML 4.0.
- Bordures	`<FRAME FRAMEBORDER="yes|no">`	HTML 4.0.
- Couleur des bordures	`<FRAME BORDERCOLOR="#$$$$$$">`	HTML 4.0.
Frame en ligne	`<IFRAME> </IFRAME>`	HTML 4.0.
- Dimensions	`<IFRAME WIDTH=? HEIGHT=?> </IFRAME>`	HTML 4.0 (en pixels).
- Dimensions	`<IFRAME WIDTH="%" HEIGHT="%"> </IFRAME>`	HTML 4.0 (en pourcentage).
Si frames non reconnues	`<NOFRAMES> </NOFRAMES>`	HTML 4.0. Pour les navigateurs ne reconnaissant pas les frames.

Tableau C.27 : Divers.

Nom de la balise	Balise	Notes
- Invite	`<ISINDEX PROMPT="***">`	HTML 2.0[5].
Nom de la fenêtre de base	`<BASE TARGET="***">`	HTML 2.0. Doit se trouver dans l'en-tête.
Autre contenu	`<NOSCRIPT> </NOSCRIPT>`	HTML 4.0 (si les scripts ne sont pas reconnus).
Direction de l'affichage	`<BDO DIR=LTR|RTL> </BDO>`	HTML 4.0 (pour certains jeux de caractères).

---

5. L'utilisation de cette balise est déconseillée par la spécification HTML 4.0. *(N.d.T.)*

Annexe D

Quelques ressources pour l'auteur Web

• •

Sur l'Internet, on trouve beaucoup d'informations utiles pour les auteurs de pages Web, quel que soit leur niveau de compétence. Dans cette annexe, nous allons vous indiquer quelques liens vers de nombreuses sources d'informations concernant l'écriture de présentations Web, ainsi que vers des sites sur lesquels on trouve quelques-uns des logiciels les plus populaires du Web.

Ressources générales pour l'auteur Web

La ressource la plus utile d'informations sur le Web est probablement l'excellente FAQ sur le WWW écrite par Thomas Boutell. Elle contient des réponses à presque toutes les questions que vous pouvez vous poser au sujet du Web ainsi que de nombreux liens vers différents sites renfermant nombre d'informations complémentaires. C'est un excellent point de départ pour le futur auteur Web, ainsi que pour l'amateur de surf sur le Web capable de lire et de comprendre un texte écrit en anglais.

- La FAQ de Thomas Boutell : `http://www.boutell.com/faq/`.

L'index de Yahoo! contient une superbe collection de liens vers à peu près tout ce qui concerne le Web et qui touche à l'Internet. Voici un lien direct vers la section appropriée :

- Ressources Web de Yahoo! : `http://www.yahoo.com/Computers_and_Internet/Internet/World_Wide_Web/`.

Pour des sujets plus pointus et des ressources concernant plus spécialement l'édition sur le Web, allez voir les sites suivants :

- ZDNet Devhead : `http://www.zdnet.com/devhead`.

- La bibliothèque virtuelle de l'auteur Web : `http://www.starsvdv1.com/`.

- Web Developer Channel : `http://www.internet.com/htmldev/sections/webdev.html`.

Quatre sujets particuliers font l'objet d'une intense demande. D'abord, la sécurité sur le Web, qui concerne les différents aspects de la sécurisation d'un site Web et l'écriture de scripts Web sans failles de sécurité. Puis l'écriture des scripts CGI. Ensuite, les images GIF transparentes et entrelacées. Enfin, la confection d'images GIF animées.

- FAQ de la sécurité sur le World Wide Web : `http://www.w3.org/Security/Faq`.

- Le guide des débutants en HTML du NCSA : `http://www.ncsa.uiuc.edu/General/Internet/WWW/`.

- Les images GIF transparentes et entrelacées : `http://www.best.com/~adamb/GIFpage.html`.

- Les GIF 89a animées : `http://coverage.cnet.com/Content/Features/Techno/Gif89`.

Ressources WEB pour Windows

Voici quatre adresses de sites où vous trouverez des logiciels pour Windows concernant plus spécialement le Web et l'Internet, depuis les navigateurs jusqu'aux logiciels de visualisation, sans oublier les clients FTP ou Telnet, des plugins et des utilitaires d'administration de système.

- TUCOWS : `http://tucows.chez.delsys.fr/` (miroir français) ou `http://www.tucows.com/` (site principal).

- Stroud's Consummate Winsock Applications : `http://cws.internet.com/`.

- La bibliothèque de logiciels de ZDNet : `http://www.zdnet.com/downloads/`.

- Répertoire de logiciels pour WinSock : `http://www.stardust.com/wsdir/`.

Logiciels pour Windows

- Netscape Communicator : `http://home.netscape.com/browsers/index.html`.

- Internet Explorer : `http://www.microsoft.com/windows/ie/default.htm`.

- Macromedia Dreamweaver : `http://www.macromedia.com/software/dreamweaver/`.

- InContext Spider : `http://www.incontext.com/SPinfo.html`.

- SoftQuad HoTMetaL : `http://www.hotmetalpro.com/`.

- Homesite " `http://www.allaire.com/Products/HomeSite/`.

- HotDog : `http://www.sausage.com/`.

- Logiciel de capture de sites Web : `http://www.boutell.com/weblater/`.

- Mapedit (réalisation d'images réactives) : `http://www.boutell.com/mapedit/`.

- Live image (réalisation d'images réactives) : `http://www.mediatec.com/`.

- Paint Shop Pro (éditeur graphique) : `http://www.jasc.com/psp.html`.

- Générateur de fonds de page : `http://www.sausage.com/reptile/reptile.html`.

- Choix de couleurs pour vos pages Web : `http://www.hidaho.com/colorcenter/cc.html`.

- LView Pro (éditeur graphique) : `http://www.lview.com/`.

- Générateur d'images GIF animées : `http://www.ulead.com/ga/runme.htm`.

- Autre générateur d'images GIF animées : `http://www.imagixx.net/~gw/wpsk/index.html`.

- Collection de modèles de pages : `http://www.ulead.com/ga/runme.htm`.

- Logiciel de création de statistiques pour sites Web : `http://www.boutell.com/wusage/`.

- Utilitaire de sauvegarde et de suivi de liens : `http://www.boutell.com/weblater/`.

- Vérificateur de syntaxe HTML : `http://www.htmlvalidator.com/`.

- Différentes références d'éditeurs HTML en provenance du W3C : `http://www.w3.org/hypertext/WWW/Tools/Filters.html`.

Ressources Web pour Macintosh

- The ULTIMATE Macintosh : `http://www.ultimatemac.com`.

- Page des ressources de StarNine : `http://dev.starnine.com/index.html`.

- Répertoire FTP des assistants NCSA pour Macintosh : `ftp://ftp.ncsa.uiuc.edu/Mosaic/Mac/Helpers/`.

- Macupdate (logiciels et jeux pour Mac) : `http://www.macupdate.com/`.

- Info-Mac HyperArchive : `http://hyperarchive.lcs.mit.edu/HyperArchive.html`.

- MacTech Magazine : `http://www.mactech.com/`.

Logiciels Web pour Macintosh

- Netscape Communicator : `http://home.netscape.com/browsers/index.html`.

- Microsoft Explorer : `http://www.microsoft.com/windows/ie/default.htm/`.

- Macromedia Dreamweaver : `http://www.macromedia.com/software/dreamweaver/`.

- Editeur BBEdit : `http://web.barebones.com/products/bbedit/litevfull.html`.

- Editeur HotMetal de SoftQuad : `http://www.hotmetalpro.com/`.

- Editeur HTML Pro pour Macintosh : `http://www.acc.umu.se/~r2d2/files/mac/html_pro.html`.

- Mailsmith (client e-mail pour Macintosh : `http://web.barebones.com/products/msmith/msmith.html`.

- SiteCheck (vérificateur de liens) : `http://www.pacific-coast.com/St_Pages/PCSPages/Datasheets/SiteCheckdata.html`.

- Wusage (logiciels de statistiques Win/Mac/Unix pour le Web) : `http://www.boutell.com/wusage/`.

- Mapedit (création d'images réactives Win/Mac/Unix) : `http://www.boutell.com/mapedit/`.

- JPEGView (logiciel de visualisation d'images) : `ftp://ftp.ncsa.uiuc.edu/Mosaic/Mac/Helpers/jpeg-view-331.hqx`.

- GraphicConverter (conversion de formats d'images) : `http://www.lemkesoft.de/us_gcabout.html`.

- GIFConverter (conversion de formats d'images) : `http://www.kamit.com/gifconverter.html`.

- Collection de modèles de pages Web : `http://www.imagixx.net/~gw/wpsk/index.html`.

- W3.ORG (éditeurs et logiciels de conversion HTML) : `http://www.w3.org/hypertext/WWW/Tools/Filters.html`.

PERL

PERL est un langage de script très populaire parmi les administrateurs de systèmes et les auteurs Web. Mais nous sortons là du Web pour pénétrer dans le domaine de la programmation, art bien plus délicat et qui réclame des connaissances et de l'expérience souvent hors de portée d'un auteur, si habile soit-il dans la réalisation de pages Web. Voici quelques adresses de sites où vous pourrez trouver des scripts tout faits dont certains pourront éventuellement vous convenir, vous dispensant de tout effort de programmation :

- Perl.com : `http://www.perl.com`.

- Perl Mongers : `http://www.perl.org`.

- CPAN (Comprehensive Perl Archive Network) : `http://www.cpan.org`.

- The Perl Journal : `http://tpj.com`.

- ZDNet (CGI, Perl et TCL) : `http://www.zdnet.com/devhead/filters/cgiperltcl`.

- Macintosh Perl FAQ : `http://www.perl.com/CPAN-local/doc/FAQs/mac/MacPerlFAQ.html`

Java

Java est rapidement devenu le langage de choix pour créer des applications Web interactives. Les sites énumérés ci-dessous renferment pléthore d'informations sur ce langage : ressources et exemples.

- Le site officiel de Sun pour Java : `http://java.sun.com/`.

- Ressources Java de Yahoo! : `http://dir.yahoo.com/ Computers_and_Internet/Programming_Languages/Java/`.

- Gamelan : Répertoire de ressources Java : `http://www.gamelan.com/`.

- Archives FAQ sur Java : `http://www-net.com/java/faq/`.

JavaScript

Netscape Navigator et Internet Explorer contiennent tous deux un interpréteur JavaScript. Ce langage de script est simple et dépourvu de toute insécurité. Il permet de réaliser assez facilement un certain nombre d'effets visuels comme, par exemple, les boutons animés. En dépit de son nom, il ne s'agit pas d'un Java "décaféiné". D'ailleurs, Microsoft l'appelle JScript et non JavaScript. Voici quelques URL à consulter si vous voulez en savoir plus et découvrir des scripts prêts à l'emploi :

- Ressources JavaScript de Yahoo! : `http://dir.yahoo.com/ Computers_and_Internet/Programming_Languages/JavaScript/"`.

- FAQ sur JavaScript : `http://developer.irt.org/script/faq.htm">`.

- Ressources JavaScript du magazine IDM : `http://idm.internet.com/faq/ js-faq.shtml`.

- Bibliothèque JavaScript de ZDNet : `http://www.zdnet.com/devhead/ resources/scriptlibrary/javascript/`.

ActiveX

ActiveX est la réponse de Microsoft à Java en ce qui concerne l'interactivité sur le Web (ce qui ne l'empêche pas de déployer une intense activité sur le front de Java). Malgré les efforts déployés par Microsoft pour promouvoir ce langage, il n'y a plus guère de développeurs Web qui l'utilisent actuellement.

A cela deux raisons : il est à l'écart des standards de langages et n'est compris que par Internet Explorer. Néanmoins, voici trois adresses de sites à visiter éventuellement :

- ActiveX (C!NET) : `http://www.activex.com/`.

- Le propre site de Microsoft : `http://www.microsoft.com/com/tech/activex.asp`.

- Ressources de Yahoo! sur Active-X : `http://dir.yahoo.com/Computers_and_Internet/Software/Operating_Systems/Windows/Windows_95/Information_and_Documentation/ActiveX`.

VRML

Conçu pour la description de mondes 3D en réalité virtuelle sur l'Internet, VRML est une technologie intéressante qui voudrait bien révolutionner le Web mais ne semble toujours pas y être parvenue, l'intérêt des développeurs semblant se porter plutôt sur Shockwave de Macromedia. Si cela vous intéresse, vous pouvez visiter les sites suivants :

- Le dépôt VRML : `http://www.web3d.org/vrml/vrml.htm`.

- Le consortium VRML : `http://www.vrml.org/`.

- La FAQ de VRML : `http://hiwaay.net/~crispen/vrmlworks/faq/index.html`.

- Les Ressources VRML de Yahoo! : `http://dir.yahoo.com/Computers_and_Internet/Internet/ World_Wide_Web/Virtual_Reality_Modeling_Language__VRML_`.

Groupes de news de Usenet

Quel que soit l'intérêt que vous portiez au Web et à l'Internet, vous êtes certain de trouver d'autres gens qui partagent vos passions sur Usenet. Il existe des centaines de forums. Pour les groupes francophones, cherchez en priorité ceux qui commencent par `fr.comp`.

Index

X

Y

Z